DE WEG NAAR CALLISTO

Torsten Krol

De weg
naar Callisto

Vertaald door Peter Abelsen

ARENA

Oorspronkelijke titel: *Callisto*
© Oorspronkelijke uitgave: Torsten Krol, 2007
© Nederlandse uitgave: Arena Amsterdam, 2007
© Vertaling uit het Engels: Peter Abelsen
Omslagontwerp: Roald Triebels, Amsterdam
Typografie en zetwerk: zetR, Hoogeveen
ISBN 978-90-6974-898-6
NUR 302

EEN

Mijn naam is Odell Deefus. Ik ben een blank iemand, en dus niet zwart, wat mensen vaak denken als ze alleen mijn naam horen zonder mij erbij te zien. Zou je dat wel doen, mij in het echt ontmoeten bedoel ik, dan was je mijn gezicht waarschijnlijk weer snel vergeten, omdat het niet echt een kenmerkend gezicht is. Maar wat je wel zou bijblijven was mijn bouw. Ik ben ruim één-negentig, wat een lengte is die me voor veel vrouwen aantrekkelijk maakt. Tot ze merken dat ik niet zo praat als vrouwen graag horen. Dan is het weer snel gedaan met de romantiek. Om succes te hebben moet je een vlotte prater zijn, en ik moet altijd even denken voor ik iets te zeggen weet, waarna het gesprek alweer een heel eind verder is, dus laat dan maar zitten. Dit probleem heb ik mijn hele leven al, met alle gevolgen.

Op 21 november 2007 zal ik tweeëntwintig jaar oud zijn, maar dan ben ik niet meer hier, want ik zit nu in een bus naar ergens zo ver mogelijk weg. We zoeven door de nacht en alle andere passagiers slapen. Voordat ze sliepen was er niet één die een praatje met me maakte. Ze zullen wel denken dat ik een domme sukkel ben, maar dan vergissen ze zich, en niet zo'n beetje ook, want ik heb al zestien keer *The Yearling* gelezen en dat boek heeft wel mooi de Pulitzerprijs gewonnen, dus dat kun je niet lezen als je dom bent. Ik heb ook drie andere boeken geprobeerd, maar die bevielen me minder dan *The Yearling*. Als je het verhaal niet kent: het gaat over een jongen, Jody heet hij, die een hertenjong verzorgt waarvan ze de moeder hebben doodgeschoten in het bos, en hij voedt het op als een huisdier, als een hond of zo. Maar als het beestje één jaar oud is, wordt het lastig en het knabbelt van de nieuwe maïs en meer van die dingen, dus dan moet hij het afmaken en daar krijg ik nog altijd natte wimpers van, wat een extra bewijs is dat ik niet dom ben, want een dom iemand heeft zulke gevoelens niet.

Ik schrijf dit dus in de bus, in een schoolschrift met lijntjespapier en *The Little Mermaid* op de kaft. Ik heb een heleboel van die schriften, want ik heb een lang verhaal te vertellen. Op de andere kaften staan *The Lion King, The Incredibles* (de hele familie), Nemo en zijn vriendjes, Shrek met dat pratende ezeltje, en iedereen van *Toy Story*. Ik had liever kaften zonder iets erop gehad, maar de winkel verkocht alleen deze soort. Ik kan schrijven omdat er een lampje boven mijn stoel zit. Ik heb een sterke drang om het allemaal op te schrijven, alles wat me overkomen is, terwijl de anderen slapen. Ik wil alles opgeschreven hebben voordat me weer iets anders overkomt. Ik bedenk later wel wat ik met het verhaal doe. Misschien stuur ik het naar de *New York Times*, wat de beste manier is om de waarheid te vertellen als er mensen zijn die niet willen dat de waarheid wordt verteld. De *New York Times* houden ze niet tegen, en mij ook niet.

Goed, daar gaan we.

Een tijdje terug rijd ik dwars door Kansas in een Chevrolet Monte Carlo uit '78, met een motor die klinkt als een heimachine met ijzeren palen. Ik was op weg om me bij het leger aan te melden. Die hebben nu zo hard mensen nodig dat ze niet eens meer om een diploma van de *high school* vragen, wat gunstig is voor mij, omdat ik dat diploma nooit gehaald heb. Maar niet omdat ik dom zou wezen. Ik was gewoon uit mijn doen in dat laatste jaar van school, met als gevolg dat ik geen diploma haalde. Eerst vond ik dat helemaal niet erg, maar na verloop van tijd wel, want het beste werk dat ik krijgen kon was in een graansilo. Dit verdiende haast niks en het was levensgevaarlijk omdat die elevators wel zestig meter hoog waren. En het leger zat nu te springen om rekruten, want er meldde zich bijna niemand meer aan vanwege de oorlog in Irak. Ik had gehoord dat ze zelfs een bonus betaalden, dus werd dat mijn nieuwe plan, die bonus krijgen en mijn best doen om een goed soldaat te worden tegen de beestachtige islamieten die daar alles laten ontploffen, zelfs hun eigen mensen. Ik ben geen bloeddorstig iemand, maar aan die beestachtigheid in Irak moet een eind komen. En bovendien, ik was nog geen succesvol persoon, en dat werd ik misschien als ik een paar medailles kon laten zien.

Er is een rekruteringsbureau in Callisto, in Callisto County ligt dat, dus daar was ik naar op weg. Ik hield de snelheid op honderdtien per uur, waar de Chevy zich het best bij leek te voelen. Maar op een gegeven moment, met nog een kilometer of zestig te gaan, werd de herrie zo erg dat de motor uit elkaar leek te klappen en moest ik vaart temperen. En op de interstate mag je niet langzaam, dus moest ik verder over allerlei achterafweggetjes, met een slakkengangetje van niks en op een gegeven moment wist ik niet eens meer waar ik was, alleen maar dat ik ongeveer de goede kant op ging. En toen begon de motor te schuren en hield hij er helemáál mee op. Ik kon nog net naar de kant sturen, bleef een poosje voor me uit zitten kijken en stapte toen maar uit om de kap omhoog te doen. Alles zat op zijn plek volgens mij, al wist ik het niet zeker omdat ik geen kenner ben, maar er zat nergens iets los, dus moest het probleem in het motorblok zitten. Waarschijnlijk een ouderdomskwaal, want de teller wees achtennegentigduizend en hij was al eens klokje rond geweest. De motor tikte als een tijdbom en er sloeg zoveel hitte en oliestank vanaf dat ik een stap achteruit deed. Het leek me het beste om hem maar een beetje af te laten koelen, dan deed hij het misschien vanzelf weer. En het was halverwege de middag, dus ik was toch aan een pauze toe want ik reed al vanaf de ochtend.

Er viel weinig te zien, Callisto County is net zo vlak en leeg als de rest van Kansas, waar ze alleen in het oosten een paar heuveltjes hebben en verder niks dat de moeite van het aanzien waard is. Ik ging tegen de deur staan leunen, staarde naar de horizon in de verte en maakte me niet druk om die motor. Om zulke dingen moet je je nooit druk maken. Dat helpt namelijk toch niet. Je ziet weleens mensen tegen hun auto schreeuwen, of ze zijn zo kwaad dat ze ertegenaan trappen, maar daar gaat hij echt niet door rijden, dus dat is zonde van de moeite. En trouwens, dit was al zo vaak gebeurd, dus ik was eraan gewend. Als ik straks weer uit het leger kom, dacht ik, dan koop ik als eerste een auto met minder dan zeventigduizend op de teller en nog geen gebreken.

Het was bloedheet in de volle zon, met geen wolkje aan de lucht, dus ging ik op de achterbank zitten en opende mijn koffer met zowat al mijn bezittingen, wat volgens mij goed duidelijk maakt hoe slecht ik eraan toe was. Dat hoort gewoon niet, dat je hele leven in één koffer past. Er zaten wat kleren in die nodig aan de wasserette toe waren, een fles Captain Morgan, mijn lievelingsrum, die voor driekwart vol was en natuurlijk *The Yearling*, dat al half uit elkaar ligt van het vele lezen. Ik bekeek de Captain met zijn piratenpak op het etiket en vroeg me af of ik een slok zou nemen. Of was het beter om hem voor later te bewaren omdat ik nog maar vijfentwintig dollar op zak had? Als het leger me niet aannam, kon ik het wel vergeten wat geld betreft. Dus stopte ik de fles maar weer terug, wat me een verstandig gevoel gaf, en pakte in plaats daarvan mijn boek. Dat is een goede filosofie, vind ik. Moet je kiezen tussen een fles en een boek, pak dan het boek, dat is bijna altijd de verstandigste keus. Er zijn heel wat mensen die met de fles leven, of ze blowen de hele dag, en daardoor komen ze steeds verder van het echte leven af te staan. Nou, zo had ik nooit geleefd en wilde ik ook niet leven. Die goede instelling gaf me ook het volste vertrouwen dat ik door de keuring zou komen en geen lastige vragen kreeg over dat ik geen highschooldiploma heb. Wat heeft het doodschieten van beestachtige islamieten trouwens met je scholing te maken?

Om de tijd te doden ging ik zitten lezen, het gedeelte waar Jody op visite gaat bij zijn kreupele vriend Fodderwing. Ik heb ook vaak genoeg in blaadjes met blote tieten of auto's of vuurwapens zitten kijken, maar die geven geen voldoening als je een geest hebt die een goed verhaal verlangt. Je zou kunnen zeggen dat ik *The Yearling* lees zoals kerkelijke mensen de bijbel lezen, van begin tot eind en dan gewoon weer opnieuw, keer op keer. Ik ontdek er altijd weer nieuwe dingen in.

Er is weleens iemand geweest, een kennis van me, geen vriend, die de spot met me uithaalde omdat ik zo van *The Yearling* hou. Hij zei dat het een boek voor kleine kinderen was, vanwege de tekening op het omslag van Jody met dat hertenjong in zijn armen. Dus ik zei dat het wel mooi een boek van de Pulitzerprijs was, wat ook duidelijk te lezen staat onder die tekening, maar hij ging gewoon door met sarren. Hij bleef zeggen dat je achterlijk moest zijn om zo'n kinderboek te lezen, waarschijnlijk omdat hij zelf nog nooit van de Pulitzerprijs had gehoord, dus moest ik het ten slotte neerleggen om hem een lesje te leren. Zo ben ik niet vaak, dat ik geweld gebruik, maar hij vroeg er gewoon om. Ik ben behoorlijk lang, zoals ik al zei, maar ook vrij breed en dus geen magere slungel met wie je kunt doen wat je wilt. Deze idioot die bleef sarren was ook niet klein uitgevallen, maar toen ik met hem klaar was, had ik zelf alleen maar een kras op mijn wang, en ontvelde knokkels waaraan je kon zien dat ik gewonnen had. Soms is dat de enige manier om iets op te lossen. Het is niet de manier die mijn voorkeur verdient, maar soms heb je gewoon geen keus en moet je voor jezelf opkomen, anders lachen ze je uit.

Dit voorval was nog op school, de Kit Carson High School in Yoder, Wyoming. Ik kreeg de schuld en werd drie dagen geschorst, terwijl hij begonnen was! Dit is een van de redenen waarom ik het niet goed deed op school, met het gevolg dat ik geen diploma kreeg en daarna alleen maar rotbaantjes zoals bij de graansilo. Maar ik hoopte dat het leger daar dus verandering in ging brengen.

Toen ik een poosje had zitten lezen, werd het zo heet dat ik mijn gedachten er niet meer bij kon houden, zelfs niet met alle ramen omlaag, dus deed ik maar een dutje. En toen ik na een uur of zo wakker werd, had ik enorme dorst, maar niet in Captain Morgan, meer in een ijskoude Coke. Er was nog steeds niemand voorbijgekomen en daar had ik ook geen hoop meer op, dus probeerde ik de motor. En hij sloeg aan. Hij klonk niet veel beter dan toen hij ermee was opgehouden, maar de Chevy kwam in beweging en ik wist hem zevenendertig minuten lang aan de praat te houden. En toen hij er opnieuw mee nokte, was dat niet zo erg want ik kwam bij het hek van een oprit tot stilstand, al was het niet echt een hek maar twee palen zonder iets ertussen, en de oprit was een kronkelig zandpad. Het voerde naar het enige huis in de verre omtrek.

Ik besloot het zandpad af te lopen. Het lag er verwaarloosd bij, met een diepe kuil halverwege, waar de grond waarschijnlijk was weggespoeld door de voorjaarsregens. Ik vroeg me af waar de honden bleven, want bij een huis als dit kon je volgens mij verwachten dat je een stuk of drie honden op je af kreeg. Maar die verwachting kwam niet uit, geen hond te zien. Het huis was al net zo armoedig als het pad ernaartoe. Het was helemaal van hout en een beetje scheefgezakt en nodig aan een schilderbeurt toe. Het had een bovenverdieping en van onderen een veranda langs drie kanten. Op het erf stond een roestige pro-paantank die eruitzag als een mini-onderzeeër op het droge. In het Midden-Westen heb je veel van zulke huizen, met een paar grote scha-duwbomen eromheen, die bij een wervelstorm dwars door het dak kunnen slaan, en een schuur waar altijd een pick-uptruck in staat, en in dit geval was dat ook zo, namelijk een Dodge.

Ik liep de doorgezakte treden van de veranda op en klopte op de rand van de hordeur. De voordeur daarachter stond open en ik zag een lan-ge gang. Het enige geluid dat van binnen kwam was getik, en dit kwam van een grootvadersklok, die als een rechtopstaande doodkist halver-wege de gang stond. Ik klopte nog maar eens en riep: 'Hallo! Is daar iemand?' En niemand reageerde. Ik klopte wat harder, maar zonder re-sultaat, en riep ook nog maar een keer, en weer niks. De bewoners wa-ren waarschijnlijk ergens naartoe en ze hadden hun deur open laten staan omdat ze niet bang waren voor dieven. In het Midden-Westen heb je zulke mensen nog, maar hun aantal wordt snel minder met de criminaliteit van tegenwoordig.

Ik verging ondertussen van de dorst. Er was misschien wel een kraantje op het erf, maar niet dat ik kon zien. Ik wilde water, en wa-ter is van iedereen, dus als je het neemt is het geen stelen, zelfs niet als ik naar binnen ging om het in de keuken te pakken. Dus trok ik de hordeur open, riep nog een keer, en stapte naar binnen. Er hing een oudehuizenlucht van gebarsten linoleum en verschoten behang en bladderverf. De klok tikte heel bedaard, alsof hij de tijd van honderd jaar geleden aangaf, toen alles nog veel langzamer ging.

De keuken was precies waar ik al gedacht had dat hij was. Het aan-recht stond vol met troep en de gootsteen lag vol met vuile borden. Dit was geen huishouden om trots op te zijn. Ik kon rotte etenswaren ruiken, in de provisiekast misschien, of in de overvolle vuilnisbak die nodig geleegd moest worden. Ook mocht er weleens iemand met een emmer en een dweil door deze keuken gaan, en met een borstel, maar het was mijn zaak niet hoe mensen wilden leven en het ging mij alleen maar om de kraan boven de gootsteen. Op een plank erboven ston-den glazen als soldaten op een rij en ik pakte er een en zag dat die plank ook weleens schoongemaakt mocht worden, en het ging me wel niet aan, maar als ik hier gewoond had, had ik het nooit zo smerig laten worden. Ik vulde het glas onder de kraan en dronk het in één teug leeg, en toen vulde ik het opnieuw om wat rustiger te kunnen drinken. 'Zet neer dat glas,' zegt een stem achter me. Het was geen bange stem, en niet boos ook, wat begrijpelijk was geweest omdat ik ongevraagd binnen was komen. Ik draaide me langzaam om, met het glas nog in mijn hand. Aan de andere kant van de keuken stond een gozer die iets ouder was dan ik. Op zijn T-shirt stond BAD TO THE BONE – AND PROUD OF IT. Hij had een honkbalknuppel in zijn handen, en een baard van een dag of wat, en een zenuwachtigheid in zijn gezicht die niet leuk was om te zien. Als ik kleiner was geweest dan ik ben, was ik misschien geschrokken van die honkbalknuppel. Nu dacht ik alleen maar: mooi, hij heeft geen geweer.

'Goeiemiddag,' zei ik.

'Zet neer dat glas.'

Ik zette het glas op het aanrecht zonder mijn ogen van hem af te halen. Zijn haar zat alle kanten op en zijn ogen stonden raar. Ik wachtte tot hij nog iets zei, maar hij bleef alleen maar staan kijken, met die knuppel omhoog om me bij de minste beweging een mep te geven.

'Mijn auto is stuk,' zei ik uiteindelijk zelf maar. 'Hij staat bij het hek van de oprit. Ik heb aangeklopt, maar er kwam niemand. Bedankt voor het water, ik had vreselijke dorst.'

Hij zei nog steeds niks.

'Ik ben Odell Deefus, uit Wyoming.'

'Odell Deefus? Zo heten alleen nikkers.'

'Bij mij op school zat een zwarte jongen die Alan White heette, dus een naam zegt niet zoveel.'

De klok tikte door en hij bleef staan kijken hoe ik naar hem terug stond te kijken. Maar uiteindelijk liet hij de knuppel zakken.

'Je kunt niet voorzichtig genoeg zijn,' zei hij, nog steeds niet op zijn gemak, maar wel iets minder zenuwachtig.

'Ik heb een paar keer aangeklopt en geroepen, en toen heb ik maar aangenomen dat er niemand thuis was. Ik verging echt van de dorst.'

'Ga je gang.'

Ik pakte het glas weer en dronk het leeg. Ik bleef hem in de gaten houden, maar trok er een kalm gezicht bij. Hij droeg sneakers, wat waarschijnlijk de reden was waarom ik hem niet had horen aankomen.

Ik zette het lege glas op het aanrecht. 'Dank je wel. Ik ga maar weer eens naar mijn auto.'

Ik moest langs hem heen om de keuken uit te komen. Hij deed een stapje opzij om me door te laten. Dat doen mensen als je ruim één-negentig bent. Was ik één-vijfenzeventig geweest, dan had hij doorgezeurd over dat water en misschien wel met de politie gedreigd. Maar hij was een stuk kleiner dan ik, en aan de schriele kant, en hij wilde me alleen maar weg hebben, wat heel begrijpelijk was. Hij volgde me door de gang, langs de grootvadersklok helemaal tot aan de hordeur.

Toen ik buiten stond, kreeg hij toch nog manieren en vroeg: 'Radiator oververhit?'

'Geen idee, het kan van alles zijn. Hij is rijp voor de sloop.'

'Ik kijk wel even. Ik heb altijd mijn eigen auto's opgelapt.'

'Nou, graag.'

Hij zette de honkbalknuppel tegen de muur bij de voordeur en stapte ook naar buiten. We liepen de krakende treden van de veranda af en staken het erf over naar het zandpad.

Hij zegt: 'Verkeerde dag om panne te krijgen, met die hitte.'

'Zeg dat wel. De motor klonk de hele dag al niet goed. Ik heb waarschijnlijk nog geluk dat ik zo ver gekomen ben.'

'Waar moet je heen?'

'Callisto, me aanmelden bij Uncle Sam.'

'Huh?'

'Het leger. Die hebben een rekruteringsbureau daar.'

'Het leger?' Hij zei het alsof het iets smerigs was.

'Ik heb genoeg ander werk geprobeerd, maar dat was allemaal niks.'

'Het leger stuurt je naar Irak. Wil je tegen die opstandelingen vechten?'

'Waarom niet, die moeten toch gestopt worden?'

'Laat Irak dat zelf maar doen. Het is hun zaak, niet die van ons. Daar moeten wij ons niet mee bemoeien.'

Dit had ik al vele malen gehoord. De meeste mensen dachten zo, en dat begreep ik ook wel, maar als je voor de beslissing staat over wat je wilt met je leven, is het een respectabel standpunt om Amerika te dienen en de mensen in andere landen net zo gelukkig te maken als ons.

'Je bent gek als je bij het leger gaat,' zei hij.

'Ik wil een vast inkomen en de kans om hogerop te komen, en dat bieden ze.'

'Met zo'n lijf als het jouwe zou je football moeten gaan spelen. Ben je snel?'

'Nee.'

'Maar je kunt een behoorlijk blok zetten, denk ik zo.'

'Ik geef niet zo om football.'

En dit was waar, ik geef er echt niet om. Op school wilde ik ook nooit in het team, hoewel de coach altijd zei dat het goed voor me was om ergens bij te horen waar ik trots op kon zijn. Ja hoor, coach, alsof het mogelijk is om trots te zijn als je in Yoder woont, dat 2774 inwoners heeft en in Wyoming ligt. Mijn vader wilde me ook in het team hebben, zodat hij iets had om over op te scheppen, en misschien was dat wel de belangrijkste reden waarom ik niet wilde. Ik heb het nooit met mijn vader kunnen vinden, wat ook de reden is waarom ik van huis ben weggegaan toen het op school was misgelopen. 'Opgeruimd staat netjes,' zei hij toen ik zei dat ik weg wilde. Dat waren zijn precieze woorden: *opgeruimd staat netjes.* Het deed pijn om dat te horen, maar dat liet ik niet merken. Ik betaalde hem gewoon met gepaste munt terug door geen woord meer te zeggen en de bus naar Denver in Colorado te nemen, waar ik een tijdje in een autowasserij werkte met een stelletje mislukkelingen zonder toekomst. Ik heb hem nooit een brief gestuurd of opgebeld. Als mijn moeder nog geleefd had, had ik dat wel gedaan, maar hem gun ik het niet, die waardeloze klootzak. Hij had het recht niet om op mij neer te kijken. Het enige wat hij zelf ooit gepresteerd heeft, na zijn ontslag bij de politie in Cheyenne, om redenen waar hij nooit iets over gezegd heeft, was naar Yoder komen en een baantje nemen bij het benzinestation. Tanks vullen en de kassa bedienen, wat een prestatie!

We kwamen bij de auto en hij deed de motorkap omhoog en zei dat ik moest starten. De motor rammelde wat en viel stil, en begon pas weer te rammelen toen ik opnieuw startte. 'Dat klinkt niet best,' zei hij. 'Rijd hem maar naar de schuur. Ik ga er niet in de volle zon aan werken.'

'Oké.'

Ik kreeg de Chevy met horten en stoten over het zandpad naar het erf, waar hij er definitief de geest aan gaf. Hij liep hoofdschuddend achter me aan. We duwden de auto samen zijn schuur in, naast zijn pick-uptruck. Op de deur van de Dodge stond 'Dean's Lawnmowing', met een telefoonnummer eronder.

'Ben jij dat?' vroeg ik.

'Dat ben ik, ja, Dean Lowry. Doe die kap nog maar eens open.'

Hij pakte een gereedschapskist en begon onder de kap te sleutelen. Ik moest af en toe starten, maar dat lukte niet meer. Na een minuut of twintig zei hij: 'Ik kan nergens wat ontdekken. Misschien moet-ie wel compleet in de revisie, dat ouwe ding. Nieuw motorblok, noem maar op. Kost je waarschijnlijk meer dan-ie waard is. Wat heb je ervoor betaald?'

'Zevenhonderd.'

'Nou, dan zou ik hem gewoon naar de sloop brengen als ik jou was. Vang je nog vijftig dollar voor de onderdelen.'

'Maar hoe krijg ik hem daar?'

Ik keek naar de achterkant van zijn pick-up en zag een trekhaak. Hij ziet me kijken en hij zegt: 'Ik sleep je morgen wel, daar is het nu te laat voor.'

'Dank je, Dean.'

Als je iemand voor het eerst bij zijn naam noemt, verandert er altijd iets. Dan breekt het ijs zoals dat heet. Ik was er eerlijk gezegd op uit dat hij me aardig genoeg ging vinden om me te laten overnachten. Waar moest ik anders naartoe met die kapotte auto? We stonden samen naar de Monte Carlo te kijken, hij met minachting, ik met een soort van schaamte, en vroegen ons waarschijnlijk beiden af hoe het nu verder moest tussen ons. Uiteindelijk zegt hij: 'Nou, hier valt niks meer te doen. Kom maar mee naar binnen. Heb je al gegeten vandaag?'

'Flensjes voor mijn ontbijt bij een Denny's.'

'Ik heb de pest aan koken, maar als je zin hebt, mag je zelf je gang gaan in de keuken.'

'Zal ik doen. Dank je wel.'

'Neem je koffer maar mee naar binnen. Je gaat vandaag toch nergens meer heen.'

Even later sta ik eieren te breken en ham te snijden terwijl Dean achterovergeleund op een keukenstoel naar me zit te kijken. 'Wil jij ook wat?' bood ik aan. 'Ik ben goed in omeletten.'

'Ik eet geen varkensvlees meer. Ben ik mee opgehouden.'

'Dan doe ik er voor jou geen ham in.'

Maar hij schudde zijn hoofd en stak een sigaret tussen zijn lippen. 'Mijn laatste pakje, en met bier hou ik ook op. Er staat een sixpack in de koelkast als je trek hebt.'

'Ga je op een gezondheidsdieet?'

'Zo kun je het noemen, ja.' Hij knipte een aansteker aan en tuurde naar me door de uitgeblazen rook. Ik hield mijn aandacht bij de pan en voelde de honger aan mijn binnenste knagen toen ik de geur van de eieren opsnoof. Toen de omelet klaar was, schepte ik hem op een bord en ging tegenover hem aan de keukentafel zitten. Hij zag me erop aanvallen alsof ik uitgehongerd was.

'Jij zult wel een hoop eten nodig hebben met dat grote lijf.'

'Gewoon, gemiddeld,' zei ik. Ik slikte mijn eerste hap door en voelde een soort van verrukking door me heen gaan. Niets kan je zo van het leven laten genieten als honger wanneer je die stilt. Ik begon Dean aardig te vinden, al was het minder leuk dat hij rook in mijn richting zat te blazen. Zelf heb ik nooit gerookt. Nooit de behoefte gehad.

'Woon je hier alleen?'

'Ja. Met mijn tante dan. Dit is haar huis.'

'Is ze er vandaag niet?'

'Nee, ze logeert bij iemand.'

'In Callisto?'

'Florida. En daar blijft ze nog wel even.'

Florida is waar *The Yearling* zich afspeelt, in de moerassen en de bossen daar. Het idee maakte me een beetje jaloers. 'Gaat ze daar ook de natuur in?'

'Om een stuk uit haar kont te laten happen door een alligator? Niks voor haar. Verder dan het strand komt ze er nooit. Geef haar maar airconditioning. Fort Lauderdale, Miami, daar zit ze liever.'

Ik werkte mijn laatste hap weg en had spijt dat ik geen grotere omelet had gebakken. Ik moest aan dat sixpack denken. 'Je had bier, zei je?'

'In de koelkast. Pak zelf maar.'

Ik pakte er een en ging weer zitten. Hij keek toe terwijl ik de dop eraf wipte en het flesje aan mijn mond zette, en stond toen op om er zelf ook een te pakken. Even een pauze in zijn dieet, kennelijk.

'Ik stop morgen wel,' zei hij met een knipoog. Daar moest ik om lachen. Hij was zo beroerd nog niet, deze Dean. We hielden het wel met elkaar uit tot ik hem niet langer tot last hoefde te zijn en me kon gaan aanmelden bij het leger. Hij liet een rookkring uit zijn mond komen en keek hem tevreden na. 'Maar goed,' zegt hij, 'jij wilt dus moslims dood gaan schieten.'

'Ze mogen me ook naar de noordpool sturen, hoor. Ik wil gewoon een vaste baan, en die krijg je niet snel zonder highschooldiploma.'

'Als je geen highschooldiploma hebt, kom je het leger ook niet in.'

'Jawel, nu wel. Ze zitten te springen om rekruten en je schijnt alleen nog maar een heel simpel testje te hoeven doen, om te bewijzen dat je niet achterlijk bent.'

'O, nou, je bent in elk geval potig genoeg, dus misschien nemen ze je wel.'

'Dat zou mooi zijn.'

'Maar kunnen die moslims je dan niks schelen, en alles wat er daar aan de hand is?'

'Kijk, we zijn eraan begonnen en nu moeten we het afmaken. Zo zie ik het.'

'Maar dat is het punt, hè, we hadden er nooit aan moeten beginnen, vind jij ook niet?'

'Natuurlijk, dat vindt iedereen.'

'Behalve Bush dan.'

'Volgens mij denkt hij het ook wel, maar kan hij het niet hardop zeggen.'

'Iemand zou hém moeten doodschieten,' zegt hij, wat tegenwoordig link is om te zeggen, zeker tegen vreemden. 'Maar ja, dan krijgen we Cheney met zijn belangen in de olie en de wapenindustrie. Ik wou dat dat hele stelletje de moord stak. Meen ik echt. Wat ze ook zeggen, het is allemaal gelul. Je kunt er niet één meer vertrouwen, niet één.'

Hier had hij waarschijnlijk wel gelijk in. Ik had sowieso geen vertrouwen in politici. Nooit gehad ook, oorlog of geen oorlog. Maar ik had geen zin in een politieke discussie met Dean. Ik was bij hem te gast, had zijn eieren en ham gegeten en dronk nu zijn bier en morgen gaf hij me een sleep naar Callisto en dat was dat. Ik hief mijn bierflesje omhoog. 'Op de overwinning in Irak,' zei ik, wat ik zelf nogal stom vond klinken, maar dat kon me weinig schelen met een buik vol bier en eieren met ham.

'Mij best,' zegt Dean, een beetje laagdunkend.

Zoals ik al eerder schreef is het voor mij altijd moeilijk geweest om een gesprek op gang te houden, maar dat wilde ik nu wel heel graag met Dean, zodat de rest van de dag net zo makkelijk en gezellig zou verlopen. Liever dat dan een gespannen stilte.

'Dus jij maait gras voor je brood,' zei ik, want dat stond op zijn pickup. 'Verdient dat een beetje?'

'Gaat wel. Ik heb elke werkdag klanten. Vandaag is het zondag, dus vandaag niet.'

Hij nam een slok van zijn flesje en zei niks meer. Maar hij bleef me aankijken, op een nadenkende manier, zoals mensen dat zo vaak doen als ze over mijn lengte heen zijn, en over mijn schouders die soms door mijn hemd proberen te knappen zoals die van de Hulk wanneer hij een woedeaanval krijgt en helemaal groen wordt. (Ik schrijf dit niet om op te scheppen, het is gewoon een feit. Het is me weleens gebeurd dat ik echt uit mijn hemd scheurde, al was dat een heel oud hemd en al duizend keer gewassen, dus de stof was zwak.) Dean zat zich af te vragen of ik achterlijk was of niet. Maar dat doet bijna iedereen, dus ik ben eraan gewend.

'Maar afijn,' zegt hij, 'het is opgedoekt.'

'Wat is opgedoekt?'

'Dat rekruteringsbureau. Ze hebben het een jaar geleden gesloten, toen niemand meer naar Irak wilde om te sterven voor wildvreemde mensen die ons er niet eens willen hebben.'

'Nee, hoor. Ze geven nu zelfs een bonus. Heb ik zelf op het nieuws gezien.'

'Misschien ergens anders, maar niet in Callisto. Daar is hun bureau gesloten, dat schoot me net te binnen.'

'Tja, dat wil ik toch graag met mijn eigen ogen zien. Als het waar is, is het slecht nieuws, want verder rijden kan ik niet met die Chevy.'

'Dan neem je toch de bus?'

Een busticket zou me precies de vijftig dollar kosten die ik van de autosloperij kreeg. Maar ik heb me nooit zo druk kunnen maken over dat ik niet rijk ben, zolang ik maar genoeg op zak heb voor vandaag, en volgende week zien we dan wel weer. Dit is een filosofie die me nooit in de steek heeft gelaten. Hij gaat altijd op, is mijn ervaring, dus stel ik mijn zorgen altijd uit tot morgen.

Dean pakte nog twee biertjes uit de koelkast en we wipten er de dop af. Deze dag was al met al nog redelijk op zijn pootjes terechtgekomen, ondanks dat mijn auto kapot was, en nu het nieuws dat ze het rekruteringsbureau hadden gesloten. Met zijn tweede biertje achter zijn kiezen zag Dean er volkomen ontspannen uit en ik zag hem het besluit nemen dat ik er wel mee door kon. In mijn ervaring is het altijd merkbaar als iemand dit punt bereikt. Ze zeggen het zonder iets te zeggen, als het ware.

Omgekeerd begon ik Dean ook wel een beetje te mogen. Hij had meer bezittingen dan ik, een huis om in te wonen, met zijn tante om hem gezelschap te houden, en zijn eigen bedrijf als grasmaaier, maar ik kon toch zien dat hij niet voldaan was over zijn leven. Het zat in zijn ogen en in de manier waarop hij steeds maar heen en weer schoof op zijn stoel. Ik kon zien dat hij zich afvroeg hoe het zou zijn om mij te zijn, groot met brede schouders en vrij als een vogel om overal te gaan en te staan waar ik maar wilde, geld of geen geld. Dit wilde hij ook, dat zag ik gewoon, en toen zag ik dat hij doorkreeg dat ik het doorhad, en zag ik zijn gezicht een beetje betrekken. Ik moest voorzichtig met hem zijn, want hij was ingewikkelder dan je dacht. Maar ja, datzelfde kon je waarschijnlijk van mij zeggen.

'Geloof me nou, jij vindt het niks daar in Irak,' zegt hij met een priemende wijsvinger. Hij werd al een beetje dronken, waarschijnlijk omdat hij aan de schriele kant was en dus sneller zijn promillage bereikte. 'De mensen daar hebben hun eigen manier van denken en hun eigen godsdienst, waar ik een paar boeken over gelezen heb. Hun Bijbel heet de Koran, en daar staat veel wijsheid in. Maar hier in Amerika weet niemand dat, omdat niemand de moeite neemt om hem te lezen. Daarom mogen ze ons niet, die Irakezen. Omdat we ons best niet willen doen om ze te begrijpen. Ik kan daar heel goed inkomen. Misschien zijn zij wel veel betere mensen dan wij, heb je daar weleens bij stilgestaan?'

'Jazeker, dat heb ik ook weleens gedacht,' zei ik, maar ik zei het meer om hem zijn zin te geven dan om eerlijk te zeggen wat ik vond, want ik geloof sowieso niet dat de ene groep mensen beter kan zijn dan de andere. Mensen zijn mensen. Het is overal hetzelfde mengsel van goed en slecht en slim en dom, enzovoort, wat voor taal ze ook spreken, en dat staat voor mij vast dus daar ben ik niet vanaf te brengen. Maar ik woon toch liever in Amerika dan ergens anders, dus ik ben waarschijnlijk wel een patriot. Van Dean wist ik dat nog niet zo zeker, zoals hij praatte. Maar het kon ook gewoon aan het bier liggen dat hij zo praatte, dus het leek me het beste om maar geen aanstoot te nemen.

'Maar goed,' zei hij na een nieuwe slok, 'het kan ze niet verrotten wat ik denk of wat jij denkt of wat wie dan ook denkt die niet rijk en machtig is. Aan ons hebben ze toch gewoon schijt.'

'Zo is het,' zei ik. En zo is het ook. De rijken en machtigen hebben de hele wereld. Maar voor mij is dat nooit een reden geweest om ze te haten, omdat het om te beginnen zonde van de moeite en de emotie is om ze te haten, want ze voelen je haat toch niet, die glijdt gewoon als regendruppels van ze af zonder dat ze het voelen. En een tweede reden waarom ik ze niet haat is dat ze niet eens weten dat ik besta, en dat is voor mij een soort bescherming. Ik weet wel wie zíj zijn, want hun namen en gezichten en wat ze denken en beslissen, dat komt allemaal op tv waar iedereen het zien kan, maar ik kom nooit ergens waar zij míj kunnen zien of zelfs maar kunnen merken dat ik leef, dus kunnen ze me ook niks doen, zoals ik een muis niks kan doen die achter de muur leeft, omdat ik niet eens weet dat hij daar zit en helemaal op zijn eigen manier zijn muizenleven leidt en lekker zijn eigen gang gaat en zich niks van mij aantrekt.

Toen we allebei ons tweede biertje op hadden, kreeg Dean een zorgelijke uitdrukking op zijn gezicht. Hij zegt: 'Nu hebben we er ieder nog maar één. Voor de rest heb ik geen druppel drank in huis.'

'Geen probleem, ik heb een fles rum in mijn auto die nog voor driekwart gevuld is.'

Ik zei fles, maar het was geen gewone fles maar zo'n grote voordeelbuikfles. Deans ogen begonnen meteen te stralen en ik zag hem voor het eerst glimlachen. Zijn tanden stonden nogal scheef, dus glimlachen was nou niet echt iets waar Dean knapper door werd, maar ondanks dat is het beter om iemand wel te zien glimlachen dan niet, want een glimlachend iemand is makkelijker in de omgang, is mijn ervaring.

'Je meent het,' zei hij. 'Ga halen, man!'

Dus dat deed ik, en het duurde niet lang of we
melbank op de veranda naar de ondergaande zo
zen vol Captain Morgan in onze handen. Mijn
rand van boven en er stond 'Souvenir of Kansa
van Dean stond 'Colorado Springs', dus je kon w
de familie vaak buiten Callisto County kwam,
terug nam als souvenir. Dean zei dat de Captain
ik vertelde dat het de speciale Caraïbische kruide r
ker maken. Echte piratenrum, zei ik voor de gr
het donker werd op het erf, zaten we levenserva r
al waren het eigenlijk meer verhalen over tegens l
eerlijk moet zijn, met gezinsproblemen en slech t
we zaten er niet over te jammeren, hoor. Weln
hartstikke grappig klinken, en dan vooral de rott
avond viel en we vuurvliegjes heen en weer zage r
men, waren Dean en ik als oude vrienden die sa
in dezelfde straat.

Van drinken krijg je na verloop van tijd hon
om nog twee omeletten te maken, of wenteltee
zak met een gesneden brood in de keuken zien l
dat hij iets veel beters wist: in de kelder stond e
met diepvriesmaaltijden. Die kocht zijn tante Br
lijk als ze in de aanbieding waren. Hij ging na
terug met twee maaltijden met rosbief en aarda p
jes en jus, een complete maaltijd, eenvoudig te b
magnetron. Dean zei dat hij geen magnetron ha
langer tot ze klaar waren, maar liever lang en si
gewikkeld. Hier moesten we allebei als gekken
want we waren zo langzamerhand behoorlijk dr
maar dat is geen misdaad, zolang je maar niet ac
auto kruipt.

Na het eten gingen we door met drinken en
fles met de Captain leeg tussen ons in op de ke
allebei lam, maar vooral Dean die veel kleiner w
binnen had gekregen als je het verhoudingsge

stal,' lalde hij, maar dit was bij wijze van spreken want hij ging gewoon de trap op, naar zijn bed. Hij was al boven toen het tot me doordrong dat hij niet gezegd had waar mijn bed stond, dus ging ik daar zelf maar naar op zoek op de bovenverdieping. Daar aangekomen was er maar één andere kamer dan die van Dean, en dit was duidelijk een vrouwenkamer met kanten beddengoed en vrouwenprullen op de ladekast, die van zijn tante Bree dus, en daar hoorde ik natuurlijk niet. Dus ging ik de trap weer af en wist beneden te komen zonder mijn nek te breken en wilde nu alleen nog maar slapen en niks anders, dus dook ik gewoon op de bank in de zitkamer, die wat mij betreft zacht genoeg was, reken maar.

TWEE

Ze zeggen vaak dat jonge mensen minder last hebben na een avond zuipen, maar dat is een fabelverhaal. Ik werd de volgende ochtend wakker met een bijl tussen mijn oren en wist niet eens waar ik was. Pas toen het ouderwetse plafond tot me doordrong, kwam het bij me boven dat ik bij Dean thuis op de bank lag. Ik hoorde mezelf kreunen toen ik rechtop ging zitten, zo rot voelde ik me, en ik moest nadenken hoe opstaan ook alweer ging, waarna ik naar de keuken liep voor een glas water, gevolgd door nog een paar, wat een beetje hielp tegen het gedreun in mijn hoofd.

De diepvriesmaaltijdbakjes lagen als doodgemepte zilveren reuzenkakkerlakken op de keukentafel. Ze deden me aan eten denken, en de gedachte aan eten maakte me misselijk, dus draaide ik me om en liep naar buiten, wat behoorlijk tegenviel vanwege de felle zon die daar al bloedheet aan de hemel stond. Ik loosde een eindeloze straal pis op het erf, die me geler leek dan goed voor me was, en strompelde weer naar binnen waar ik op de tast de bank bereikte en spijt had dat ik er ooit van was opgestaan.

Dit was mijn eerste keer wakker worden. De tweede keer was een paar uur later en voelde al minder ellendig. Wat me wekte was het bonken van Dean die tree voor tree de trap af kwam. Hij sleepte zichzelf naar de keuken, ging daar aan de tafel zitten en legde met een kreun zijn hoofd op zijn armen. Ik vulde een glas onder de kraan en zette het voor hem neer, maar hij merkte het niet eens en ging gewoon door met kreunen. 'Neem wat water, Dean,' zei ik, maar hij was te beroerd om wat terug te zeggen. De grootvadersklok begon te slaan, maar het lukte me niet de slagen te tellen, dus moest ik ernaartoe lopen en ervoor gaan staan om te kijken hoe laat het was. Ik zei: 'Het is negen uur, Dean. Had je vandaag geen gras dat gemaaid moet worden?'

'Ze bekijken het maar...' zei hij met een kraakstem. Hij had nog steeds zijn glas niet aangeraakt. Zijn gezicht was helemaal verschrompeld, als een bejaarde op zijn laatste benen. Ik zag nu voor het eerst dat zijn haar al dun werd, bovenop, omdat hij voorovergebogen zat. Ik had met hem te doen. Het was mijn rum die dit had aangericht, dus kreeg ik een soort van schuldgevoel en bood aan dat gras te gaan maaien, zodat hij weer een beetje bij kon komen. Hij begreep niet wat ik bedoelde, maar toen ik koffie had gezet en het nog een keer aanbood, zei hij: 'Goed, doe maar. Mijn rooster ligt op het dashboard en in het handschoenkastje ligt een stratenplan van Callisto.' Ik had eerlijk gezegd niet verwacht dat hij het aan zou nemen, maar het leek me wel prettig, eigenlijk, want zo had ik wat afleiding van mijn eigen hoofd dat dreunde als een heiblok.

'Sleutels hangen daar...' zegt hij, en hij wijst naar een haakje aan de muur. Ik pakte ze. Het was een sleutelring met een schedel en twee gekruiste botten eronder. Ik ging naar de schuur en er stonden al twee maaimachines in de laadbak van de pick-up, eentje met een strooituit en eentje zonder, plus een paar jerrycans met benzine en een wiedijzer, dus ik was er helemaal klaar voor, behalve dan dat mijn hoofd dreunde. Ik kroop achter het stuur en startte. Dean was het soort van bestuurder dat nooit zijn cabine uitmest, dus er lag allerlei troep op de vloer, vooral etensbakjes en weggooibekers, zoveel dat je bijna niks meer van de rubber matten zag. Het was al een oude Dodge, maar de motor klonk goed. Ik reed hem achteruit de schuur uit en toen in zijn laagste versnelling het pad op. Op het dashboard ligt zo'n stoere pilotenzonnebril en die zette ik op om mijn hoofd te verzachten. Aan het einde van het pad draaide ik links de weg op en reed naar Callisto.

Onderweg stopte ik bij een International House of Pancakes voor een ontbijt waarvan ik wist dat ik er later op de ochtend plezier van zou hebben, zelfs al zou ik het nu met geweld door mijn keel moeten werken. Ik nam bosbessenwafels met slagroom en een sinaasappelsap, en merkte dat ik mezelf er niet voor hoefde te dwingen en dat het mijn innerlijke mens meteen versterkte. Ik had Deans rooster mee naar binnen genomen en zag dat hij op een weekschema werkte, wat wil zeggen dat zijn klanten hem om de week of eens per maand lieten komen om hun gras voor ze te maaien. Ik kon erop zien waar ik moest zijn voor welke klus, en dat de eerste voor tien uur stond geboekt, dus moest ik snel afeten en weer op pad.

De eerste klus was op nummer 1123 in Tarrant Street. Ik vond het huis en parkeerde ervoor en tilde een van de maaiers uit de laadbak. Het gras zag er eerlijk gezegd prima uit en ik zou het zelf niet gemaaid hebben als het van mij was geweest, maar mensen met geld willen nu eenmaal perfectie op grasgebied en betalen daar graag voor als ze zelf niet kunnen maaien vanwege een hoge leeftijd of een slechte gezondheid of zo. Daarom was het ook geen verrassing toen er een zilverharig oud dametje naar buiten kwam, heel mooi aangekleed, die wilde weten waar Dean was. Ik vertelde haar dat hij vandaag ziek was en dat ik hem verving en wat wilde ze, moest ik achter beginnen of voor? Het maakte haar niet uit, dus begon ik met het gazon voor het huis en werkte me vandaar naar het gazon erachter, wat me ongeveer een uur kostte. Op het rooster stond bij elke klant het bedrag dat ze moesten betalen, meestal veertig of vijftig dollar, afhankelijk van de gazongrootte, dus toen ik klaar was en de maaier weer op de pick-up had getild, wist ik hoeveel ik verwachten moest toen ik op de deur klopte. Het zilverharige dametje deed open en gaf me veertig dollar en zegt dat ze hoopt dat Dean gauw weer beter is, en ik zei dat ik het zou doorgeven.

De andere vijf klussen voor die maandag waren min of meer hetzelfde. Op het rooster stond of de klant het gras over zijn gazon wilde laten uitstrooien of dat er gemaaid moest worden met de niet-strooiende machine die een opvangbak had, die ik na het maaien leegde in een van de grote plastic zakken in de laadbak. En dan was het op naar de volgende klus, een maaier uitladen, bijvullen met benzine en aan de slag maar weer, in rechte banen of in bochten, aan één stuk door tot de klus geklaard was. En tot slot nog even geld vangen, wat meestal handje contantje ging, maar er was één ouwe zeikerd die zegt dat hij met een cheque betaalt want je kunt nooit weten of iemand zo immoreel is om minder geld bij de belastingen op te geven dan hij feitelijk verdient, wat slecht is voor de democratische samenleving die wij hier in Amerika hebben. Dus hij maakte mij eigenlijk voor oplichter uit, maar zelf had hij niet eens het fatsoen om te vragen of Dean misschien

24

ziek was. Hij gaf me alleen zijn cheque alsof die van bladgoud was en stak zijn preek af, meer niet.

Tussen de middag stopte ik bij een McDonald's en nam er twee burgers want ik had rammelende honger van al dat achter een maaier aan lopen in de hete zon. Mijn hoofd gloeide en mijn nek voelde verbrand door al die zonneschijn van boven. In de pick-up lag een baseballpetje van Dean, maar dat was nogal vies en vettig en ik draag niet graag het petje van iemand anders, of zijn onderbroek. Maar heet was het wel en mijn kleren waren niet geschikt voor de grasmaaierij, dus werd ik in de loop van de dag steeds zweteriger in de jeans en het hemd die ik gisteren en vannacht ook al aan had gehad. Het is maar goed dat het maaien van gras buitenwerk is, want aan het eind van de middag stonk ik als een rund terwijl ik terugreed naar het huis van Dean, met twee Chinese afhaalmaaltijden die hij volgens mij vast niet in de vriezer in zijn kelder had liggen.

Ik had meer dan driehonderd dollar plus een cheque op zak, plus het gevoel dat ik bevredigend had gewerkt, iets wat ik nooit had gehad bij mijn eigen klotebaantjes zoals in de graansilo, dus dit was een nieuw gevoel. Het had misschien niet eens met het werk zelf te maken, want zo interessant is het maaien van gras nu ook weer niet als ik eerlijk moet zijn, maar met het feit dat ik het gedaan had om een vriend uit de brand te helpen. Ja, zo dacht ik ondertussen over Dean, als een vriend, al kenden we elkaar maar van één enkele middag en een avond en nog een paar minuten die ochtend. Dus dat was ook een nieuw gevoel.

Toen ik het erf op kwam rijden, zat Dean op de schommelbank van de veranda een sigaret te roken. Hij zag er moe en smerig uit, alsof hij het was die de hele dag gewerkt had en niet ik. En hij oogde ook een beetje ziek, dus toen ik de pick-up in de schuur had gezet, vroeg ik hoe het met hem ging, en hij zegt 'Prima', maar het klonk niet erg vriendelijk. Zijn gezicht klaarde op toen ik hem de afhaalmaaltijden liet zien. Ik ging naast hem op de schommelbank zitten en we begonnen gelijk te eten. Het eten bracht hem in de stemming waar ik op gehoopt had, en hij bedankte me omdat ik voor hem was gaan maaien. Ik gaf hem het stapeltje geld met de cheque erbij, en hij telde alles na en trok er twee vijftigjes uit die hij aan mij wilde geven.

'Hoeft niet,' zei ik. 'Ik heb van jou kost en onderdak gehad.'

'Geen gelul, pak aan.'

Dus dat deed ik maar, omdat ik geen ruzie wilde veroorzaken tussen vrienden. Hij stak een nieuwe sigaret op en we zaten een tijdje niets te zeggen. Het was anders tussen ons dan de vorige avond, toen de rum ons spraakzaam had gemaakt. Nu was hij zwijgzaam en uitgeblust. Ik vertelde hem over de ouwe zeikerd met zijn belastingenpreek. 'Maar de anderen waren oké. Die gaven gewoon het geld.'

'Ja,' zegt hij, 'ze geven ook weleens fooitjes. Heeft iemand dat vandaag gedaan?'

'Nee.'

Hij keek me lang aan, alsof hij niet geloofde dat ik de waarheid zei. Dit maakte me ongemakkelijk, maar dat liet ik niet merken, en uiteindelijk keek hij weer voor zich. Maar door die blik van hem wist ik weer dat ik de volgende dag weg zou gaan. Dan zou hij mijn auto naar de sloop slepen en zat het erop tussen ons. Ik had vandaag geen tijd gehad om na te gaan of het rekruteringsbureau er nog was, maar dat deed ik morgen wel als ik de Monte Carlo had verkocht. Ik nam me voor geen oog te hebben voor de nare trekken van Deans karakter, zodat deze avond ook weer glad zou verlopen, voorzover dat kon zonder drank. De vriendschap, als je het zo had willen zien, was in elk geval alweer over.

'Ik heb vijf zakken met maaisel. Waar leeg ik die, achter het huis?'

'Nee! Daar blijf je weg. Leeg ze daar maar,' zegt hij, en hij wees een beetje vaag voor zich uit. 'Een eindje verderop vind je een grashoop, of wat ervan over is, want het meeste waait weg. Maar je brengt niks naar achteren.'

'Oké, oké, ik vraag het maar.'

'Achter het huis heb ik vandaag een ratelslang gezien. Kun je beter niet tegenkomen, die teringbeesten.'

'Nee.'

Ik stond op om de zakken van de Dodge te trekken en ze te legen waar hij had gezegd. Het had nog wel even kunnen wachten, dit karweitje, maar ik voelde me niet meer op mijn gemak bij Dean. Hij was weer net zo zenuwachtig als in het begin, dat kon ik duidelijk zien. Hij bood niet aan me te helpen, bleef gewoon op zijn veranda zitten roken.

Toen ik klaar was, liep ik weer naar het huis. Hij was ondertussen naar binnen gegaan en stond nu in de gang, heel stil en ingespannen naar de grootvadersklok te kijken, alsof hij wachtte tot er een koekoeksvogeltje uit kwam, maar zo'n klok was het niet, dus dat kon het niet zijn. Ik liep door naar boven, naar de badkamer om een douche te nemen en mijn laatste schone kleren uit mijn koffer te halen, en toen liep ik weer naar beneden waar Dean voor de tv zat. Hij keek naar de tekenfilms die ze altijd laten zien voor het nieuws begint, en hij zat daar zo stil en afwezig dat ik me afvroeg of hij misschien aan de drugs was of zo, wat slecht nieuws zou zijn, want drugsgebruikers zijn meestal niet aangenaam om mee om te gaan, of je moet er zelf ook een zijn, en ik heb hiervoor al geschreven dat ik dat niet ben. Dus het beloofde geen goede avond te worden.

Ik ging in de leunstoel zitten, zodat Dean de bank voor zich alleen kon houden, wat hij duidelijk leek te willen want hij zat pal in het midden, niet aan een uiteinde, waar hij gezeten zou hebben als hij de bank wilde delen. Maar ik vond het best. Ik had hem deze dag geholpen als tegenprestatie voor zijn hulp van gisteren, dus we stonden quitte, zoals mensen dat ook horen te staan als ze aan het einde komen van een eenmalige ontmoeting zoals die van Dean en mij. Dat geen van beiden de ander iets schuldig is.

Toen het nieuws begon, zapte Dean weg om andere tekenfilms te vinden, maar die waren nu allemaal afgelopen, dus moest hij kiezen tussen het nieuws en spelletjes waarbij de deelnemers allemaal gillen en krijsen en in hun broek pissen van opwinding omdat ze een vaatwasser hebben gewonnen, of een tv, of een nieuw kapsel. Hij koos voor het nieuws. Het hoofdonderwerp was de presidentsverkiezing van volgend jaar en wie er allemaal meededen. Bush is het al twee keer geweest, dus hij mag niet meer, en Cheney doet niet mee vanwege zijn hart, en natuurlijk ook niet vanwege dat foutje toen hij kwartels wilde schieten maar in plaats daarvan zijn beste vriend voor zijn kop schoot, dus de favoriet voor de Republikeinen lijkt senator Ketchum te worden. Hij is typisch zo'n man die als politicus in de wieg is gelegd, de rijke zoon van een rijke vader die al jong op de draaimolen in Washington is gestapt en nooit meer is afgestapt. Golvend grijs haar en het hoofd van zo'n ouderwets standbeeld, een en al neus en kin. Als een leider, zo ziet hij eruit, en dat is het halve werk als je president wilt worden, en zijn stem is ook in zijn voordeel, heel diep en vriendelijk. Zijn plannen hadden van Bush zelf kunnen zijn. De beveiliging overal net zo streng houden als nu, en geen foutjes meer waardoor Al Kaajda kan toeslaan om Amerikaanse levens te nemen. En ik moet zeggen, wat hij allemaal zei over het bewaken van onze kusten en de wereld veiliger maken door middel van vrijheid en democratie, klonk overtuigender dan wanneer een ander het zou zeggen.

'Iemand zou hem moeten neerknallen,' zei Dean.

'Waarom?'

'Omdat hij dan dood is en ik niet tot november volgend jaar zijn gelul hoef aan te horen.'

'Hij is niet erger dan de rest, vind ik.'

'Nee? En over wie zegt dat meer, over hem of over de rest?'

Ik haalde mijn schouders op. 'Geen idee.'

'Jij bent niet echt een denkertje, hè, Odell?'

'Ik geef niet zo om politiek.'

'Dan weet je dus niet wat er gaande is. Maar trek het je niet aan, hoor, zo zijn de meeste mensen. Nergens benul van en overal blind voor.'

'Ik geloof niet dat de meeste mensen zo zijn.'

'Nee? Nou, dan ben je volmaakt geschikt om straks te gaan stemmen.'

'Hoe bedoel je dat?'

'Wat ik bedoel is… ach, laat maar zitten.'

Dit soort sarcasme irriteert mij altijd vreselijk. Ik heb er een hekel aan als iemand zoals Dean een toon tegen me aanslaat alsof ik te dom ben om te volgen wat hij zegt, vooral wanneer het iemand is die zeker niet slimmer is dan ik, en dat was Dean niet, dat wist ik heel zeker. Maar niks zeggen is nog altijd beter dan ruziemaken om iets dat zo onbelangrijk is als politiek, dus liet ik het met rust.

Ondanks het lawaai en het geflakker van de tv was er nu een stille sfeer in de kamer, als gevolg van zijn nare houding. Tijdens het reclameblok zei ik tegen Dean: 'Is het goed als ik wat kleren was in je wasmachine?'

'Ga je gang.'

Dus ik breng mijn vieze spullen naar het washok en stopte ze in de trommel, boven op een hemd en een broek die Dean er al in had gestopt maar nog niet had gewassen. Ze waren heel erg smerig, alsof hij in de tuin had gewerkt of zo, en dat was vreemd, want het huis wekte de indruk dat hij iemand was die nooit iets deed om de boel een beetje knap te houden, zelfs niet voor de verkoopwaarde. Dean was een luilak, dat had ik allang door, en het was ook een van de redenen waarom ik het niet erg vond dat onze vriendschap alweer voorbij was. Ik deed zeeppoeder in de machine en sloot de trommel en moest toen uitknobbelen hoe de knoppen werkten, maar dat duurde niet lang, dus er stroomde al snel water in de machine.

Het washok was achter in het huis, met zijn eigen deur naar de achtertuin waar de was moest drogen. Ik had geen zin meer om met Dean voor de tv te zitten, dus ging ik door die deur naar buiten om te zien hoe de zon onderging en lucht te kunnen scheppen waar geen sigarettenrook doorheen zat. Er stond een droogmolen, roestig en oud en scheef, maar zo te zien nog wel in functie. Ik liep erheen en gaf er een zwiep aan waardoor hij met veel gepiep begon te draaien, waar na een seconde of vijf de lol wel vanaf was, dus liep ik verder naar het kippenhok. Dit was een hok van het type dat geen vloer heeft en vertild kan worden naar een plek die je bemesten wilt met kippenstront. Het was eigenlijk wel knap dat ik dit wist, want er zijn tegenwoordig nog maar weinig mensen die kippen hebben, vanwege het gemak waarmee je eieren en boutjes en filetjes kunt kopen in de supermarkt. Er scharrelden een stuk of tien kippen rond, en in het hok zaten er ook al een paar, want als de zon ondergaat zoeken ze hun hok op.

Achter het kippenhok zag ik een berg verse aarde, en ik liep ernaartoe om een kijkje te nemen, omdat dit me de reden leek voor de vuile kleren van Dean. Het was een behoorlijk grote hoop, en ernaast zie ik een diepe, rechthoekige kuil, waar ik natuurlijk in keek, wie zou dat niet doen, maar er lag geen lijk of doodkist in. Toch moest het een kuil zijn voor een dode, want met die vorm en die diepte kon dat gewoon niet anders. Dus Dean had vandaag een grafkuil gegraven. Maar voor wie? Ik had geen idee, maar één ding was duidelijk, deze tuin was niet verboden omdat hij er een ratelslang had gezien. Dít was de reden waarom ik er niet mocht komen. Hij wilde niet dat ik die kuil zag.

Nu ben ik geen bangelijk iemand, je bent niet gauw bang als je ruim één-negentig bent, maar ik kreeg toch een soort van rilling toen ik bij die grafkuil stond. Met kippenvel erbij zelfs, ondanks dat het nog warm was. Dean wilde niet dat ik die kuil zag omdat ik degene was die hij erin wilde stoppen. Het was duidelijk dat dit zijn bedoeling was, maar de reden voor zijn bedoeling was minder makkelijk te begrijpen. Wat had ik hem misdaan dat hij me dood en begraven wilde hebben? Hij was geen grote man, dus het moest hem de hele dag hebben gekost om die kuil te graven, terwijl ik in Callisto gras liep te maaien om zijn klanten tevreden te houden. Geen wonder dat hij me honderd dollar had gegeven. Die kon hij makkelijk weer terugpakken als hij me vermoord had.

Ik kreeg behoorlijk de smoor in over deze verraderlijke manier van doen. Dit bewees maar weer eens dat je niemand kunt vertrouwen. Geen mens weet ooit waar hij met andere mensen aan toe is. Maar dit deed niks af aan de vraag waarom Dean me dood wilde hebben zonder dat je daar één goede reden voor kon bedenken. Een opwelling was het niet, want hij had het helemaal voorbereid. Het leek me duidelijk dat hij dat kippenhok achteraf op het graf wilde zetten, zodat niemand de omgewoelde aarde zou zien, en dit was een maatregel die eigenlijk niet eens hoefde, want als iemand me al zou missen, wat niemand zou doen, dan wist niemand dat ik hier was, dus zou niemand me hier komen zoeken. Zijn plan was aan alle kanten tot in de puntjes verzorgd, dat moest ik toegeven. Maar hij had toch pech, want ik was nu op de hoogte en dat is de beste manier om zulke plannen te voorkomen.

Ik liep bij de kuil vandaan en ging via het washok weer het huis binnen, naar de zitkamer waar Dean nog steeds voor de tv zat, waar nu de aandelenkoersen op zijn. Hij zegt: 'Heb je nog bier meegenomen uit de stad?'

'Dat had je niet gevraagd.'

'Doe jij dan nooit eens iets wat je niet gevraagd is?'

'Natuurlijk wel.'

'Maar vandaag niet, hè?'

Ik liet dit rusten. 'Mijn was staat te draaien,' zeg ik.

'Goed zo. Met een lekkere koude Coors in je hand zou zo'n was veel korter lijken te duren, maar afijn, mij kan het verder niet schelen.'

'Oké.'

Wat hij zei sloeg nergens op. Maar als het wel op iets had geslagen, was ik er nog niet op ingegaan, omdat ik veel te hard nadacht over wat hij van plan was, en waarom hij het van plan was. Ik had hem niks gedaan om hem er een reden voor te geven, dus misschien was hij een van die gestoorde seriemoordenaars die het alleen maar doen omdat ze een dwang voelen door een ziek gedeelte van hun hersens. Op zijn zenuwtrekkingen na leek hij redelijk normaal, maar dat zei weinig, want het schijnt dat seriemoordenaars er net zo uitzien als jij en ik. Ze kwijlen niet, ze giechelen niet, ze rollen niet met hun ogen, ze doen gewoon heel normaal. Ze rijden gewoon naar de supermarkt en komen weer thuis met hun boodschappen en betalen hun rekeningen op tijd en stoppen voor rood. Tot dat knopje in hun hoofd omgaat en ze opeens iemand anders zijn, maar wel nog vermomd als zichzelf, als je begrijpt wat ik bedoel. Dus dit gold waarschijnlijk ook voor Dean, die rustig tv zat te kijken en alleen maar aan bier leek te denken, niet aan moord.

'Zeg, Dean, ik hoef hier vannacht niet te slapen, hoor, als dat lastig is.'

'Hè?'

'Ik kan ook wel ergens anders naartoe gaan.'

'Waarheen dan? Je auto doet het niet.'

'Ik kan toch lopen?'

'Nou praat je echt onzin. Ga zitten en kijk gewoon tv. En gebruik de droger.'

'Pardon?'

'Gebruik straks de wasdroger voor je kleren. Niet in de tuin te drogen hangen, want daar kruipt die slang nog rond. 's Avonds worden ze actief, die beesten, en ik wil straks geen schadeclaim omdat iemand zich op mijn grond door een slang heeft laten bijten.'

'Daar zou ik nooit iemand voor aanklagen, of anders hooguit die slang, want die heeft me gebeten.'

Dean lachte, maar het was een hatelijke lach, geen vrolijke. Hij zat gewoon met me te spelen nu, vol vertrouwen dat hij me ging vermoorden en ermee zou wegkomen, omdat zijn slachtoffer voor de eeuwigheid onder een kippenhok lag.

Ik ging weer in de leunstoel zitten en probeerde mijn gedachten op een rij te krijgen over hoe ik voorkwam dat ik werd vermoord. Om te beginnen leek het me duidelijk dat hij zou wachten tot ik sliep, vanwege mijn postuur dat te groot was om het te proberen als ik nog wakker was. Dus moest ik wakker zien te blijven, want als hij zag dat ik wakker was, moest hij ervan afzien, wat kon hij anders? Tenzij hij een geweer had. Met een geweer maakt het niet uit of de moordenaar groot of klein is.

'Waarom ga je hem niet doodschieten?'

'Huh?'

'Die slang. Waarom schiet je hem niet dood? Dan ben je er vanaf.'

'Ja, hoor, die slang ligt daar rustig opgerold te wachten tot ik hem kom afschieten.'

'Maar heb je eventueel een geweer?'

'Een jachtgeweer, ja. Maar daar heb ik geen patronen voor.'

Wat een leugenaar! Niemand heeft een geweer in huis maar geen patronen. Dat was natuurlijk pure onzin, maar hij zei het op een heel vanzelfsprekende toon om me te laten denken dat het waar was. Het was een uiterst koelbloedige moordenaar, zoals hij daar naar het weerbericht zat te kijken alsof hij totaal niet van plan is om mijn kop eraf te schieten en me een graf te geven met een kippenhok erop in plaats van een zerk. Wat zou dat een oneerbaar einde zijn.

'Zeg, Dean.'

'Wat nou weer?'

'Die eieren gisteren, waren dat eieren uit de supermarkt?'

'Je zag toch dat ze in een doos van de supermarkt zaten?'

'Jawel, maar mensen die zelf kippen houden, gebruiken die dozen soms ook, om de eieren die ze rapen heel te houden. Ik dacht dat ik kippen om het huis zag lopen.'

'Klopt. Tante Bree houdt er een stel. Maar ze laat ze loslopen, dus leggen ze hun eieren altijd op plekken waar je ze niet vinden kan. Door die kutkippen hebben we nu die slang hier. Slangen zijn dol op eieren.'

'Dus je tante houdt kippen maar raapt geen eieren?'

'Tante Bree is een geschift oud mens dat in haar eigen wereldje leeft. Ze práát tegen die kippen, hoe geschift wou je het hebben?'

'Ja, da's behoorlijk geschift.'

'Het liefst hakte ik ze allemaal hun kop af. Ik word gek van de herrie die ze maken.'

'Dan kun je nu toch je slag slaan? Als ze terugkomt, vertel je haar dat die slang ze heeft opgegeten.'

'Reuze goochem, Odell. Wat moet het wel niet voor slang zijn om twaalf kippen op te vreten? Zo'n python uit de jungle zou dat misschien kunnen, maar die soort hebben we hier niet, weet je.'

'Oké.'

Hij kijkt me aan en ik zag dat boosaardige lachje weer. 'Heeft iemand jou weleens verteld wat een sukkel je bent?'

'Nee, eerlijk gezegd niet.'

Maar als ik eerlijk ben, was dat niet zo eerlijk. Er was wél iemand geweest die zoiets gezegd had. Op de Kit Carson High School in Yoder was dat, een meisje dat Feenie Myers heette, de enige die na school op een college is gaan studeren, in Durango, Colorado. Je had drie soorten leerlingen bij ons op school. Je had de 'Jocks', die football speelden, en je had de 'Skaters', met omgekeerde honkbalpetjes en veel te wijde kleren, die altijd op hun skateboard reden, en dan had je nog de 'Ropers', jongens met jeans en laarzen en cowboyhoeden. Ik heb nooit van mijn leven een cowboyhoed gehad maar werd toch een Roper genoemd. Je moest namelijk bij een van de drie horen. Maar goed, dit meisje, Feenie Myers, vond mij de grootste loser onder de Ropers. Want dat kon je namelijk ook nog zijn, een loser, wat bijna net zo erg was als een nerd, maar die had je niet op Kit Carson High, of Feenie Myers moest er een zijn. Nerds zijn volgens mij heel zeldzaam in Wyoming, en zeker in Yoder.

Er begon een serie. Op tv heb je maar vier soorten series, politieseries, advocatenseries, dokterseries en tienerseries. Dit was een tienerserie, met van die slimme en gevat pratende tieners die je in het echt nooit tegenkomt. De jongens zeggen alleen maar grappige en rake dingen, en ze hebben nooit puisten en doen nooit iets waarmee ze zichzelf voor lul zetten. Op Kit Carson High zouden zulke jongens vereerd zijn als helden, maar dat is theorie want iedereen weet dat ze niet bestaan. Dit is de reden waarom ik geen liefhebber ben van tv, vanwege de valse schijn. Ik ben geen genie, maar zelfs ik kan zien dat het valse schijn is. En daarom heb ik ook *The Yearling* ontdekt, waar alleen maar echte mensen in voorkomen en geen glamour die het vals en ongeloofwaardig maakt. Ik was blij toen ik even weg kon lopen om mijn was uit de machine te halen en in de droger te stoppen, zoals Dean wilde.

Na de tienerserie keken we naar een dokterserie en toen nog naar een advocatenserie, en toen liep het tegen tienen en Dean staat op en zet de tv uit zonder te vragen of ik nog iets wil zien, maar dat wilde ik ook niet, dus mij best, en hij zegt: 'Morgen vroeg op, want ik wil je voor mijn werk naar de sloop brengen.'

'Oké.'

Hij slofte de trap op zonder welterusten of slaap ze of iets anders beleefds te zeggen. Je zou denken dat een seriemoordenaar op zijn minst beleefd kan zijn tegen zijn aanstaande slachtoffers. Nou, Dean dus niet. Maar vergeleken met die kuil in de tuin vond ik het niet iets om me druk om te maken. Toen hij boven was, sloop ik op mijn tenen de gang in, waar zijn honkbalknuppel nog steeds tegen de muur stond bij de voordeur. Ik nam hem mee terug naar de kamer en legde hem voor de bank op de vloer, waar ik hem snel kon grijpen ingeval van een noodgeval. Ik draaide het licht uit en ging weer net als de vorige avond op de bank liggen, zonder een deken, want die had Dean me niet aangeboden. Dus zo lag ik in het donker, staarde omhoog en vroeg me af wanneer hij naar beneden zou komen om te doen wat hij van plan was, namelijk mij vermoorden.

De grootvadersklok sloeg zachtjes op elk kwartier, halfuur en drie kwartier, en ik lag daar maar. Het zal wel idioot klinken dat ik daar zo kalm het moment lag af te wachten waarop mijn leven in groot gevaar zou komen, maar dat kwam omdat ik het ergens toch nog steeds niet echt geloven kon. Je beeldt het je allemaal maar in, zei de ene helft van mijn hersens tegen de andere helft. Die kuil heeft hij gegraven omdat hij op zoek is naar een lek in de pijp van zijn septic tank. Waarom zou hij in godsnaam iemand willen vermoorden die hij niet eens kent en die hem nooit wat gedaan heeft?

Dus zo idioot als het klinkt, ik bleef gewoon liggen, half in ongeloof maar natuurlijk wel voorbereid op de dingen die komen gaan. Ik ging ervan uit dat ik het zou horen als hij de trap af kwam met een geweer. En hoorde ik het niet, geen punt, want hij zou me vast niet neerschieten terwijl ik hier lag, omdat zijn bank dan aan gort was en er overal bloed zou zijn. Hij was niet huishoudelijk ingesteld, maar zóveel troep zou hij nou ook weer niet willen. Nee, hij zou doen wat ze in oorlogstijd doen, het slachtoffer met je geweerloop in zijn rug naar zijn eigen graf dwingen, tot aan de rand, en dan de trekker overhalen zodat hij er vanzelf in valt en er geen troep is die je achteraf moet opruimen. Ik moest hem te grazen nemen tussen het moment waarop hij me wekte door me met zijn geweer te porren en het moment waarop ik aan de rand van de kuil stond. Tussen die twee momenten moest ik ingrijpen.

De grootvadersklok ging van *bong bong bong* enzovoort en ik telde elf uur en hij is er nog steeds niet. Natuurlijk niet, want hij komt ook helemaal niet, zei ik tegen mezelf, hou nu maar op met die flauwekul. Deze gedachte was een grote opluchting. Hoe had ik het ook in godsnaam kunnen denken van Dean, die misschien wel niet de aardigste mens op de wereld was, maar zeker ook geen moordzuchtige psychopaat zonder geweten. Tegen de tijd dat de klok weer een kwartier sloeg, had ik mezelf definitief overtuigd en zakte ik naar dromenland. Het was niet de schoonste bank waar ik ooit op had gelegen, maar zacht was hij wel en het kussen paste precies goed onder mijn hoofd. Ik voelde mezelf de duisternis inglijden zoals je dat voelt als je in slaap gaat vallen, over een fluwelen glijbaan naar een zwembad vol rust en vreedzaamheid…

'Odell?'

Dean dobberde naast me in het zwembad. Hoe kwam hij hier?

'Odell?'

Ik was wakker. Dean zat bij me neergehurkt en fluisterde in mijn oor!

Mijn arm was al slapend van de bank gegleden en mijn vingertoppen raakten de honkbalknuppel, en mijn instinct maakt dat ik hem grijp en omhoog kom met een hoofd vol sirenes en een stem die *pak hem pak hem pak hem* gilt, en Dean zit me heel raar aan te kijken in het maanlicht dat door de ramen valt en… *waarom zit-ie daar op zijn hurken te fluisteren?* Dat was nog het engste. Niet zijn geweer, want dat lag naast hem op de vloer, hij hield het niet eens vast, wat mij de kans geeft om te gaan staan en hij fluistert: 'Ik dacht dat ik wat hoorde,' en ik hef die knuppel op om een eind te maken aan dat gefluister waarmee hij me wijs wil maken dat hij bang is omdat hij iets gehoord heeft, hoe achterlijk denkt hij dat ik ben?

De knuppel kwam als een bliksemflits omlaag en raakte hem vol op zijn hoofd met een akelige TONK. Hij keek omhoog met een blik vol verbazing, want hij had die knuppel niet zien aankomen en nu kan hij me niet meer verrassen omdat hij zo nodig moest fluisteren in plaats van me onverhoeds wakker te porren met zijn geweer zoals ik had voorspeld, en zijn plan is nu sowieso kansloos want hij tuimelt achterover, met zijn ogen nog wijdopen, en valt met een doffe smak op zijn rug.

Ik stond over hem heen gebogen met de knuppel alweer in de aanslag. Het bloed hamerde in mijn hoofd en mijn hart ging van *bonkebonkebonk*, zo snel dat het uit mijn borst dreigde te barsten. Dean verroerde geen vink meer, dus ik had hem goed geraakt. Hij leek wel dood, zo stil was hij, maar omdat hij alleen zijn pyjamabroek aanhad, zonder het jasje, kon ik zijn magere borst op en neer zien gaan, dus hij was oké, alleen maar bewusteloos, wat ook wel logisch was omdat ik hem maar één keer geraakt had, en niet eens zo hard, want ik sloeg terwijl ik opstond en dat is niet de beste manier om iemand met een honkbalknuppel te slaan. Het geweer lag naast hem. Ik pakte het en knikte het open. Geen patroon. Waar sloeg dát nou op? Waarom was hij me komen vermoorden zonder patroon in zijn geweer? En als het waar was dat hij iets had gehoord, wat had het dan voor nut om met een ongeladen geweer op een indringer af te gaan? Of had hij alleen maar willen dreigen? Of had hij mij willen dreigen, zodat ik meeging naar de kuil waar hij me kon vermoorden. Maar waarmee dan? Ik begreep er niks van.

Ik stond naar zijn piepende ademhaling te luisteren en hoopte dat hij snel weer bijkwam zodat ik hem om uitleg kon vragen, maar hij kwam niet bij en na een poosje begon ik te denken dat ik hem misschien toch wel te hard geraakt had, ondanks mijn verkeerde techniek. Ik begon zelfs een beetje spijt te krijgen, maar wees eerlijk, wat had hij anders kunnen verwachten met dat gefluister in mijn oor terwijl er een geweer naast hem op de vloer ligt? Dat was toch wel de domste manier om iemand wakker te maken, dus het was natuurlijk wel zijn eigen schuld, zo zag ik het. Weer gaan slapen kon ik niet. Niet met Dean die bewusteloos naast de bank lag met die fluitende adem in zijn neus, dus ging ik naar de keuken en dronk er een glas water en kwam weer terug. En het klinkt misschien raar, maar ik moest bijna huilen, echt waar. Ik had nog nooit iemand met iets anders geslagen dan mijn vuisten, en dan nog alleen als ze erom vroegen door me te treiteren. Dit was de eerste keer dat ik iemand met een honkbalknuppel had gemept, wat eigenlijk heel erg is als je er even bij stilstaat. Niet zo erg als hakken met een machete of iemand een kogel in zijn raap schieten, maar toch behoorlijk erg.

Ik verdroeg dat geluid van zijn ademhaling niet langer, dus pakte ik hem op en droeg hem in mijn armen de trap op naar zijn kamer, waar ik hem in een comfortabele houding op zijn bed legde en weer wegging. Er renden allerlei gedachten door mijn hoofd en slapen kon ik wel vergeten. Ik probeerde een paar bladzijden van *The Yearling*, maar de woorden tolden door elkaar, dus hield ik ermee op en ging buiten op de schommelbank naar de nacht zitten luisteren.

DRIE

Het was een kip die me wakker maakte. Ik zat in diepe slaap op de schommelbank en die stomme vogel flapperde zomaar tegen me op en bezorgde me zowat een hartaanval. Ik sprong op van de schrik en ze rende kakelend de treden van de veranda af. Toen ik gekalmeerd was, liep ik naar binnen waar de klok net vijf uur in de ochtend sloeg.

Ik ging de trap op naar de kamer van Dean, die nog steeds bewusteloos op zijn bed lag, of misschien sliep hij, moeilijk te zeggen. Hij had in zijn pyjamabroek gepist, maar ik voelde er weinig voor om die van hem af te trekken en hem een schone aan te doen, voor het geval dat hij bijkwam en dacht dat ik misbruik van zijn toestand maakte door iets homofiels met hem te doen. Dus keek ik in plaats daarvan naar zijn hoofd en voelde eraan. Hij had een joekel van een buil op de plek waar de knuppel was neergekomen, maar er was geen bloed, wat een goed teken was dat ik hem niet te hard had geraakt. Dit was een opluchting en ik ging naar beneden om ontbijt voor mezelf te maken. Ik was volkomen bereid om Dean te vergeven voor zijn domme stunt in het midden van de nacht, en als hij straks wakker werd, maakte ik voor hem ook een ontbijtje, zand erover, even goede vrienden.

Met eten in mijn buik zag alles er weer een stuk beter uit. Eieren met spek op geroosterd brood, wat is lekkerder dan dat? Dean had gezegd dat hij geen varkensvlees at, dus dat spek, en de ham van de omeletten die ik zondag had gemaakt, waren waarschijnlijk van zijn tante Bree. Ik vroeg me af wanneer ze thuis zou komen uit Florida. Dat had Dean me niet verteld. Misschien kwam ze vandaag wel! Dit zette me aan het denken over wat me te doen stond. Ik liep naar boven om te zien of Dean al wakker was en honger had, maar dat was hij nog niet, dus ging ik weer op de veranda zitten om de situatie te overpeinzen.

Volgens het grasmaairooster had Dean deze dag vier klanten, maar het had er alle schijn van dat hij net zo min aan het werk zou gaan als de vorige dag. Hij bleef maar problemen met hoofdpijn houden die hem van zijn werk hielden, en in beide gevallen was ik min of meer de oorzaak, dus had ik de plicht om de klanten voor deze dag ook weer voor mijn rekening te nemen. Dat was wel het minste wat ik kon doen om die mep op zijn hoofd goed te maken, ook al had hij daar zelf om gevraagd met zijn domme gedrag, want zo zag ik het nog steeds. Dus toen ik de keuken had opgeruimd, stapte ik in de Dodge en reed weg om weer een paar gazons te gaan maaien. Ik had een briefje voor Dean achtergelaten op de keukentafel, waarin ik alles uitlegde voor als hij wakker werd en zich afvroeg wat er allemaal aan de hand was in godsnaam.

Halverwege de ochtend stopte ik bij een Wal-Mart en kocht er een strooien hoed zoals ze die op Hawaï dragen om mijn hoofd tegen de zon te beschermen, en een korte broek om mijn benen koel te houden terwijl ik gras liep te maaien, en een paar sneakers omdat cowboylaarzen er belachelijk uitzien onder een korte broek, of je moet een topless danseres zijn, want in dat geval is het een uitstekende combinatie. Het totale bedrag kwam op veertig dollar. Het maaien ging daarna nog veel makkelijker en ik onderbrak het ook nu weer voor een lunch bij de McDonald's, en daarna ging ik een telefooncel in en zocht in het boek het adres op van het rekruteringsbureau, dat aan Lincoln Avenue bleek te zijn.

Ik ging er meteen naartoe, maar de winkelruit was aan de binnenkant met witkalk beschilderd, dus het zag ernaar uit dat Dean gelijk had gehad op dit punt, wat wil zeggen dat dat telefoonboek in die cel verouderd was en vervangen had moeten worden, wat ze nooit doen, dus je hebt er eigenlijk niks aan. Ik ging het voor de zekerheid ook nog even vragen in de winkel ernaast, die een ijzerhandel was. De man achter de toonbank zei dat het bureau verplaatst is naar Manhattan, wat een veel grotere stad is dan Callisto, al bedoelde hij niet Manhattan in New York maar Manhattan in Kansas. Dus dat was een fikse tegenvaller waar ik niet op gerekend had in mijn plan om soldaat te worden. Maar als Dean me nog een paar dagen liet werken, kon ik een buskaartje voor Manhattan kopen en me toch nog aanmelden.

Na de laatste klus stopte ik bij een Total-station om de jerrycans met benzine te vullen, zodat Dean de volgende dag meteen aan het werk kon als hij dat wilde, wat waarschijnlijk wel zo zou zijn, maar misschien liet hij me nog een paar dagen werken en het geld verdienen dat ik nodig had voor de bus. Ik had vandaag tweehonderdvijftig dollar voor hem gemaaid, dus dat zou hem wel bevallen.

Onderweg naar het huis werd ik gepasseerd door een beige Cadillac die ver over de maximumsnelheid reed. Ik moest het raam omhoogdraaien om het stof buiten te houden dat hij liet opwaaien, zo hard reed hij. Ik dacht verder niet meer over die snelheidsmaniak na, tot ik bij Dean over de oprit reed en dezelfde Cadillac voor het huis zag staan en er een vent op de veranda bij de voordeur stond. Ik reed de schuur in en stapte op mijn gemak uit, want Dean zou die vent wel te woord staan, maar toen ik naar buiten liep, was dat niet zo. De bezoeker stond nu met zijn rug naar de voordeur, naar mij te kijken. Waar was Dean? Die had nu toch wel op moeten zijn, of misschien had hij een slecht humeur na wat er de vorige nacht gebeurd was en wilde hij met niemand praten, zodat hij niet had opengedaan.

Ik liep naar de veranda en de man kwam bij de treden staan om me op te wachten. 'Meneer Lowry?' zegt hij, en ik vraag me af wat ik terug moet zeggen. Dit is een van die keren waarover ik al vertelde, dat ik soms wat traag ben met een antwoord, alleen was er nu een reden voor, namelijk dat ik niet wist hoe Dean eraantoe was. Hij was misschien nog wel bewusteloos, wat niet best zou zijn, en ik had weinig trek om de rare voorvallen van de afgelopen nacht uit te leggen aan deze man die misschien alleen maar een verzekeringsagent was of zo. Dus bleef ik hem staan aankijken terwijl mijn hersens gonsden en zoemden, en uiteindelijk zeg ik: 'Wat kan ik voor u doen?' Wat precies de juiste reactie was in deze situatie, want het was beleefd zonder dat ik liet merken dat ik niet Dean was, zoals hij scheen te denken.

Hij stak een hand uit en ik moest de mijne omhoogsteken om de zijne te schudden, omdat hij boven aan de treden stond en ik nog onderaan. Hij was een oudere man, dik in de zestig, met grijs haar dat nog wel mooi dik was, en goed geknipt. Hij draagt een pak met een stropdas en er zit een dun snorretje op zijn bovenlip. Ik kon aftershave bij hem ruiken, wat me eraan herinnerde dat ik mezelf al een paar dagen niet geschoren had, en ook naar zweet stonk van het grasmaaien in de volle zon. 'Chet Marchand,' zegt hij. 'Ik dacht al dat u het was, daarstraks op de weg. Zag uw naam op de truck staan. Lekker gewerkt op deze stralende dag?'

'Ging wel, ja.'

Ik liep de treden op en opende de voordeur en hoopte dat Dean gapend door de gang kwam lopen om het van me over te nemen, maar dat gebeurde niet, dus moest ik zelf die vent binnenlaten. Ik ging hem voor naar de keuken, blij dat ik die vanochtend had opgeruimd, en vroeg of hij wilde gaan zitten en dacht vervolgens dat het misschien beleefder was geweest om hem mee te nemen naar de zitkamer, maar nu was het te laat, en in de zitkamer was het trouwens nog een troep, dus dit was eigenlijk beter. Ik ging ook zitten en vroeg me af of ik hem een glas water moest aanbieden, waar ik zelf ook wel trek in had, maar besloot voorlopig maar even van niet. Het was duidelijk dat deze Chet iemand was die Dean niet kende, dus kon het nooit een belangrijk bezoek zijn, en als het een beetje meezat had ik hem zo de deur weer uitgewerkt. Ik ging er nog steeds van uit dat hij verzekeringen kwam verkopen of zoiets. Ik zag het briefje op tafel liggen dat ik voor Dean had achtergelaten, en verfrommelde het.

Chet glimlacht vriendelijk naar me en zegt: 'Is mevrouw Wayne thuis?'

Wie is dát nou weer, dacht ik, maar toen daagde het me dat mevrouw Wayne tante Bree moest zijn. Waar was Dean, verdomme? Hij hoorde antwoord te geven op dit soort vragen.

'Ze is op vakantie in Florida.'

'Ah, Florida,' zegt hij. 'Een prachtige staat met veel natuurschoon.'

'Ik wil er zelf ook nog eens naartoe. *The Yearling*, van de Pulitzerprijs, speelt zich daar ook af. Maar dan lang geleden.'

'Geweldig boek. Heb ik als kind met veel plezier gelezen.'

Hij begon me op mijn zenuwen te werken. Wat kwam hij hier doen?

'Tja,' zegt hij, en ik zie dat hij ter zake gaat komen, 'het verbaast me eerlijk gezegd wel dat ze er niet is. Maar ik neem aan dat wij ook wel met zijn tweeën kunnen praten, nietwaar? Vind je het goed als ik je Dean noem?'

'Tuurlijk.' Hij mocht me Donald Duck noemen voor mijn part, maar dat maakte nog niet dat ik het was.

'Wees dan zo goed om mij Chet te noemen. Welnu, Dean, heeft je tante je al een idee gegeven van wat ik kom bespreken?'

Ik keek naar het plafond alsof ik heel diep nadacht en zei: 'Nee.'

'Ah. Geeft niet hoor, maar dat verbaast me eerlijk gezegd óók een beetje. Haar brieven gaven me de indruk dat jullie uitvoerig in discussie waren.'

'Nee, ze heeft mij er nooit wat over gezegd.' En dat was een ware bewering. Ik merkte dat je tegen iemand liegen kon zonder leugens te vertellen. Dit was iets wat ik nooit had kunnen denken en het was een grote verrassing.

'Goed,' zegt hij, 'laten we dan maar bij het begin beginnen.'

'Oké.'

'Je tante maakt zich zorgen over jou, Dean. Ik wil niet direct zeggen dat ze bang is of zelfs ten einde raad zou zijn, maar deze deugdzame, oppassende christenvrouw maakt zich zorgen over jouw toekomst. En het is niet slechts je toekomst die in het geding is, maar ook, en hier moet ik een zwaar woord gebruiken, je zielenheil.'

'O.'

'Mevrouw Wayne is met ons in contact getreden om uiting te geven aan haar bezorgdheid over de recente ontwikkelingen in jouw leven. In je innerlijke leven, kan ik beter zeggen, je hart en je ziel. Je begrijpt ongetwijfeld waar ik op doel, nietwaar?'

Ik schudde mijn hoofd. Dean had me niks verteld over zijn hart of zijn ziel. Toen we mijn fles Captain Morgan leegdronken, hadden we het vooral over onze waardeloze vaders gehad en hoe jammer het was dat we in onze kindertijd onze moeders hadden verloren, in mijn geval door de dood en in zijn geval omdat ze er met een andere kerel vandoor was gegaan. Hij had nooit meer iets van haar gehoord. Zelfs haar zuster, en dat was dus tante Bree, had nooit meer wat gehoord, wat heel erg is als een familie zo uit elkaar valt.

'Kun je werkelijk niet raden waar ik op zinspeel, Dean?'

'Werkelijk niet, nee. Hij heeft er nooit iets over gezegd. *Zij*, bedoel ik.'

'Dan zal ik je klare wijn schenken. Je tante heeft zich tot onze stichting gewend om… je kent onze stichting toch, de Born Again Foundation?'

Dit kwam me inderdaad bekend voor. Volgens mij kende ik die naam van de tv, iets wat 's avonds laat werd uitgezonden, als er alleen nog programma's over godsdienst zijn en infomercials over huidver zorging. Ik had een paar keer dat programma gezien met die ouwe predikant met achterovergeplakt haar en een priemende vinger als hij helemaal in beroering raakt onder het preken... hoe heette hij ook alweer?

'Preacher Bob,' zei ik hardop, want ik wist het weer.

'Juist, zo noemen de mensen hem,' zegt Chet. 'Maar op kantoor, als ik het zo mag uitdrukken, noemen we hem gewoon Bob. Dat heeft hij liever. Het is een eenvoudige man, zonder pretenties. Voluit heet hij Robert Jerome, en dat is ook de officiële naam van onze overkoepelende organisatie, de Robert Jerome Ministries. Maar genoeg details, Dean. Ik ben hier om het over jou te hebben.'

'Waarom?' vroeg ik, want ik was benieuwd waarom zo'n beroemde tv-persoon met miljoenen kijkers en zijn eigen christelijke universiteit in de buurt van Topeka. Waarom had zo iemand interesse voor mij, pardon, voor Dean? Het was een echt mysterie, vond ik.

'Ik kan haast niet geloven dat je echt niet weet waarom ik hier ben, Dean. Ik zou bijna denken dat je, hoe zal ik het zeggen, een tikkeltje creatief bent met de waarheid.'

Niemand heeft mij ooit creatief genoemd, dus hij zat me waarschijnlijk complimentjes te geven zodat ik goedgehumeurd werd en hij me iets verkopen kon. Niemand maakt mij wijs dat ik creatief ben, want ik weet heel zeker dat ik het niet ben, dus ik werd behoorlijk achterdochtig, ondanks zijn glimlach. Ik zei niks, glimlachte gewoon terug en wachtte tot hij zou uitleggen waarom ik zo creatief was. Waarom Dean zo creatief was, bedoel ik, en Dean was het ook niet, ook dat wist ik heel zeker.

'Laat me het probleem onomwonden aan de orde stellen, Dean. Je tante schreef ons over jouw voornemen om het geloof der vaderen de rug toe te keren en je open te stellen voor... het islamitische geloof.'

Ik staarde hem aan. Waar had hij het over? Dean had geen moment gezegd dat hij moslim wilde worden. Hij leek niet eens op een moslim met zijn 'Bad to the Bone'-T-shirt. En iedereen weet dat moslims geen alcohol drinken, terwijl hij volop met mij mee had gezopen, dus het sloeg nergens op en ik wist niet wat ik erop moest zeggen, wat lastig was, want Chet zat ondertussen met veel belangstelling naar mijn gezicht te kijken en op een antwoord te wachten. Ik nam me voor om straks als hij weg was meteen naar boven te gaan en Dean eens even flink aan zijn tand te voelen over dit rare verhaal.

'Overweeg je deze drastische en verderfelijke overstap nog steeds, Dean? Het zou onherroepelijk tot de verdoeming van je ziel leiden. Je *onsterfelijke ziel.* De straf die je zou wachten is zo gruwelijk dat ik huiver bij de gedachte. Niets zou heillozer zijn voor zo'n jongeman als jij, met heel je leven nog voor je. Denk goed na voor je antwoord geeft.'

Dat was precies wat ik deed, nadenken op topsnelheid, en tja, het viel me in dat Dean inderdaad geen varkensvlees at, en iedereen weet dat moslims geen varkensvlees eten omdat ze varkens vieze dieren vinden of zoiets. Dus misschien klopte het toch wel wat Chet zei!

'Oké,' zei ik.

Chets gezicht was helemaal uitgezakt. Echt, hij zag eruit alsof ik vlak voor zijn ogen een zak met jonge hondjes verzoop. Ik vond het vervelend dat ik hem zo van streek maakte, vooral omdat ikzelf helemaal niet islamitisch wilde worden. Het was die gozer op de bovenverdieping die zijn tante zoveel verdriet deed, en Chet, en Preacher Bob. Ja, ik moest zometeen een hartig woordje met hem praten, want het is gewoon idioot om een moslim te worden als je niet eens een Arabier bent. Amerikanen zijn christenen, dat weet een kind, dus wat was dit voor onzin? Zelf ben ik nooit kerkelijk geweest, omdat mijn vader het ook niet was, dus je zou kunnen zeggen dat hij een slechte invloed is geweest waardoor ik nooit aan geloof heb gedaan, maar zelfs ik begreep hoe stompzinnig het was wat Dean van plan was met zijn godsdienstige bekering. Geen wonder dat Chet zich er zo druk om maakte.

'Zit je goed na te denken, Dean?'

'Jazeker.'

'Vergeet niet de gevoelens van anderen in acht te nemen. We hebben het niet alleen over je zielenheil, maar ook over wat het betekent voor je dierbaren, zoals mevrouw Wayne, die, als ik me niet vergis, voor je gezorgd heeft sinds je moeder je in de steek liet. Denk goed na over de pijn die je deze goedhartige vrouw zou doen met zo'n beslissing. Zou je die pijn op je geweten willen hebben, Dean? Ik kan je zeggen dat het mij zelfs pijn doet om te weten wat jij van plan bent. En het doet Preacher Bob ook pijn. Hij heeft me hier speciaal naartoe gestuurd om na te gaan of wij niet iets kunnen doen waardoor je alsnog van je heilloze plan afziet. Of heb je de stap al genomen? Ben je al ingewijd in de mohammedaanse leer? Ik kan het me nauwelijks voorstellen, want die leer is schaars vertegenwoordigd in deze streek. Zo is het toch, Dean?'

'Erg schaars,' zei ik, om iets te zeggen wat waar was, zodat ik mezelf een beetje beter ging voelen. Ik zag nu wel in wat een fout het was geweest om Chet niet gelijk te vertellen dat ik Dean niet was. En nu is er geen weg terug.

'Vertel me eens, Dean, wat denk je dat de islam jou te bieden heeft dat je niet vindt in het christendom? Wat maakt de islam zo aantrekkelijk voor jou?'

Ik had geen flauw idee wat ik daarop moest antwoorden. Ik hoorde boven nog steeds geen geluid, dus ik begin te denken dat Dean allang niet meer thuis is. Hij kon onmogelijk zo laat nog liggen slapen. Maar ja, waar kon hij heen zonder de pick-up?

'Je tante roert in haar brief je moeilijke jeugd aan, Dean, dus ik zou me kunnen voorstellen dat je plan voortkomt uit onverwerkte persoonlijke problemen. Ze schreef dat je nooit meer meegaat naar de kerk, en dat je zelfs de spot met haar gedreven hebt om haar vroomheid, die overigens onverminderd sterk is. Is het iets persoonlijks, Dean? Zo ja, weet dan dat het vaak uitkomst biedt om daar met iemand over te praten. De juiste gesprekspartner kan je een uitweg helpen vinden uit de pijnlijke roerselen die ontstaan als men zich aan de Heer onttrekt. Moeten we hier de oorzaak zoeken, Dean? Je vindt misschien dat ik nu wel heel persoonlijk word, maar ik krijg het gevoel dat er een verband is. Of misschien moet ik zeggen: een gebrek aan verband. Je bent losgeraakt van het ware geloof. Begrijp me goed, ik heb respect voor de primitieve godsdiensten op deze wereld, en ik respecteer het recht van mensen met een andere cultuur om hun eigen godsdienst aan te hangen. Maar we wonen hier in Amerika en ons land is gegrondvest op christelijke waarden. Het zou een vergissing van de eerste orde zijn om je af te wenden van honderden, nee dúízenden jaren geschiedenis. Begrijp je wat ik bedoel, mijn jongen?'

'Eh, ja.'

'Mooi. Laat me je dan vragen om de zaak nog eens heel zorgvuldig in ogenschouw te nemen.'

En op dat moment krijg ik opeens een beeld voor ogen, en wel dit beeld: Dean is naar buiten gelopen en hij is nog duizelig van die mep met de knuppel en hij is in die kuil gevallen. Hij is duizelig de deur uit gestrompeld en in die kuil gedonderd. Dat is de reden waarom hij nu niet aan deze tafel zit om dit onzinnige gesprek met deze Chet te voeren. Waarom had ik dat niet eerder bedacht! Dean had nu onmiddellijk hulp nodig, want zijn hoofd heeft opnieuw een opdonder gekregen toen hij in die kuil viel, dat kon haast niet anders.

'Ogenblikje…'

Ik stond op en haastte me door het huis naar de achterdeur en holde de tuin in. Maar de kuil is leeg, wat aan de ene kant een geluk is, maar waar is hij dan? Ik weer naar binnen en vlug de trap op en asjemenou, Dean ligt gewoon nog op zijn bed, precies zoals ik hem heb achtergelaten, zonder dat hij een spier heeft vertrokken. Ik gaf een por tegen zijn schouder, en de manier waarop hij niet wakker werd en niet eens kreunde of zo, maakte me duidelijk wat er aan de hand was. Maar geloven wilde ik het nog niet, dus bukte ik me en hield mijn oor boven zijn mond en hoorde het naargeestige geluid van… helemaal niets. Geen ontkomen meer aan. Dean is dood. Hij was waarschijnlijk kort nadat ik wegging doodgegaan en lag al de hele dag te wachten tot ik terugkwam om het te ontdekken.

Jezus christus! Wat moest ik nu? Ik begon in cirkeltjes door de kamer te lopen, gooide mijn armen in de lucht en liet ze vallen en gooide ze weer omhoog en liet ze weer vallen, steeds opnieuw, vraag me niet waarom, en volgens mij schommelde ik ook nog met mijn bovenlichaam, maar dat kan ik me niet met zekerheid herinneren omdat ik enorm van streek was nu het gevolg van mijn mep met de knuppel tot me doordrong.

Ik weet niet hoe lang ik al in cirkeltjes liep toen ik me bedacht dat Chet nog altijd in de keuken zat en antwoorden verlangde van die arme Dean, die gelukkig nog wel als christelijk persoon was gestorven, voor hij islamitisch had kunnen worden, dus als het waar was wat ze zeiden, dat de ziel naar de hemel ging, dan was hij nu daar en niet op de plek voor moslims, waarvan overigens gezegd wordt dat er maagdelijke meisjes zijn, een heel stel voor elke man, dus misschien was hij toch wel liever daarnaartoe gegaan. Maar in dat geval was er niks meer aan te doen. Hij was dood, en gestorven als de christen die hij altijd geweest was. Hoewel, je moest eigenlijk zeggen dat hij *vermoord* was als een christen. Maar zo wilde ik het niet zeggen. Ik wilde dat het allemaal in rook verdween en nooit gebeurd was, alles vanaf mijn autopech tot dit moment in de slaapkamer van Dean.

Ik hoorde stoelpoten over de keukenvloer schrapen. Chet stond op! Hij mocht niet naar boven komen en zien hoe Dean hier zonder levensteken op zijn bed lag. Vermoord. Dus liep ik meteen de kamer uit en de trap af en probeerde ondertussen een helder hoofd te krijgen, en het enige wat helder werd was dat ik nu onmogelijk meer kon zeggen dat ik Dean niet was, anders zou Chet willen weten waar hij dan wél was. Tot nu toe had ik nog geen regelrechte leugens verteld, maar vanaf nu moest ik desnoods liegen dat ik barstte.

Hij stond in de gang voor de grootvadersklok. 'Da's een mooi stuk antiek,' zei hij, met zijn neus tegen het ruitje om het krulwerk van de wijzerplaat te bekijken. 'Hoe lang is het al in de familie?'

'O, al een jaar of tachtig, denk ik.'

Daar had je het al, keiharde leugen nummer één. Mijn leven zou compleet veranderen nu ik een Duister Geheim had om te bewaren. Het leek nu al invloed te hebben, want ik kreeg een visioen van hoe ik Chet vermoordde en hem in de kuil begroef, wat natuurlijk onzin was omdat hij niks van mijn Geheim af wist, dus had ik niks van hem te duchten, helemaal niks, dus ik zette het visioen weer uit mijn hoofd. Maar ik wilde wel dat hij ophoepelde, en snel ook, voordat hij merkte dat ik van slag was, aan iets in mijn ogen of zo, alsof er een bordje om mijn nek hing met 'moordenaar' erop.

'Alles in orde, Dean?'

'Ja, hoor.'

'Zoals je opeens wegliep, namelijk…'

'Nee, nee, niks aan de hand.'

'Goed, zullen we ons gesprek dan maar weer voortzetten?'

'Oké.'

We staarden elkaar even aan, en Chet zegt: 'Gaan we weer naar de keuken, of lijkt de zitkamer je beter?'

'Maakt niet uit.'

We liepen de kamer in en gingen samen op de bank zitten, wat een vergissing van me was. Ik had in de leunstoel moeten gaan zitten, want nu zou hij vroeg of laat een hand op mijn schouder leggen of zo, een of ander vaderlijk gebaar maken vanwege zijn ongerustheid over mijn ziel. En dat wilde ik niet. Jezus, nee, geen vaderlijke gebaren nu. Ik wilde dat hij ophoepelde.

'Dean,' zegt hij, 'vertel me eens wat er allemaal in je omgaat de laatste tijd. Ik kan me niet voorstellen dat je, hoe zal ik het zeggen, levensbeschouwelijke redenen hebt voor je geloofsverzaking. Ik vermoed eerder, en dat vermoeden wordt gedeeld door Preacher Bob, dat het een emotionele kwestie is. Wat denk je zelf, Dean, zit er geen persoonlijk probleem achter? Heb je moeite met relaties misschien? Problemen met het vrouwvolk, zal ik maar zeggen?'

'Jezus, nee.'

Zijn gezicht verhardde toen ik dit zei. Godsdienstige lui als Chet zijn snel aangebrand als je je zo uitdrukt, dus ik moest op mijn woorden letten en beleefd blijven. 'Ik heb niet eens een vriendin momenteel, dus dat kan geen probleem zijn.'

'Helemaal niemand? Dat verbaast me, eerlijk gezegd. Je bent een gezonde jongeman die zijn zaakjes goed voor elkaar heeft, dus je zou een aantrekkelijke partij moeten zijn. Maar je hebt al wel vriendinnetjes gehad, mag ik aannemen?'

'Tuurlijk. Ik ben geen homo of zo.'

'Blij dat te horen. Homoseksualiteit is een kwalijke afwijking, zoals je weet, dus het doet me deugd dat het hier geen rol speelt. Maar sta me dan toe dat ik je, in je eigen belang, een heel persoonlijke vraag stel, op de man af.' Hij ging wat rechter zitten en keek me diep in mijn ogen. 'Wat kwelt jou, jongen?'

Dit was een goede vraag, want ik had mezelf ook vaak afgevraagd waarom ik me nergens op mijn plaats voel, en of Feenie Myers geen gelijk had toen ze zei dat ik een loser was. Maar hoe kan iemand van ruim één-negentig zeggen dat hij bang is om een loser te zijn? Dat gaat gewoon niet. Dus zei ik niks. Het gesprek was voorbij.

'Dean?'

'Eh, ja?'

'Heb je me niets te zeggen?'

'Dit gesprek is voorbij.'

Hij keek verward. Hij zegt: 'Hoe bedoel je?'

'Ik moet gaan douchen. Ik stink naar zweet.'

'Natuurlijk, da's logisch na een dag hard werken. Mevrouw Wayne is er ook reuze trots op dat je zo hard werkt sinds ze die truck en de grasmaaiers voor je gekocht heeft. En ze mag ook trots zijn op zo'n harde werker en...'

'En u moet nu gaan.'

Dit maakte zijn gezicht weer hard, maar hij deed zijn best om het niet te laten zien. We keken elkaar een poosje aan zonder dat er iets gebeurde, en toen stond hij op, en ik ook, blij dat hij nu eindelijk ophoepelde zodat ik rustig kon gaan nadenken over deze beroerde situatie die ineens ontstaan is. Maar hij kwam niet in beweging zoals ik wilde, en dit begon me te irriteren. Hij moest weg, want er was in dit huis geen plaats voor andere mensen naast mij en de dode op de bovenverdieping, die als dode meer ruimte in beslag leek te nemen dan hij als levende had gedaan. Als slachtoffer van een moord ben je tien keer groter dan je daarvoor was, en wel honderd keer lastiger. Ik had boven een reusachtig probleem en Chet moest weg.

'Dean, ik had je misschien anders moeten benaderen. Ik ging ervan uit dat je tante er ook was en ik neem het mezelf kwalijk dat dit bezoek anders is verlopen dan verhoopt. Ik begrijp je behoefte om jezelf op te frissen en uit te rusten na een dag hard werken, dus ik ga nu, maar ik wil je toch vragen om me nog een kans te geven en een gesprek met je te hebben over de consequenties van je beslissing.'

'Oké.'

Dat zei ik alleen maar om hem stil te krijgen en de deur uit. Als hij nog één minuut gebleven was, ik zweer het, dan had ik de hele waarheid er uitgeflapt en had ik er nog bij staan janken ook.

'Fijn dat te horen. Dan kom ik binnenkort nog eens terug. Weet je overigens waar ik je tante kan bereiken in Florida? Heb je een adres en telefoonnummer voor me?'

'Ben ik kwijt.'

'Aha, nou, het ligt vast nog wel ergens. Zoek het maar op je gemak op, dan krijg ik het nog wel.'

'Oké.'

En hij begon te lopen, wat een hele opluchting was. Bij de deur blijft hij staan en steekt een hand naar me uit. 'Ziehier de hand van een vriend, Dean. Ik weet dat je nu anders over me denkt, maar geloof me, ik ben beslist je vriend. Iedereen heeft vrienden nodig en ik wil dat je mij als je beste vriend na Jezus beschouwt. Dat klinkt misschien pretentieus, maar het is toch de gedachte waarmee ik je wil achterlaten. Ik dank je voor je gastvrijheid.'

Hij schudde mijn hand nog een keer of twee en daar ging hij, de drempel over, de veranda op en de treden af. Ik keek door de hordeur hoe hij in zijn Cadillac stapte en wegreed, en even later was het geluid van zijn motor weggestorven en was het stof van zijn banden neergeslagen en was ik eindelijk alleen, behalve dat Dean boven lag. Ik probeerde mezelf voor te houden dat Dean een rare idioot was en dat ik eigenlijk al zijn problemen voor hem had opgelost door hem dood te slaan, maar dat klonk totaal niet overtuigend en het was gewoon een smoes voor het schuldgevoel dat ik in mezelf voelde.

Ik kon niet helder meer nadenken. Ik moest wat drinken om de stekels te verzachten die er in mijn hoofd groeiden, voordat ze gaten in mijn hersens zouden prikken, dus ik stapte in de pick-up en reed naar Callisto. Ik was al halverwege toen ik me bedacht dat ik niet eens de voordeur had dichtgedaan, laat staan afgesloten, zo erg was ik in de war van alles. Ik wist dat er een drankenhal met de naam Freedom Liquor in de winkelgalerij aan de rand van de stad was, dus reed ik daarnaartoe, maar toen ik er aankwam zag ik de beige Cadillac van Chet naast de Fancy-Free Boutique staan. En hijzelf staat ernaast, in een mobiel telefoontje te praten. Hij zag mij gelukkig niet en ik reed snel naar het parkeerterrein aan de andere kant van de galerij, liep achter de winkels langs terug en ging door de achterdeur de drankenhal binnen. Een paar minuten later kwam ik er weer uit met twee buikflessen rum en een sixpack Coors en ik reed terug om de kwestie eens grondig met Captain Morgan te bespreken.

VIER

Ik zette alles op een rijtje voor mezelf. Dean was dood en werd nooit meer levend. En ik had het gedaan, ook al was het per ongeluk en voor een deel zijn eigen schuld. Als ik me bij het leger wilde aanmelden, moest ik naar Manhattan, maar mijn auto was net zo dood als Dean. Tante Bree kon elk moment thuiskomen, en Chet kwam terug voor een nieuwe preek. Ik had meer dan vijfhonderd dollar van Deans geld, maar dat kon ik ook mijn eigen geld noemen want ik had er grasmaaiers voor lopen duwen. En Dean begon al te stinken.

Captain Morgan en ik verzonnen dit plan: ik zou Deans truck nemen om mijn Monte Carlo weg te slepen en ergens in een greppel te dumpen en de nummerborden weg te halen en het identificatieplaatje van het dashboard, zodat ze er nooit meer achter kwamen dat ik de eigenaar was. Niet dat iemand de moeite zou nemen met zo'n oud wrak. Daarna reed ik Deans truck weer terug en zette hem netjes in de schuur, en dan schreef ik een briefje voor op de deur voor Chet, met de mededeling dat ik besloten had om toch maar christen te blijven maar bedankt voor je komst. En dan liep ik hier weg en liftte ik naar Callisto om er de bus naar Manhattan te nemen en dan waren mijn problemen voorbij. Het plan beviel me omdat het simpel was. Het was zielig dat tante Bree zich een beroerte zou schrikken als ze thuiskwam en Dean lag in overleden toestand weg te rotten, maar daar kon ik verder ook niets aan doen.

Maar er was nog altijd het mysterie waarom Dean die kuil had gegraven in de tuin. Op zoek naar een antwoord op die vraag ging ik door zijn ladekast en vond er een paar boeken over moslims, *Under the Banner of the Prophet* en *Sword of Islam*, en een koran met een omslag van groen leer en een mooie gouden opdruk. Dus het was echt waar wat tante Bree aan Preacher Bob had gemeld. Dean had echt een bekeerling willen worden. Ik schudde er mijn hoofd om, maar het was mijn zaak niet wat een ander voor godsdienst wilde hebben, dus legde ik de boeken weer netjes terug.

Het was al avond ondertussen, en door al dat drinken en niets eten na een dag hard werken, rammelde ik van de honger. De koelkast was onderhand leeggegeten, dus liep ik naar de kelderdeur om weer zo'n lekkere diepvriesmaaltijd te halen. Het duurde even eer ik het lichtknopje vond, maar het zit links en toen kon ik de trap af. Het was een typische kelder met typische kelderrommel, en in de hoek stond een grote witte vrieskist. Ik deed de klep omhoog en hij lag vol met diepvriesmaaltijden en zakken bevroren groente en pizza's en ga zo maar door, volop keuze, maar ik wilde het lekkerste kiezen en tilde links en rechts pizzadozen en zakken erwtjes op om te zien wat eronder lag, en toen kwam er een grote verrassing.

Ik dacht eerst dat Dean of, wat waarschijnlijker was, tante Bree een pruik in de vriezer bewaarde, tegen de motten. Maar niemand heeft een grijze pruik. Mensen kopen juist donkere pruiken om grijs haar te verbergen, zeker als het vrouwen zijn. Ik pakte hem beet om hem nader te bekijken, maar hij zat vast. Vastgevroren dacht ik, dus ik gaf er een voorzichtige ruk aan, maar hij gaf niet mee, en toen ik een paar dozen maïs opzijschoof, zag ik waarom. De pruik zat aan een hoofd vast, dus het was helemaal geen pruik. Deze ontdekking deed me als een geschrokken kip naar de andere kant van de kelder rennen, waar ik tot mezelf kwam en weer terugliep.

Geen twijfel mogelijk, er lag een vrouw in die vriezer. Ik duwde alle etenswaren opzij en daar had je haar helemaal, een kleine vrouw in een nachtjapon, op haar zij, met haar knieën omhoog alsof ze naast haar bed had zitten bidden en zomaar dood was omgevallen. Wat er ook gebeurd was, tante Bree was niet naar Florida gegaan maar naar een veel koudere plek. Ik raapte mijn moed bij elkaar en tilde haar eruit, wat gemakkelijk ging vanwege haar kleine gestalte, en toen ik haar op de vloer had neergelegd, zag ik de reden voor haar gebogen houding: haar buik, waar die schuilging achter haar opgetrokken benen, was helemaal kapot en bloederig. Dit maakte me duidelijk dat Dean zijn tante in haar buik had geschoten, waarschijnlijk met de laatste patroon voor zijn jachtgeweer, en dat hij haar zolang in de vriezer had gestopt om te kunnen bedenken hoe hij van het lijk afkwam. En hij was op het idee gekomen om haar in de tuin te begraven, met het kippenhok eroverheen. Hij had haar waarschijnlijk kort voor mijn komst doodgeschoten. Geen wonder dat hij zo'n zenuwachtige indruk had gemaakt.

Waarom had hij haar vermoord? Dat kon ik hem niet meer vragen, dus zou ik het nooit weten, maar ik had zo'n vermoeden dat hij kwaad was geworden toen ze vertelde dat ze Preacher Bob had geschreven over zijn plan om van godsdienst te wisselen. Hoe dan ook, de ontdekking dat hij zelf een moordenaar was, maakte dat ik me een stuk minder schuldig voelde over die doodklap met de honkbalknuppel. De schaduwkant was alleen dat de situatie er bepaald niet makkelijker op werd. Mijn mooie simpele plan lag nu in diggelen, want er waren twee lijken in plaats van één, dus wat moest ik? Om te beginnen stopte ik Bree maar weer in de vriezer en legde al het bevroren voedsel weer over haar heen zoals het geweest was, behalve een grote Cheese Supreme Pizza die ik voor mijn avondeten wilde. Ik nam hem mee naar boven en stopte hem in de oven, waar hij lang in moest blijven omdat hij nog bevroren was, maar dat gaf niet omdat mijn Ontdekking me behoorlijk wat eetlust had gekost, en ik moest bovendien weer helemaal opnieuw een plan bedenken voor de nieuwe situatie. Had mijn auto het maar een paar minuten langer volgehouden, dan was dit allemaal aan me voorbijgegaan. Het was bijna griezelig om te bedenken dat mijn motor het precies ter hoogte van Deans oprit had begeven. Het leek wel alsof het Noodlot er zin in had gehad om mij eens even flink te vernaaien.

Maar het had geen zin om daar nu over te zaniken. Wat gebeurd was, was gebeurd en kon nooit meer niet gebeuren, dus er zat niks anders op dan een nieuw plan te bedenken. Het leek me het beste om Bree en Dean maar gewoon te laten liggen waar ze lagen. Als er hier dan een buur binnenkwam of een elektriciteitsopnemer of wie dan ook, dan zou het lijken alsof Dean zijn tante had vermoord en in de vriezer had gestopt en vervolgens een kuil had gegraven om haar in weg te werken, maar daar was het nooit van gekomen want de klap die Bree hem nog net had kunnen geven voor hij haar doodschoot, had alsnog zijn tol genomen door een hersenschudding die was overgegaan in een bloeding, zoals je dat ook wel ziet in dokterseries. Dit leek me geloofwaardig genoeg om zelf buiten schot te blijven, als ik maar ver genoeg weg was als de ontdekking werd gedaan. Ik wilde niet dat Chet degene was die hen ontdekte, want hij zou dan de politie vertellen over die knul van ruim één-negentig die zich als Dean had voorgedaan, met het nadelige gevolg van een jacht op mij. Dus het bleef een goed idee om een briefje op de voordeur te prikken waardoor hij weer voldaan terugreed naar Topeka.

De keuken vulde zich met de heerlijke geur van pizza en mijn maag begon een keel op te zetten, maar volgens de verpakking moest ik nog tien minuten wachten indien u de pizza in bevroren toestand in de oven plaatst, en zo had ik het gedaan. Om de tijd te doden zette ik alle ramen aan de westkant van het huis open en ging vervolgens naar boven om het raam in de kamer van Dean ook open te zetten. In Kansas waait de wind bijna altijd uit het westen, dus op deze manier zou hij van beneden naar boven door het huis gaan en de stank meenemen die Dean afgaf. Ik had geen trek om in die lucht te moeten slapen. Hij lag er vreedzaam bij, behalve zijn mond die was opengezakt en niet meer dicht wilde, hoe vaak ik zijn kin ook omhoogduwde, dus liet ik hem ten slotte maar zo liggen. Ik voelde de avondbries door het huis komen en de stank leek al minder op de voorgrond te dringen, al kon dat ook komen omdat de pizzageur mee omhoogkwam.

Ik draaide het licht uit in Deans kamer en wilde net naar beneden gaan toen ik een auto op de oprit hoorde. Dit beroofde me een seconde of vijf van mijn adem, maar toen sprintte ik naar het raam om te kijken wie het is. Misschien kwam Chet alweer terug om Gods goede werk te doen, maar nee, het is geen Caddy, het is een klein autootje, al kan ik in het donker niet zien wat voor merk. Het kwam tot stilstand op het erf en de motor werd afgezet. Ik had in paniek kunnen raken, en dat zou menigeen ook hebben gedaan, maar er was die dag al zoveel gebeurd dat ik zo langzamerhand op nare verrassingen was ingesteld, dus in plaats van als een kip zonder kop rond te rennen deed ik zonder aarzeling wat er gedaan moest worden, namelijk Dean van het bed tillen en op de vloer naast het bed leggen, de sprei optillen en Dean onder het bed schuiven en de sprei weer terugdoen zodat alles er heel gewoon uitzag. Een verstandige maatregel, want je kon niet weten wat er nu gebeuren ging. Ik stond op en terwijl mijn hart nog bonk-

te, werd er beneden op de voordeur geklopt, dus ik ging meteen open-
doen, want dat verwacht je van een onschuldig iemand.

Er staat een vrouw voor me, van de politie of de verkeerspolitie of
zo, in een soort van politie-uniform in ieder geval, behalve dat ze geen
hoed of pet op heeft. Meer zag ik niet in het weinige licht dat vanuit
de gang viel. Ze keek me aan met een wantrouwige blik in haar ogen,
maar misschien dacht ik dat alleen maar vanwege mijn schuldige geweten. Ik knipte het verandalicht aan en vroeg: 'Kan ik u helpen?' Mijn
stem klonk muurvast, dus ik was de situatie volledig de baas.

'Wie ben jij?' zegt ze. Het is een stevige vrouw, niet zo'n vel-over-
been type, van een jaar of dertig met haar haar strak naar achteren ge-
speld, zoals dat moet als een politie-agente gezag wil uitstralen in haar
functie. Niks geen 'Goedenavond mag ik u enkele vragen stellen in het
kader van een onderzoek,' of een ander beleefd zinnetje, terwijl de politie over het algemeen heus wel beleefd is, ook al zeggen veel mensen
van niet.

'Huh?'

'Wie ben jij, vraag ik, en wat doe je in het huis van mijn broer?'

Het was goed dat ze dit zei, dat over een broer bedoel ik, anders zou
ik weer gezegd hebben dat ik Dean was, en daar zou zij dan niet zijn
ingetuind. Ik dacht pijlsnel na en begreep dat ik maar één naam op
kon geven, namelijk die van mezelf, want als politie-agente kon ze me
om een identiteitsbewijs vragen en ik had er alleen een op mijn eigen
naam.

'Odell,' zei ik, een beetje binnensmonds. Dit was niet wat ik had
verwacht en zeker niet wat ik had gehoopt, dat de zus van Dean een
politie-agente was. Ik keek, maar zag geen pistoolholster, dus misschien was ze niet in functie op dit late uur, maar dat maakte weinig
uit, ze bleef toch politie en dus het laatste soort persoon dat ik nu aan
de deur wilde.

'Pardon?'

'Odell. Odell Deefus.'

Ze liet dit bezinken en vraagt: 'Waar is Dean?'

Op die vraag was ik niet voorbereid, en wie had dat wel kunnen zijn?
Ik bekeek haar gezicht en vroeg me af hoe slim ze was, of ze een goede neus had voor smoesjes. Ze zag er behoorlijk slim uit, en ook wel

aantrekkelijk, eerlijk gezegd, met een hoop vrouwelijkheid ondanks dat uniform, of misschien wel dankzij omdat het nogal nauwsluitend was. Maar een politie-uniform leek het me toch niet, bij nader inzien, omdat het daar de verkeerde kleur voor heeft.

'Die is er niet,' zei ik om tijd te winnen.

'En waar is Bree?'

'Op vakantie in Florida, zei Dean.'

'Ga eens opzij.'

Ze zei dit op een toon waardoor je het meteen deed, zelfs als er een grote hoop stront naast je lag. Deze vrouw was geen muurbloempje. Ik hield de hordeur voor haar open en ze stapte langs me heen naar binnen, met nog steeds die wantrouwige blik. Als ik kleiner was geweest, had die blik me waarschijnlijk nerveus gemaakt, maar ik was de kalmte in eigen persoon, zeker nu ik zoveel indruk op mezelf gemaakt had door Dean heel daadkrachtig onder het bed te schuiven. Maar een koel hoofd was ook wel nodig met deze uniformdame. Het leed geen twijfel dat ze als een stofzuiger door het huis zou gaan, met haar misdaadradar in de hoogste stand.

Ze liep voor me uit naar de keuken, wat me de gelegenheid gaf om haar grote ronde kont te bekijken, die extra groot en rond leek door haar slanke middel dat het contrast verscherpte. Ze kijkt de keuken rond en snuift de lucht op. 'Ah, pizza,' zegt ze. 'Zo te ruiken is hij klaar.' Dus deed ik de ovenwanten aan en haalde hem eruit, waarbij ik me een beetje sullig voelde met die grote roze huisvrouwdingen aan mijn handen. Ik zette hem op het aanrecht om af te koelen, want de kaas was gloeiend vloeibaar, waarna ik de wanten uittrok en op de keukentafel gooide.

'Oké,' zegt ze, 'wat is hier allemaal gaande?'

'Gaande?'

'Waar is Dean? Dat heb je me nog steeds niet verteld.'

'Hij is gisteren weggegaan, maar hij zei niet waarheen.'

'Hoe kan hij nou weg zijn? Ik zag zijn truck in de schuur staan.'

'Hij ging met iemand anders mee, in zijn auto.'

'Was dat soms een groene Pontiac?'

Ik nam de gok. 'Ik denk het wel.'

Aan haar gezicht te zien, pakte dit goed uit. 'Hoe zei je ook weer dat je heet?' vroeg ze.

'Odell Deefus, uit Wyoming.'
'En hoe heb je Dean leren kennen?'

Het leek me verstandig om hier zo eerlijk mogelijk over te zijn, want ze zou mijn antwoord vast met politietechnieken kunnen natrekken om te zien of ik loog. 'Mijn auto ging stuk en ik vroeg Dean of hij kon helpen. Zet hem maar in de schuur, zei hij, maar hij kreeg hem ook niet aan de praat en toen heeft hij me hier laten slapen omdat ik niet verder kon. Hij is hartstikke aardig. Hij heeft zelfs eten voor me gemaakt en we zijn een soort van vrienden geworden. En toen kwam die gozer hem dus ophalen, maar voor hij wegging zei hij dat ik ondertussen zijn maaiwerk kon doen en vijfhonderd dollar voor mezelf mocht houden. Het kon een paar dagen duren, zei hij, maar aan het eind van de week is hij zeker weer terug.'

'Dat is hem geraden ook,' zegt ze op een manier waardoor ik bijna medelijden met Dean zou krijgen, hoewel hij dood was en dus niks meer te vrezen had.

'Dus hij laat jou in zijn huis wonen en zijn werk doen terwijl hij je net kent?' Zoals ze dit zei, leek mijn verhaal opeens nergens meer op te slaan.

'Ja, het verbaasde mij ook, maar hij is goed van vertrouwen, denk ik.'

'Daar vergis je je dan lelijk in. Hij is net zo achterdochtig als-ie gemeen is, en nog geschift ook. Heb je daar niks van gemerkt?'

'Nee nee, ik vond hem heel normaal en aardig zoals hij me hielp om mijn auto weer aan de praat te krijgen, maar die is zo kapot dat het niet lukte. Maar met die vijfhonderd dollar kan ik hem laten maken en dan ga ik weer.'

'Ik heb vandaag een paar keer gebeld,' zegt ze. 'Maar hij nam steeds niet op, dus ben ik hier maar naartoe gereden.'

Dan moest ze gebeld hebben terwijl ik van huis was, want ik had geen telefoon horen rinkelen. Ik zei niks en hoopte dat haar argwaan een beetje zakte, ook al had mijn verhaal rare kantjes. En daar bestond goede hoop op, want zoals zij over Dean sprak, was hij inderdaad iemand die rare dingen doet die normale mensen niet doen, dus mijn verhaal had best waar kunnen zijn, al zaten er gaten in waar je met een tank doorheen kon rijden.

Ze zegt: 'Ik kreeg een telefoontje van iemand die een vreemde in Deans pick-up had zien rijden, en dat maakte me ongerust.'

'Logisch.'

'Maar goed, heeft hij nog iets voor mij achtergelaten? Ik ben Lorraine, trouwens.'

'Een boodschap of zo?'

'Of een pakje.'

'Nee. Hij zei wel dat zijn zuster misschien nog langs zou komen. Maar je naam zei hij er niet bij. Hij had nogal haast.'

'Beschrijf me de bestuurder van die Pontiac eens.'

'Die heb ik nooit gezien. Hij kwam niet binnen maar bleef gewoon in zijn auto zitten. En Dean ging bij hem staan en toen ze een tijdje met elkaar gepraat hadden, kwam Dean me zeggen wat ik je verteld heb. Gisteravond was dat.'

'En hoe lang ben jij al hier?'

'O, een dag of wat. We konden het goed met elkaar vinden, Dean en ik.'

'Da's opmerkelijk. De meeste mensen kunnen hem niet uitstaan. Heb je die pizza gemaakt om op te eten of alleen voor de geur?'

'Ja, hij zal nu wel afgekoeld zijn. Wil je ook een stuk... Lorraine?'

'Drie keer raden.'

Ze liep naar het keukenkastje en pakte twee borden en trok een la open voor een pizzasnijder, dus ze wist alles te liggen, wat begrijpelijk is in het huis van je broer. Even later zaten we samen te bikken alsof het de normaalste zaak van de wereld was.

'Wat voor werk doe jij, Adele?'

'Odell. Adele is een vrouwennaam.'

'O hemeltje, duizendmaal excuus, Odell.'

'Als mijn auto het weer doet, ga ik me aanmelden.'

'Aanmelden bij wat?'

'Het leger.'

'Het léger? Ben je niet goed snik of zo? Waarom in godsnaam?'

'Nou, ze hebben hard nieuwe mensen nodig vanwege Irak.'

'Da's dan hun probleem, zou ik zeggen. Daar laat jij je toch niet voor neerknallen? Ik zou maar wat anders zoeken als ik jou was.'

'Ik heb geen highschooldiploma,' zei ik, 'dus ik heb niet veel te kiezen.'

'Een kogel in je kop lijkt me in elk geval geen goede keus.'

'Tja, dat is jouw mening. Waar je natuurlijk recht op hebt.'

'En jij hebt weer het recht om dát te zeggen. Maar vertel eens, is je moeder het ermee eens?'

'Die gaat er niet meer over want ik ben al eenentwintig, en bovendien is ze dood.'

'O, neem me niet kwalijk. Ik praat vaak rechtuit waar ik beter een omweg kan nemen, maar zo ben ik nou eenmaal. Het was niet rot bedoeld.'

'Oké.'

'Lekkere pizza is dit.'

'In de vriezer beneden liggen allemaal lekkere dingen.'

Dit had ik niet moeten zeggen, al zei ik er alleen maar iets mee wat gewoon een feit was. Maar het was een teken dat ik niet meer op mijn hoede was, en ik wist waardoor dit kwam. Het kwam door haar, door Lorraine dus. Ik mocht haar, hoewel ze tegen me sprak alsof ik achterlijk was, maar zoals ze zelf ook al zei, zo was ze nu eenmaal, dus ik nam geen aanstoot. Als ze niet zo aantrekkelijk was geweest, had ik er misschien anders over gedacht, maar zo gaat het als je tegen iemand aan loopt van wie je vindt dat ze er goed uitziet. Dan word je onverstandig. Ik tenminste wel. Ik nam maar een grote hap pizza om niks meer te kunnen zeggen waar ik problemen door kon krijgen.

'Wanneer komt Bree weer thuis?' vroeg ze.

'Geen idee. Heeft Dean niet gezegd.'

'O. Nou, als ik jou was, zou ik er wel voor zorgen dat ik hier op tijd weg ben. Bree heeft het niet zo op vreemden. Ze houdt niet van veranderingen, weet je. Alles moet blijven zoals het is. Ze zal je hier nooit dulden, al ben je nog zo'n goede vriend van Dean.'

Dit laatste klonk een beetje sarcastisch, alsof ze het niet echt geloofde, wat voor mij een extra waarschuwing was om goed op mijn woorden te passen. 'Waar in Florida?' zei ze.

'Weet ik niet. Dean zei dat ze vaak naar Orlando en Fort Lauderdale ging, maar hij zei niet waar ze nu was.'

'Dat kan kloppen. In Fort Lauderdale woont een oude schoolvriendin van haar, en ze is dol op al die toeristische trekpleisters. Ik heb thuis ansichten van haar uit Disneyworld en Epcot Center, dat soort dingen. Seaworld, is ze ook gek op.'

'Aha.'

'Maar goed, ga je dus maar niet te veel thuisvoelen hier.'

'Oké.'

'Weet je zeker dat hij geen pakje of brief voor me heeft achtergelaten?'

'Nee hoor, niks.'

'Het punt met Dean is dat hij lang niet altijd betrouwbaar is. Je weet nooit waar je met hem aan toe bent. Hij kan zomaar een rothumeur krijgen. Heb je helemaal geen bonje met hem gehad?'

'Nee, we konden het prima met elkaar vinden.'

'Nou, misschien heb je een goede invloed op hem. Dean is het type niet om vrienden te maken. Zodra hij vertrouwd raakt met iemand, krijgt hij een rotbui en verpest hij alles weer. Als je hier maar lang genoeg bleef, kwam je daar zelf ook wel achter. Maar je blijft hier dus niet lang, want dat wil Bree niet hebben.' Ze nam nog een pizzapunt. Ze kon goed eten, en dat kon je ook wel zien trouwens. 'Maar jammer is het wel,' zegt ze, 'want hij kan best een vriend gebruiken. Ik ben eigenlijk de enige met wie hij overweg kan, en zelfs met mij ligt hij vaak overhoop. Eigenaardig, trouwens, dat ik je dit allemaal vertel terwijl je straks weer weg bent. Maar goed, mijn band met Dean... het is mijn broer, weet je. Van broers en zusters accepteer je wat je van anderen nooit zou pikken. Je voelt een plicht. Kom jij uit een groot gezin?'

'Alleen mijn vader en ik, en ik kan het totaal niet met hem vinden.'

'Jammer,' zegt ze, maar zonder het echt te menen, meer uit beleefdheid.

'Hoe lang ben jij eigenlijk, Odell?'

'Ruim één-negentig.'

'En wat weeg je?'

'Een kilo of negentig, denk ik.'

'Ik denk eerder vijfennegentig. Ja, minstens vijfennegentig. Ben ik goed in, het gewicht van mensen raden.'

'Ik ben goed in potten met knikkers. Ze hadden op een keer een wedstrijd dat je moest raden hoeveel knikkers er in een glazen pot zaten, en ik zat er het dichtste bij. Daar heb ik toen een prijs voor gehad.'

'Wat voor prijs?'

'O, een mand met etenswaren. Het was een liefdadigheidswedstrijd voor New Orleans, na die orkaan. Het kostte tien cent om mee te doen, dus dat heb ik maar gedaan en toen won ik nog ook.'

'Heb je lang op school gezeten?'

'Ja, maar geen diploma gehaald. Maar dat zei ik al.'

'Toch vind ik het belachelijk dat je bij het leger wilt. Er zijn baantjes genoeg die je zonder diploma kunt krijgen.'

'Ik ga geen oogsten lopen plukken,' zeg ik tegen haar. 'Dat is rotwerk en het wordt trouwens alleen aan Mexicanen gegeven. En die willen zelf ook niet dat Amerikanen het doen. Ze willen al dat rotwerk voor zichzelf houden, en neem het ze eens kwalijk, anders hebben ze helemáál niks. De boeren willen het ook zo, want Mexicanen hoeven ze minder te betalen. Je hoeft het niet eens te gaan vragen, heb ik gemerkt.'

'Maar er zijn nog andere baantjes.'

'Wat dan? Bij tankstations?'

'Wat dacht je van gevangenbewaarder? We hebben hier een knots van een gevangenis, aan de andere kant van de stad, Callisto State Penitentiary, sinds een jaar of anderhalf. Hypermodern, met cameratoezicht en noem maar op. Lijkt dat je niks?'

'Heb ik nooit zo over nagedacht,' zei ik, en dat had ik ook niet.

'Ze nemen het liefst grote kerels aan. Die maken meer indruk op de bajesklanten. Da's ruig volk, hoor. Tonen pas respect als ze vinden dat je het verdient. Je moet net zo taai zijn als zij, anders red je het niet. Kleine mannetjes kunnen het vergeten daar. Maar jij, als ze jou door de gang zien komen, denken ze ho, wacht eens even, daar wil ik geen mot mee. Jij hebt je postuur echt mee voor dat werk. Als je wilt, zou ik met mijn chef kunnen gaan praten. Je kunt lezen en schrijven, hè?'

'Ik ben dol op lezen,' zei ik.

'Nou, kijk eens aan. Wat denk je, zal ik een goed woordje voor je doen? Je hebt geen strafblad of zo, hè?'

'Nee, ik ben vlekkeloos.'

'Mooi. Kijk, je krijgt niet gelijk een topsalaris, maar als je jezelf waarmaakt, wordt het geld steeds beter. Ik heb zelf ook al een promotie achter de rug. Hiervoor heb ik achter de kassa gezeten bij Safeway. Als

die me nu een baantje aanboden, konden ze het mooi in hun jeweetwel steken.' Dit laatste zei ze lachend en het leek me inmiddels duidelijk dat ze me aardig vond. Je gaat iemand niet aan werk proberen te
helpen als je hem niet aardig vindt.

'Nou, dank je wel.'

'Bedank me nog maar niet, want je hebt nog niks. Maar het lijkt je
wel wat?'

'Zeker,' zei ik, en dat zou ook echt waar zijn geweest als ik in Callisto had kunnen blijven, maar dat kon natuurlijk niet met twee lijken in
dit huis, waarvan ik er één zelf had doodgemaakt. Toch was het hartstikke leuk dat ze het voor me wilde doen terwijl we elkaar nog maar
net kenden, dus ik raakte waarschijnlijk een zwak plekje bij haar, zoals
dat heet. Ik was er trots op dat ik niet zat te zweten, wat je verwachten
zou van zo'n situatie met twee lijken, maar nee, ik blijf kalm en verras
mezelf met hoe kalm ik blijf. En ik was ook trots omdat Lorraine me
aardig vond, wat me niet vaak gebeurt met vrouwen maar nu dus wel,
en ik begreep ook waarom. Over het algemeen weet ik niks te zeggen
als ik met vrouwen praat, en dan worden ze ongeduldig en haken ze af,
maar Lorraine is zelf een grage praatster, dus ik hoef alleen maar te luisteren en beleefd antwoord te geven op de vragen die ze stelt. Hele di-
recte vragen zijn dat, en ik heb steeds het antwoord klaar omdat ik
meestal gewoon de waarheid vertel, maar ook de leugens komen gemakkelijk, wat heel indrukwekkend is als je anders niet zo bent. Dus je
kunt zeggen dat ik daar vol vertrouwen tegenover haar zat, wat op zich
een riskant teken is in deze situatie, maar het kon geen kwaad want
mijn mond zat vol met pizza. En mijn ogen zaten vol met Lorraine, als
je begrijpt wat ik bedoel.

Ze stond opeens op en ik kreeg weer de volle lading van dat strakke uniform, en ze zegt: 'Ik ga toch maar even boven kijken of Dean
iets voor me heeft achtergelaten. Dat was namelijk wel de afspraak, al
kun je nooit op hem rekenen. Neem jij de rest maar, Odell.'

En weg is ze, de trap op, en ik kon haar boven horen rondlopen in
Deans kamer, hoe ze laden opentrok en weer dichtduwde, en toen ze
de grote ouderwetse kleerkast opende, dacht ik: het is maar goed dat
ik hem daar niet in heb gestopt. Maar ik ben ondertussen wel opgehouden met kauwen want het zit me toch niet lekker dat ze daar rond-

scharrelt terwijl haar dode broer onder het bed ligt, wat een plek is waar je ook weleens kijkt als je naar iets op zoek bent, dus ik kon mijn hap pas doorslikken toen ze klaar was en de krakende trap afliep. Toen ze de keuken weer binnenkwam, zag ze er ontevreden uit omdat ze niks gevonden had.

'Als hij terugkomt moet hij me meteen bellen. Het gaat om iets belangrijks en hij heeft zich wéér niet aan de afspraak gehouden. Zeg hem maar dat hij af moet komen en dat hij er anders voorgoed uit ligt. Hij begrijpt wel wat dat betekent. Met zo iemand kun je geen zaken doen, ook al is het je broer, zeg hem maar dat ik dat gezegd heb.'

'Oké.'

Ze keek me doorborend aan. 'Heb je me echt wel alles verteld, Odell? Want het blijft toch raar om een vreemde in het huis van je tante aan te treffen terwijl ze er zelf niet is. Je bent toch wel eerlijk tegen me geweest, hè?'

'Tuurlijk.'

'Wie eerlijk tegen me is, heeft een goede vriendin aan me, maar als je me belazert, weet ik je te vinden. Snap je wat ik bedoel, Odell?'

'Jazeker. En bedankt nog voor die baan, Lorraine.'

Ze laat haar ogen wat minder scherp worden en haalt haar broekriem op met zo'n gebaar van ziezo, en ze ziet dat ik daarnaar kijk, en dus naar haar middel kijk, waarschijnlijk met een blik waar ze aan kon zien dat ik iets zag wat me zeer goed beviel. Zoiets kun je niet verbergen. Ik zat mezelf voor te stellen hoe ze eruit zou zien met een pistoolriem om, en voor ik het wist zat ik me voor te stellen hoe ze eruitzag met alléén maar een pistoolriem om, wat me binnen twee seconden een stijve gaf.

'Goed, dan ga ik maar. Laat je me even uit?'

Ik wilde liever niet opstaan met mijn pik die als een gummiknuppel in mijn broek zat, maar het was onbeleefd als ik bleef zitten, dus kwam ik zo'n beetje voorovergebogen overeind, met mijn handen op het tafelblad om het aan haar zicht te onttrekken, maar ik kon gelijk zien dat ze zag wat er met me aan de hand was. 'Staat je leuk, die korte broek,' zegt ze.

'Heb ik gekocht voor het grasmaaien,' zei ik, terwijl ik mijn wangen voelde gloeien tot in mijn nek.

'Nou, hij staat je goed. En zo'n broek staat niet iedereen goed.'
'Nee.'
Ze kreeg zo'n lachje op haar gezicht waardoor ik nog veel erger moest blozen, en ze zegt: 'Breng me nu dan maar even naar de deur, en pas op dat je nergens over struikelt.' Dat laatste was een grapje, denk ik.
'Tuurlijk.'
Ik liep achter haar aan en ze draait zich bij de deur om en zegt: 'Nou, het was leuk je te ontmoeten, Odell.'
'Ik jou ook.'
'Ik zie je nog wel. En zeg Dean dat hij me gelijk belt.'
'Zal ik doen.'
Ze opent de hordeur en stapt naar buiten en ik wil haar weer volgen, maar ze draait zich opeens weer om want ze wil nog wat zeggen, dus ik bots per ongeluk tegen haar aan, tegen haar voorkant dus, omdat ze zich heeft omgedraaid, wat me een gevoel gaf alsof ik een elektrische schok kreeg door die borsten van haar, en ik kon zien dat zij dat ook in de gaten had. 'Het is een groot huis, Odell, je hoeft echt niet op mijn lip te komen staan.'
'Sorry.'
'Ik wou nog even zeggen dat mijn nummer naast de telefoon op de muur staat geschreven, als je me eventueel bellen wilt.'
'Oké.'
'Je hoeft me niet naar mijn auto te brengen, hoor, anders breek je nog wat.'
'Oké.'
'Je bent een man van weinig woorden, hè, Odell?'
'Ja.'
Ze maakte zo'n keelgeluidje van iemand die een lach smoort, wat me een opgelaten gevoel gaf. Had ze maar nooit haar riem opgehaald en mijn fantasie op hol gejaagd, dan was ik nooit zo in verlegenheid gekomen, maar er viel niets meer aan te doen.
Ze liep de treden af en vervolgens naar haar auto. Voor ze instapte keek ze nog even naar me om, maar ze zwaaide niet, dus deed ik dat ook niet. En toen startte ze en reed ze weg en ging ik weer naar binnen, de keuken in. Nu ze weg was kon ik weer helder denken en ik begreep dat de situatie alleen maar erger was geworden, want nu was er ook nog

een vrouw in het spel, die bovendien de zus van Dean was en de nicht van Bree was, en die ik helemaal niet verwacht had, dus hoe nu verder? Maar ik kreeg een idee, namelijk Bree en Dean pakken en ergens naartoe brengen waar niemand ze zou ontdekken, zodat ik nergens van beticht kon worden en een adempauze kreeg om de zaken écht op een rijtje te zetten, wat natuurlijk nooit zou lukken als het huis vol met lijken lag. Maar waar moest ik ze laten? Tja, het lag voor de hand om ze in de kuil te stoppen die Dean toch al had gegraven, al bleef er dan wel veel aarde over, maar dat gaf niet want die verstrooide ik dan wel, en dan zette ik het kippenhok over de plek waar Dean en zijn tante lagen, zoals Dean zelf ook van plan was geweest volgens mij, maar dan niet met zichzelf eronder. Als ik de omgeving had gekend, had ik misschien een betere plek kunnen bedenken, maar ik was hier vreemd dus moest het maar zo.

Ik ging naar boven om Dean op te halen. Ik had natuurlijk ook eerst naar de kelder kunnen gaan voor Bree, maar ik wilde met Dean beginnen, waarschijnlijk omdat het logisch was om van boven naar beneden te werken, maar misschien ook wel omdat ik hem eerst wilde begraven vanwege de schuldige gevoelens die ik had, geen idee. Maar goed, ik ging dus naar de kamer op de bovenverdieping, die nu goed gelucht was, wat maar goed was ook want anders had Lorraine die stank geroken, en ik ging naast het bed op mijn knieën zitten om Dean te voorschijn te trekken.

En dat was het moment waarop alles weer een nieuwe wending nam. Want toen ik de sprei opsloeg en hem beet wilde pakken, zie ik naast zijn hoofd opeens een cowboylaars waar een envelop uit steekt, die me eerst niet was opgevallen omdat ik zo'n haast had om hem weg te werken toen ik Lorraine op de oprit hoorde. Ik keek naar die envelop en vroeg me af wat die daar deed, en toen deed ik wat iedereen zou doen, namelijk hem pakken en openmaken, en raad eens wat, er zit geld in. Papiergeld. Een heleboel. Ik tel het na en kom op tweeduizend dollar. Ik wist meteen dat dit het was wat Lorraine gezocht had, en het was maar goed dat ze het niet gevonden had, want dan had ze Dean ook gevonden, en dan had ik een hoop moeten uitleggen en had ze vast geen baantje voor me willen regelen zoals nu.

Maar waar kon dat geld voor zijn? Ik zat daar naast het bed over deze vraag na te denken en Dean helemaal te vergeten toen ik wéér een auto op de oprit hoorde. Ik dacht dat het Lorraine was die iets vergeten was, dus ik stopte het geld weer in die laars en liet de sprei omlaagvallen zoals hij had gehangen. Ik de trap weer af en mijn gezicht weer in de plooi doen alsof ik kalm en bedaard was, wat ik vanbinnen helemaal niet was, integendeel.

Terwijl ik naar de voordeur liep, wist ik al dat het niet Lorraine was, want de motor klonk heel anders, als een grote Amerikaan. Ik knipte het verandalicht aan en op datzelfde moment komt die auto op het erf tot stilstand en mijn hart maakt een huppeltje, want het is een groene Pontiac. De bestuurder stapte uit en liep op het huis toe. Onder aan de treden bleef hij even staan omdat hij ziet dat ik het ben die in de deuropening staat, iemand anders dus dan Dean. Maar hij liep toch naar boven en kwam voor me staan, een magere gozer van een jaar of vijfendertig, met zijn haar overal kortgeschoren behalve van achteren, waar het over zijn kraag hangt. Hij nam me achterdochtig op en vroeg precies hetzelfde als Lorraine: 'Wie ben jij?'

'Odell,' zei ik tegen hem.

'Waar is Dean?'

'Die is er niet op dit moment.'

Hij kijkt langs me heen de gang in, alsof hij verwacht dat Dean eraan komt om mij voor leugenaar te zetten. 'Waar is-ie dan?'

'Bij zijn zuster, denk ik. Hij zei niet waar hij heen ging.'

'En wie ben jij?'

'Odell.'

'Schei uit, zo heten nikkers alleen. Hoe heet je echt?'

'Odell.'

'En wat ben jij van Dean, een neef of zo?'

'Nee, gewoon een vriend.'

Het beviel hem allemaal maar niks. 'Hij zou hier zijn, dat was de afspraak. Komt-ie gauw terug?'

'Dat denk ik niet. Er was geloof ik een noodgeval in de familie.'

'Iets met zijn tante of zo? Heeft die een hartaanval gehad?'

'Nee, Bree is op vakantie in Florida.'

'O. Nou, dit is klote want hij zou er zijn. Heeft hij iets voor me achtergelaten? Ben je goed met hem bevriend, trouwens?'

'Ja, we zijn heel dik.'

'En?'

'En wat?'

'Heeft hij iets voor me achtergelaten?'

Hij begon een beetje opgefokt te raken en ik kreeg het idee dat hij een drugsgebruiker was met dat rare leren koordje om zijn nek, waar een zilveren spin aan hing. Zijn ogen flitsten heen en weer en hij kon zelf ook geen seconde stilstaan. Dean had ik ook zo zien doen voor hij doodging, dus ze leken me van hetzelfde soort. Maar hij zou nog veel opgefokter hebben gedaan als ik kleiner was geweest dan ik ben, want zo'n type was hij, dat kon je zo wel zien.

'Wat zou hij achtergelaten moeten hebben?'

'Jezus, man, mijn géld... zoals we hadden afgesproken.'

Aha, dus hij wilde dat geld waar Lorraine ook naar gezocht had. Ik dacht hier pijlsnel over na. In principe gaf ik het liever aan Lorraine dan aan hem, omdat ik haar aardig vond en hem niet.

'En hoe heet jij?' vroeg ik.

'Wat krijgen we nou, een kruisverhoor?'

Hij werd opeens bang, en ik wist waarom. Hij dacht dat ik een stille was van de politie, vanwege mijn lengte van ruim één-negentig en mijn stekeltjeshaar zoals politie dat ook vaak heeft. Zo had ik het een week geleden laten knippen in Colorado, om er alvast uit te zien als een soldaat, zodat het leger me aan zou nemen, maar hij dacht nu dat mijn T-shirt en mijn korte broek de vermomming van een stille was.

'Hij zou thuis zijn,' zegt hij, 'en hij zou bellen als er een probleem was. Als je Dean kent, weet je wat ik bedoel.'

Dit zei hij tartend, om me te laten weten dat hij me niet vertrouwde. Dit kon me niet schelen, maar ik wilde hem wel weg hebben, zodat ik door kon gaan met wat ik van plan was, namelijk die begraverij. Dus leek het me eigenlijk maar het beste om hem te geven waar hij voor kwam, zodat hij wegging en niet meer terugkwam. Het had vast met iets crimineels te maken, maar daar kon ik niks aan veranderen, dus moest ik hem maar gewoon zijn zin geven.

'Nu je het zegt, hij heeft inderdaad iets achtergelaten,' zei ik.

'Ja? Goed zo. En, krijg ik het nog van je of niet?'

'Ik moet wel weten dat ik het aan de juiste man geef.'

'Jezus... oké, ik ben Darko.'

'Darko?'

'Nou, Donnie eigenlijk. Maar ze noemen me allemaal Darko, naar die film.'

'Welke film?'

'Jezus, man, ga je nooit naar de film? *Donnie Darko*, oké?'

Het leek me duidelijk dat hij me geen valse naam opgaf om uit te testen of ik wel wist wie het geld zou komen ophalen. Als hij dat had gewild, had hij wel John of Frank gezegd, niet Donnie Darko.

'Wacht maar even.'

Ik liep naar boven en pakte het geld, en kwam weer naar beneden en gaf het aan hem. Ik vond dit vreselijk om te doen, hoewel het niet mijn geld was, maar het leek me gewoon het veiligste. Hij telde het na, zei 'zo terug' en liep naar zijn auto waar hij de kofferbak opendeed en er iets uithaalde waar hij mee terugkwam. Het had de grootte van een flink lunchpakket en zat verpakt in krantenpapier met overal plakband eromheen. Hij was niet langer zenuwachtig, omdat hij zijn geld had en ik blijkbaar geen politie was.

'Zeg Dean dat ik de volgende keer hem wil zien en niet een of andere plaatsvervanger, oké?'

'Oké.'

Hij liep naar zijn auto en reed weg. Ik bleef nog een tijdje op de schommelbank van de veranda zitten om af te wachten of er wéér een onverwachte gast kwam, maar dat gebeurde niet. Dit noem je jezelf aanpassen aan de omstandigheden en ik was er nu wel achter dat ik hier aanleg voor had. Het was al behoorlijk laat ondertussen, en ik had een zware dag achter de rug met een hoop verrassingen waarvan ik er niet één had verwacht, en dat eist zijn tol, dus besloot ik Dean en Bree de volgende ochtend maar te doen, heel vroeg. Ik nam een douche en ging naar bed. Ik had één nacht op de bank in de kamer en één op de schommelbank van de veranda achter de rug, dus het leek me verstandig om nu maar een echt bed te nemen, en het bed van Dean was natuurlijk uitgesloten, dus werd het het bed van Bree, hoewel het erg parfumachtig rook in haar kamer, wat vaak zo is in slaapkamers van oude dames. Ze denken waarschijnlijk dat je op je ouwe dag gaat stinken of zo.

VIJF

Niets is zo goed als een nacht goed slapen als je wakker wilt worden met een goed gevoel over dingen die eerst nog heel anders leken, namelijk dreigend en verwarrend. Je zou denken dat ik naar gedroomd had over wat er was gebeurd, maar dat had ik niet, dus dat betekent dat ik niet zo'n schuldig geweten had als ik had gedacht. Toen ik alles wat er gebeurd was nog eens op een rijtje zette, vond ik dat ik nog geen slecht iemand was. Die mep met de honkbalknuppel was niet bedoeld geweest om Dean te vermoorden, want dan had ik wel harder gemept. Geen idee waarom hij toch was doodgegaan, maar dat moest iets te maken hebben met iets wat achteraf was gebeurd, een medische ontwikkeling in zijn hoofd die ik niet had veroorzaakt. Dus nee, ik vond mezelf niet schuldig, en dat was een goed gevoel. Maar het punt was: als ik Dean en Bree nu ging begraven, zou ik mezelf wél slecht en schuldig en een crimineel persoon vinden, wat ik niet wilde, wie wel?

Maar als ik ze niet begroef, wat moest ik dan met ze doen om niet in de problemen te komen? Hier lag ik in bed over na te denken, terwijl ik het zonlicht langzaam over het plafond zag kruipen. Ik ben altijd vroeg wakker, en op die tijd van de dag, voor ik uit bed stap om de dag te begroeten, denk ik altijd het beste. En het klokje naast het bed van Bree wees 6:18 aan, dus kon ik nog blijven liggen en doorgaan met denken.

En het werkt, dat denken, want er kwam een nieuw plan bij me op, en wel dit: ik begraaf ze geen van beiden, maar ik ga Lorraine vertellen dat ik naar de vriezer ging om iets te eten te pakken voor mijn ontbijt, en toen ik daarin rondscharrelde vond ik opeens Bree, wat een grote schok was, dat zal je niet verbazen, en vervolgens viel me een vieze lucht op en ik wist dat die niet van Bree kon zijn, want die is helemaal bevroren dus moet het iets anders zijn dat zo stinkt, en het duurde niet lang of ik vond Dean, dood en weggestopt onder de trap... maar wacht even, dat kon ik niet zeggen want ik had haar al verteld dat ik hem had zien wegrijden in een groene Pontiac. Dus Dean is nog steeds een probleem, maar voor Bree heb ik tenminste een verklaring, en wel zo dat het lijkt alsof Dean haar heeft vermoord, wat ook zo is, en daarna gevlucht is in de Pontiac. Ik nam me voor haar het pakje te geven dat die gozer van de Pontiac was komen afleveren, waardoor ze tevreden kon zijn omdat ze toch nog kreeg wat ze had gezocht, want dat was niet het geld geweest maar dat pakje, dat leek me wel duidelijk. Maar als ik vertelde dat die gozer van de Pontiac, Donnie Darko, de vorige avond dat pakje was komen brengen, hoe kon het dan dat Dean niet meer bij hem was... en wat Dean betreft, als ik nu met hem aankwam, zou de stank duidelijk maken dat hij al een hele tijd dood is... dus nee, het was toch geen goed verhaal en ik kon weer helemaal opnieuw gaan nadenken.

Ik werd onrustig omdat ik nog steeds geen goed plan had, dus stond ik maar op. Ik besloot de ochtendkoelte te benutten om eerst maar die kuil in de tuin dicht te gooien. Dan kon ik niet meer in de verleiding komen om Dean erin te stoppen, wat een crimineel van me zou maken. Ik deed er een kwartiertje over en de teruggeschepte aarde vormde een bult die er lang over zou doen om in te zakken tot alles weer gelijk was, maar dat kon opgelost worden door er het kippenhok overheen te zetten zoals Dean dat volgens mij ook van plan was geweest. Dus deed ik dat, in zijn geest dus eigenlijk. Ik sleepte er het hok naartoe en tilde het over de bult heen, wat de kippen erg kwaad maakte omdat ik met hun huis liep te sollen, maar het effect was prima want je zag niks meer van die bult, tenzij je het hok kantelde om eronder te kijken, en wie zou dat nu doen? Niemand, natuurlijk. Op de plek waar het hok tot nu toe had gestaan, bevond zich nu een rechthoek van veertjes en kippenstront, maar dat zag er redelijk natuurlijk uit dus daar zou niemand op letten.

Dus ziezo, dat was dat, maar nu moest ik nog wel bedenken wat ik met Dean moest doen, die een soort van stoorzender begon te worden zoals dat heet. Ik ging naar zijn kamer en daar was de stank nu erger dan ooit omdat Dean in zijn pyjamabroek had gescheten. Vraag me niet hoe een dode dat kan, maar hem was het gelukt en het was nu echt niet meer te harden in zijn kamer. Dus wat ik deed was dit: ik haalde een schoon laken uit de kast en vouwde het uit op de vloer, waarna ik Dean onder het bed vandaan trok en in het laken rolde en naar beneden droeg, naar buiten en de schuur in, om het huis van zijn strontlucht te bevrijden. Ik legde hem boven op de hooivliering, waar niemand zijn stank zou opvangen en onraad zou ruiken. Het was maar goed dat ik ondertussen die kuil had dichtgegooid, want de verleiding zou nu heel groot zijn geweest om hem erin te stoppen met de lucht die hij verspreidde, maar op die vliering lag hij voorlopig goed tot ik een oplossing had bedacht.

Omdat ik toch in de schuur was, bekeek ik het grasmaairooster voor deze dag en zag dat de eerste klus pas om elf uur was, wat me volop tijd gaf voor het eerste gedeelte van mijn plan. Ik nam een douche en stopte mijn kleren in de wasmachine, want ik had flink gezweet met al dat geschep en gesjouw, en toen ging ik Lorraine bellen. Ik had ondertussen stevige honger, maar het zou geen goede indruk maken als ze naar het huis kwam en het rook naar ontbijt terwijl ik helemaal kapot hoor te zijn over mijn ontdekking van Bree in de vriezer. Ik repeteerde mijn verhaal nog eens en belde het nummer dat naast de telefoon op de muur stond geschreven. Hij ging een paar keer over en haar stem zegt: 'Hallo?' Het was pas tien voor half acht, dus ik belde haar waarschijnlijk wakker.

'Hé, Lorraine,' zei ik, 'ik ben het.'

'Wie?'

'Odell.'

'Odell?'

'Ja. Hoe is het?'

'Wat moet je, Odell?' Ze klonk chagrijnig, dus ik had haar inderdaad wakker gebeld.

'Nou, ik heb goed nieuws en slecht nieuws. Wat wil je eerst horen?'

'Het slechte,' zei ze, wat me verraste. De meeste mensen willen eerst het goede nieuws, om op terug te kunnen vallen als ze het slechte nieuws horen. Maar geen mens is gelijk, dat bleek wel weer.

'Eh, misschien wil je liever eerst het goede nieuws horen.'

'Mij best.' Ja, ze klonk echt chagrijnig.

'Nou, vanochtend stapte ik de veranda op om de nieuwe dag te begroeten, en toen lag er een pakje te wachten, dus misschien is dit het waar je gisteren naar op zoek was. Je zei dat je een pakje verwachtte, dus misschien is dit dat pakje wel.'

'Een pakje?'

'Voor de voordeur. Met een heleboel plakband eromheen.'

'Heb je het opengemaakt?' Haar stem was klaarwakker nu, dus ik had haar volle aandacht getrokken.

'Nee.'

'Goed zo. Niet doen ook. Als ik straks bij je kom, wil ik het nog steeds ongeopend zien. Hoe kwam het in godsnaam op de veranda terecht?'

'Tja, dat vroeg ik mezelf ook af, en ik denk dat iemand het vannacht heeft neergelegd. Ik slaap nogal vast, dus ik weet het niet zeker, maar zo is het waarschijnlijk gebeurd.'

'Leg het ergens waar niemand het zien kan en blijf ervan af. Ik kom meteen naar je toe.'

'Oké...'

En ze hing meteen op, wat wel duidelijk maakt hoe belangrijk ze dat pakje vond. Ze wilde niet eens het slechte nieuws meer horen, zo belangrijk was het kennelijk. Ik wilde haar eerst terugbellen, maar toen dacht ik: laat maar, ze komt eraan, dus dan vertel ik de rest wel als ze er is en spaar ik de kosten uit voor nog een keer bellen. Ik hing ook op en vond het behoorlijk slim van mezelf om haar blij te maken met dat pakje, want nu hoefde ik niks over het geld te zeggen en hoe ik het had gevonden, en ik hoefde ook niks over mijn gesprek met Donnie Darko te vertellen, wat alleen maar lastige vragen had opgeleverd. Ja, 's ochtends vroeg maak ik over het algemeen de beste plannen.

Na een minuut of twintig was ze er, in hetzelfde uniform van de vorige avond, en zonder goedemorgen of zoiets te zeggen vroeg ze meteen: 'Waar is het?'

Ik pakte het voor haar uit het keukenkastje en ik kon haar opluchting zien omdat het inderdaad nog niet was opengemaakt, zoals ze had verlangd. Ze draaide het een paar keer om en om in haar handen en liet me nog eens vertellen hoe ik het op de veranda had gevonden, pal naast de hordeur. Dat laatste beviel haar zo te zien maar matig, omdat het mysterieus en onverklaarbaar was, en dat hebben de meeste mensen liever niet. Ikzelf zat er niet mee, want voor mij was er niks mysterieus en onverklaarbaars aan, omdat het gewoon een leugentje voor de bestwil was.

Ze legde het pakje op de keukentafel en zei: 'Ik heb honger. Heb jij al ontbeten?'

'Nou nee, daar is een probleem mee.'

'Wat voor probleem? Je gaat me toch niet vertellen dat er niks meer is, hè? De vriezer beneden lag helemaal vol, zei je.'

'Precies, die vriezer, daar is dus een probleem mee. Dat is het slechte nieuws wat ik je wilde vertellen, maar je hing te snel op.'

'Als-ie stuk is, moet je een monteur bellen. Maar hou wel de klep omlaag zodat hij koud blijft vanbinnen.'

'Nee, hij doet het prima, maar er zit iets in wat geen bevroren voedsel is. Tenminste, het is wel bevroren, maar het is geen voedsel...'

'Odell, ik krijg koppijn van je. Wat is er met die vriezer?'

'Bree zit erin.'

Ik kon aan haar gezicht zien wat ze dacht: Bree zit erin, wat nou Bree zit erin... En toen snapte ze het, maar ze wilde het nog niet snappen.

'Bree...?' Haar stem was opeens klein en zacht als van een meisje, wat een kant aan Lorraine was die ik nog niet kende, maar ze had dus ook een zachte kant, leuk om te weten.

Ik hield me precies aan mijn script. 'Ik ging naar beneden om iets te eten te pakken, en ik rommelde door de vriezer om iets anders te vinden dan pizza, want pizza eet niet lekker bij het ontbijt, omdat het meer iets voor de middag of de avond is. Dus ik zocht of er geen worstjes in zaten, of wafels misschien, en toen vond ik haar. Ik weet niet hoe ik dit zeggen moet, maar ze is dus... dood. Ik vind het heel rot.'

Ze keek me aan alsof ik haar vertelde dat er een vliegende schotel op het dak was geland, en toen deed ze iets wat ik niet verwachtte, namelijk mij een klap in mijn gezicht geven. En ze is een stevige vrouw, zoals ik al zei, dus het kwam hard aan.

'Waarom zeg je zoiets? Ben je besódemieterd?'

Ik sloeg natuurlijk niet terug, want ze was een geschrokken vrouw en dan is een klap best begrijpelijk, maar ik maakte me wel op om een tweede af te weren als er nog een kwam, maar ze sloeg niet meer, ze keek me alleen maar diep in mijn ogen om te zien of ik echt wel de waarheid sprak, en voor het grootste gedeelte deed ik dat natuurlijk. En toen stormde ze de keuken uit, de keldertrap af om zelf te gaan kijken. Ik bleef waar ik was omdat ik me niet in familieverdriet wilde mengen. Dingen die alleen voor familieleden zijn, daar moet je buiten blijven. Maar ik hoorde wel wat ik al verwacht had dat ik zou horen, namelijk een gil, al was het een korte. Ze kwam weer naar boven en keek me opnieuw diep in mijn ogen. 'Heb jij hier iets mee van doen?' vroeg ze met een ijskoude stem en een strakke mond.

'Nee, ik heb haar alleen maar gevonden,' zei ik, waarmee ik de volledige waarheid zei.

'Dan was het Dean,' zei ze, en ze liet zich op een keukenstoel zakken en staarde naar het tafelblad. 'O, jezus... is het er toch van gekomen... heeft-ie de kolder weer in zijn kop gekregen en moet je nou zien...' Ze keek naar mij. 'Heeft hij bagage meegenomen toen hij wegging, een koffer of zo?'

'Nee, alleen de kleren die hij aanhad. Of hij moet iets in zijn zakken hebben gehad, dat ik niet kon zien.'

'Ja, dat zal ook wel,' zegt ze, meer in zichzelf dan tegen mij. 'Hij heeft het geld genomen... en toen is-ie nog teruggekomen om het pakje neer te leggen. O, jezus, Dean, waarom heb je alles zo verpest...'

Ik zag haar kwaad op hem worden. Ik bleef stil, want ik wist niet wat ik zeggen moest. Haar gezicht was helemaal bleek geworden en haar mond hing een beetje open, maar niet op een onsmakelijke manier, zoals bij Dean.

'Wil je nog ontbijt, Lorraine?'

'Nee, ik wil geen ontbijt! Hou je kop en laat me nadenken!'

'Oké.'

Ik respecteerde haar wensen, hoewel mijn maag nu echt begon te knorren, en ging aan de andere kant van de tafel zitten, waar ik naar de muren ging kijken en af en toe naar het plafond. Lorraine was heel ergens anders, zo hard zat ze na te denken. Maar uiteindelijk keek ze me weer aan en zei: 'Je zult me moeten helpen, Odell.'

'Oké.'

'Ik kan je hier echt niet buiten houden. Ze hebben jou in zijn truck zien rijden en gras voor hem zien maaien, dus je kunt niet zomaar verdwijnen. Ik wou dat dat kon, geloof me, maar dat kan niet meer. Godallemachtig, heeft-ie het toch gedaan. Is-ie zo doorgedraaid dat-ie haar vermoord heeft. Ze had hem hier nooit moeten laten wonen. Dat was vragen om ongelukken.'

Ze begon me te vertellen hoe gek Dean wel niet was, van jongs af aan gestoord en slecht op school en nooit vrienden kunnen maken en nooit een baan kunnen houden. In verband met dat laatste had tante Bree hem zijn eigen eenmansbedrijfje gegeven, maar achter de vriendelijke grasmaaier was altijd een ander persoon blijven zitten, een gevaarlijke gek die op een kans wachtte om te voorschijn te kunnen springen. Hij had drugs gebruikt, vertelde ze, allerlei soorten door elkaar, wat hem er geestelijk natuurlijk niet gezonder op maakte. En hij had altijd ruzie met Bree omdat hij zich niet tot Jezus wilde wenden om zich te laten redden. Bree was heel erg op God en keek altijd naar godsdienstige tv-programma's, vertelde ze, maar dat wist ik natuurlijk al vanwege Chet die namens Preacher Bob was komen kijken of hij niet kon helpen, wat ik haar natuurlijk niet vertellen kon. Ze vertelde dat hij tot overmaat van ramp ook nog met zijn 'seksualiteit' overhoop lag, wat volgens haar betekende dat hij een soort van homo was maar dit niet wilde toegeven, zelfs niet aan zichzelf.

'Heeft-ie niks met jou geprobeerd?' vroeg ze.

'Nee... behalve misschien de eerste nacht. Toen maakte hij me wakker en zei dat hij iemand om het huis hoorde sluipen, maar er bleek niemand te zijn.'

'En wat gebeurde er toen?'

'Nou, eh... niks. Hij ging weer naar bed. Maar het was wel een beetje vreemd zoals hij me wakker had gemaakt, want dat deed hij door in mijn oor te fluisteren, en daar schrok ik nogal van, eerlijk gezegd. Da's natuurlijk geen manier om iemand wakker te maken, of je moet hem willen laten schrikken, en dat gebeurde dus ook.'

'Verbaast me niks,' zei ze. 'Jij bent precies het type waar hij op valt. Groot en breed, het tegendeel van hemzelf. Maar luister, vertel niemand daar maar over, oké? Het heeft niks te maken met wat er hier gebeurd is.'

'Oké.'

'Kijk, Odell, ik zal nu de politie van Callisto moeten bellen. Chief Webb is een vriend van me, dus die zal zich niet te hard opstellen, maar onder deze omstandigheden zullen ze je toch als verdachte moeten beschouwen. Dat begrijp je toch wel, hè?'

'Eh, ja…'

'Dus het is in je eigen belang dat je een beetje zuinig bent met de waarheid, snap je dat?'

'Tuurlijk, eh… wat bedoel je precies?'

'Nou, behalve dat je het niet over de manier moet hebben waarop Dean je wakker maakte, moet je ook niet vertellen dat hij is weggereden met die gozer in de groene Pontiac. En over dat pakje moet je helemáál je mond houden. Daar mag je met níémand over praten, oké?'

'Oké. Maar waarom dan niet?'

'Omdat ik het je vraag. Geloof me, daar maak je het voor iedereen alleen maar erger mee. Niet alleen voor Dean maar voor iedereen, ook voor jezelf, en vooral voor mij.'

'Waarom vooral voor jou?'

'Jezus, omdat het… dáárom, oké? Luister, Odell, vind je me aardig?'

'Ja.'

'Blij dat te horen, want ik vind jou ook aardig. Maar als je je mond voorbij praat over dat pakje, kom ik bijna zeker achter de tralies terecht. Dat zou je toch niet willen, hè, Odell?'

'Nee.'

'Goed, mooi zo. Dus je houdt gewoon je mond over die groene Pontiac en over dat pakje, dan waait alles wel over. Behalve dat Dean nu gezocht gaat worden. En ver zal hij niet komen, want daar heeft-ie de vrienden noch de hersens voor. Jezus, Dean…'

Ze legde haar hoofd in haar handen en bleef een poosje zo zitten. Mijn maag knorde, maar dat hoorde ze volgens mij niet. Ik wilde ontzettend graag ontbijten, maar de politie zou het raar vinden als ze hier binnenkwamen en ik zat aan de worstjes en de wafels, met misschien nog wat spek ook, en koffie, terwijl er in de kelder een bevroren dode vrouw ligt. Dat zou heel vreemd overkomen, dat leek me duidelijk. Dus moest ik me maar verbijten, niet alleen in mijn eigen belang maar ook voor Lorraine. Het deed me pijn in mijn hart om haar zo van streek te zien om wat er was gebeurd, dus als ze wilde dat ik op de waarheid bezuinigde, dan deed ik dat graag voor haar.

'Odell,' zegt ze, 'we moeten nu eerst het verhaal afspreken dat je straks over Deans vertrek vertelt. Luister goed, dan zeg ik hoe je het vertellen moet.'

'Ik luister.'

'Op maandagavond hoorden jullie om een uur of tien een auto toeteren. Jullie stapten de veranda op en zagen een auto halverwege de oprit staan, in het donker en zo ver van het huis dat je niet kon zien wat voor merk het was. Da's heel belangrijk, dat je niet kon zien wat voor merk het was en wie erin zat. Maar Dean doet alsof het de gewoonste zaak van de wereld is en hij loopt naar die auto toe. Hij maakt een praatje, en als hij weer terugkomt, zegt hij dat hij een paar dagen weg moet en of jij zolang zijn maaiwerk wilt overnemen. En dat had je graag voor hem over, want hij is heel gastvrij en behulpzaam geweest, ondanks dat jullie elkaar nog maar net kennen. Dus even later ging Dean met die man of mannen mee, zonder een koffer mee te nemen. Onthoud dat laatste goed, want ze gaan geheid het huis doorzoeken en zullen dus zien dat zijn scheermes en alles er nog staat. Dus nogmaals, hij vertrok met de kleren die hij aanhad en meer niet. Zullen ze wel vreemd vinden, maar het klopt met de feiten, dus dat zit wel goed. Tenzij ze Dean te pakken krijgen en hij iets anders vertelt, wat je van hem wel verwachten kunt... Maar goed, laten we maar hopen dat ze hem níét te pakken krijgen. En misschien gebeurt dat ook wel niet. Ik zeg het niet graag, maar hij is zo ver heen dat hij misschien wel zelfmoord pleegt, uit wroeging of zo...'

Ik wachtte op meer, maar ze was klaar. 'Kun je dat verhaal onthouden, Odell?'

'Tuurlijk, zo ingewikkeld is het niet.'

'Oké,' zegt ze terwijl ze opstaat. 'Dan ga ik nu Andy Webb bellen, het hoofd van de politie hier. Heb je alles op orde?'

'Op orde?'

'Weet je precies wat je wel en niet vertellen moet?'

'Tuurlijk.'

'Want Andy is niet van gisteren, hoor. Hij gaat strikvragen stellen om je uit de tent te lokken. Dus zorg ervoor dat je alles precies zo vertelt als ik het je gezegd heb.'

'Doe ik.'

'Vooruit dan maar.'

Ze toetste een nummer in. 'Mag ik de Chief?' hoor ik haar zeggen, en vervolgens: 'Lorraine Lowry. Zeg maar dat het dringend is.' En een paar tellen later zei ze: 'Andy, ik heb vreselijk nieuws. Ik ben hier bij mijn tante Bree thuis en… ze is dood. Ze is vermoord, Andy… Ze ligt in de vriezer… In de vriezer ja… En Dean is al twee dagen spoorloos… Goed… Andy, ik zou het enorm op prijs stellen als je dit buiten de pers houdt tot de lijkschouwing is geweest, is dat mogelijk?'

Zo te horen was het mogelijk, want ik hoorde haar 'dank je wel, ontzettend bedankt' zeggen en toen hing ze op. Ze pakte het pakje van de tafel en hield het naar me op. 'Weet je wat ik hier in mijn hand heb?' vroeg ze.

'Een pakje?'

'Fout! Ik heb helemaal niks in mijn hand, want er is hier nooit een pakje afgeleverd, hoor je me? Er ís helemaal geen pakje. Nooit geweest ook. Als je dat nou maar onthoudt, zit het tussen ons wel goed.'

'Dat zou fijn zijn.'

'Vind ik ook. Ieder mens heeft vrienden nodig, vooral in dit soort situaties. Vrienden dekken elkaar en zorgen ervoor dat ze geen problemen met de politie krijgen. Want als dat je gebeurt, ben je voorgoed de klos, Odell. Dat heb ik vaak genoeg zien gebeuren. Neem Dean, bijvoorbeeld, die kan het wel schudden nu…'

Ze ging weer aan de tafel zitten en ik dacht dat ze moest huilen, maar dat deed ze niet. Ze keek alleen maar naar het pakje in haar hand en stond weer op en zei: 'Ik breng dit nu even naar mijn auto, en als het eenmaal de keuken uit is, is het ook uit jouw gedachten, voor altijd. Begrepen, Odell?'

'Begrepen.'

En weg was ze. En ze was nog niet weg of ik pakte een rol koekjes uit de voorraadkast en propte er drie tegelijk in mijn mond, zo'n honger had ik ondertussen, en meteen daarna nog een stuk of drie, wat net genoeg was om de ergste honger te stillen zoals dat heet. Ik had nog steeds honger, maar het was niet meer zo erg dat het pijn deed en ik hield het nu wel vol tot de politie weer weg was en ik echt kon gaan eten.

Ik had net de laatste koekjes weggewerkt en gooide de verpakking in de afvalbak onder het aanrecht toen Lorraine weer binnenkwam. Haar gezicht stond heel grimmig en vastberaden, dus trok ik zelf ook maar zo'n gezicht, zodat onze verhalen straks nog meer op elkaar zouden lijken, als de politie er was. En ik dacht er dit bij: als Lorraine en ik hier goed doorheen komen, groeien we een heel stuk naar elkaar toe, want zo gaat dat bij ellende, en dit naar elkaar toe groeien kan weer tot andere dingen leiden die nog beter zijn. Dit soort ideeën kreeg ik dus over haar, hoewel ze ouder was dan ik, maar dat wilde ik wel door de vingers zien als we voor elkaar gemaakt waren, zoals ik zo langzamerhand dacht. Het leek me niet waarschijnlijk dat Lorraine nu ook zo dacht, met al die ellende aan haar hoofd, maar ik dacht dus wel zo over haar en mij, en dat kwam goed van pas omdat het me hielp om niet aan dat pakje te denken, waarvan ik heus wel doorhad dat het iets illegaals was, wat dus betekende dat Lorraine iets deed wat tegen de wet was, maar ook dat wilde ik wel door de vingers zien want niemand is perfect en liefde maakt blind.

Wat ik dus duidelijk probeer te maken is dat ik inmiddels van plan was om de waarheid met opzet geweld aan te doen, zodat ik gelukkig kon worden met deze vrouw. Mijn plan om bij het leger te gaan liet ik varen, want ze had gelijk, en Dean had het ook gehad, ik zou wel gek zijn om in Irak het risico van een kogel te gaan lopen als Lorraine me hier aan een goede baan als gevangenbewaarder kon helpen. Dat is vast werk, omdat er altijd criminelen zullen zijn die vanwege de veiligheid van de maatschappij achter slot en grendel moeten blijven. Dus het was een baan voor het leven en ik kreeg hem zomaar op mijn schoot geworpen. Je zou wel achterlijk zijn om daar nee tegen te zeggen, en ik ben niet achterlijk.

Een minuut of twintig later kwamen er twee politiewagens en een ambulance over de oprit naar het huis, zonder haast en sirenes, want er is geen noodsituatie, dus hun zwaailichten hadden ze ook niet aan. Ze stopten op het erf, dat nu vol met auto's stond, en het werd me meteen duidelijk wie Andy Webb was. Hij was een grote kerel, al was hij niet zo groot als ik, van een jaar of vijfenveertig, en hij zag er precies zo uit als een hoofd van politie eruit hoort te zien, slim en sterk tegelijk, en hij heeft drie agenten bij zich.

Ik keek vanaf de veranda toe hoe Lorraine naar hem toe liep om hem te begroeten. Hij omhelsde haar even, wat me verbaasde omdat je zoiets niet verwacht van politiemensen op de plaats van de misdaad, maar ze had al gezegd dat ze goed met hem bevriend was, dus het bracht me niet van mijn doen of zo. Ze spraken even met elkaar en toen kwamen ze allemaal de veranda op en Lorraine stelde me aan Andy voor als een kennis van Dean, wat heel slim van haar was want een kennis is niet zo hecht als een vriend, dus als ik niet alle antwoorden wist op vragen over Dean, was dat best begrijpelijk.

We gingen met zijn allen de kelder in en Andy zei tegen mij: 'Vertel eens, Odell, hoe heb je haar gevonden?'

Dus dat deed ik, en terwijl ik praatte, namen een paar agenten foto's van Bree in de vriezer, en toen ze er genoeg hadden genomen, gaf Andy opdracht om alle pizza's en zo uit de vriezer te halen, zodat ze haar eruit konden tillen. Dus dat deden ze. Ze legden alles netjes naast de vriezer op de grond tot Bree helemaal onbedekt was, en zo fotografeerden ze haar ook nog even, en toen tilden ze haar eruit. Het ging allemaal heel voorzichtig, uit respect voor de doden, en ze hadden er zelfs rubber handschoenen voor aangetrokken, zoals in dokterseries als er iemand geopereerd wordt. Toen ze haar eruit hadden, zagen ze de schotwond die je niet zag zolang ze in de vriezer lag omdat ze haar benen had opgetrokken, en keken ze elkaar aan en zeiden dat het inderdaad moord was. En toen namen ze nog wat foto's van hoe Bree daar naast de vriezer op de grond lag tussen de pizza's en de zakken met erwtjes en zo. En toen legden de ambulancemannen haar op een stretcher om haar weg te dragen, en Andy zegt dat hij boven verder wil praten, dus gingen we daarheen.

Andy en nog een man van de politie namen me mee de zitkamer in en zeiden dat ik moest gaan zitten. 'Dit is rechercheur Vine, Odell,' zegt Andy. 'We willen dat je ons alles vertelt, vanaf het moment dat je hier kwam tot vanochtend toen je haar ontdekte in de vriezer. Neem er rustig de tijd voor en vertel het maar in je eigen woorden, precies zoals je je alles herinnert. Niets weglaten, ook al denk je dat het er niet toe doet. Elk detail kan belangrijk zijn.'

Ik was een minuut of vijftien aan het woord en vertelde over mijn kapotte auto en hoe Dean me in huis had genomen en te eten had gegeven enzovoort, alleen zei ik dat het op zaterdag was gebeurd in plaats van op zondagavond, wat ons een extra dag gaf om elkaar te leren kennen, waardoor het logischer leek dat hij genoeg vertrouwen in me had om me zijn maaiwerk te laten doen tot hij weer terug was, want ik vond dat het zo overtuigend mogelijk moest zijn. En terwijl ik sprak, hoorde ik de ambulance wegrijden, dus tante Bree ging toch nog op reis.

Toen ik klaar was, keek Andy me een hele tijd aan, en hij zegt: 'Ik vind het een raar verhaal, Odell. Jullie kennen elkaar pas twee dagen en dan laat hij je zijn werk al overnemen? En hij stapt zomaar, zonder kleren mee te nemen, bij iemand in de auto? Iemand die jij niet gezien hebt, en je weet niet eens wat voor auto het was?'

'Dat vond ik allemaal ook wel gek,' zei ik, 'maar zo liep het nou eenmaal. Ik vond het trouwens niet erg om voor hem te maaien, hoor, want hij was heel aardig voor me geweest. Ik heb al het geld nog dat zijn klanten me gegeven hebben, dus dat kan ik laten zien. Het is geld van twee dagen werk, en het kan worden nageteld want ik heb er niks van uitgegeven.'

'Twee dagen? Maar hij is maandagavond vertrokken, zei je. Dan heb je toch alleen op dinsdag voor hem gemaaid?'

Ik dacht pijlsnel na en het leek me dat de waarheid het best zou klinken. 'Nou, om eerlijk te zijn heb ik maandag ook al voor hem gemaaid, want toen had hij een enorme kater van het drinken op zondagavond. Hij is nogal klein, dus hij zou niet zoveel moeten drinken, maar dat deed hij toch. Daarom zal hij het ook wel aangedurfd hebben om weg te gaan en mij zijn werk te laten doen, omdat ik maandag al bewezen had dat ik het kon. Zal ik het geld even pakken?'

'Niemand beschuldigt je ergens van, Odell. We willen gewoon de feiten op een rij krijgen. Heeft Dean gezegd dat hij een hekel aan zijn tante had?'

'Nou, hij zei wel dat ze weleens ruzie hadden over dingen.'

'Wat voor dingen?'

'Nou... vooral over het geloof.'

'Het geloof?'

'Omdat hij moslim wilde worden, zei hij.'

'Moslim?'

'Hij wilde geen christen meer zijn, dus hij dacht erover om dan maar islamitisch te worden, maar hij vertelde me dat zijn tante heel streng christelijk was en zei dat het niet kon. Ze dacht dat ze het recht had om dat te zeggen omdat ze hem aan zijn bedrijfje had geholpen.'

'En heb je ze zelf ruzie horen maken?'

'Nee. Tante Bree was op vakantie in Florida, zei hij, dus ik heb haar nooit ontmoet. Tot vanochtend dan.'

Ik kon zien dat ze me niet geloofden, wat me een beetje bang maakte maar ook een beetje kwaad, want ik vertel maar voor een procent of tien leugens en zij doen net alsof het negentig procent is of zo. Dus deed ik er nog wat waarheid bij om aan de winnende hand te komen.

'Hij heeft boeken in zijn kamer. Islamitische boeken. Die liet hij me zien en hij zei dat ik zelf ook over een overstap moest gaan denken, want het christendom zat helemaal fout en de moslims zagen het juist goed. Hij zei dat Amerika gedoemd is, tenzij iedereen ophoudt met christelijk te zijn en in plaats daarvan islamitisch wordt, net als hij van plan was.'

'En wat zei jij daarop?'

'Dat ik er trots op ben dat ik een Amerikaan ben, en dat ik wel niet zo kerkelijk ben, maar dat je volgens mij beter christen kunt zijn dan iets anders.'

'En wat gebeurde er toen? Werd hij kwaad?'

'Nee, hij lachte alleen maar en zegt dat ik het helemaal verkeerd zie, en dat ik op een dag wel begrijpen zou hoe verkeerd ik zat en dat ik dan spijt zou hebben, net als de rest.'

'Welke rest?'

'Zei hij niet. De christenen, denk ik.'

'Was dat een dreigement van hem?'

'Nee, niet echt.'

'Dus jullie zaten rustig over godsdienst te praten, en hij gedroeg zich geen moment als iemand die zijn tante heeft vermoord en in de diepvries gestopt?'

'Nee, want dat zou me heus wel zijn opgevallen. Hij deed gewoon heel normaal, op die islamitische dingen na dan. Die boeken liggen boven in zijn ladekast.'

Andy gaf Vine een knikje en Vine ging boven kijken.

'Rustig maar, Odell. Waarom kijk je zo benauwd?'

'Ik wil niet dat mensen denken dat ik iets verkeerds heb gedaan.'

'Dat zegt toch niemand?'

'Maar de mannen die maandagavond in die auto zaten, die denken misschien van wel als ze dit allemaal in de krant lezen, en dan komen ze misschien wel wraak nemen.' Dit klonk heel overtuigend, vond ik.

'Je zei net nog dat je niets kon zien, waarom denk je dan dat er meerdere mannen in die auto zaten? Misschien was het er maar één.'

'Ja, maar Dean had het over zijn broeders, en ik weet van Lorraine dat hij geen broers heeft, alleen maar een zuster.'

'Broeders?'

'Ja, zo zei hij het toen hij terugkwam van die auto en tegen mij zei dat hij meteen mee moest, dat zijn broeders dat wilden en dat hij geen nee kon zeggen.'

'Daar heb je hiervoor niks over gezegd, Odell. En Lorraine zei ook niet dat je het over broeders had gehad.'

'Ja, dat… omdat ik het pijnlijk vond wat hij had gezegd, dat wij christenen het helemaal fout zagen en zo. Dat had ze vast niet leuk gevonden om te horen, dat haar broer zulke dingen zegt.'

'Maar goed, volgens jou zat er dus een groepje moslims in die auto?'

'Dat zeg ik niet. Ik zeg alleen maar dat hij zei dat ze zijn broeders waren en dat hij met ze mee moest, en of ik zijn werk een dag of wat kon overnemen.'

Andy ging me peinzend aan zitten kijken, en dat deed hij nog steeds toen Vine de kamer weer in kwam met de islamitische boeken in zijn hand, die hij aan Andy liet zien. Andy bekeek ze alleen maar en raakte ze niet aan, want Vine had rubber handschoenen aan en hij niet, wat dus duidelijk maakte dat de boeken nu bewijsmateriaal waren. Toen Andy ze bekeken had, stopte Vine ze in een plastic zak en liep ermee weg, zodat ik weer alleen was met Andy.

'Odell,' zegt hij, 'heb jij de indruk dat Dean een terrorist is? Je weet wat terroristen zijn, hè?'

'Tuurlijk, dat weet iedereen. 11 september, dat waren terroristen.'

'Precies. En wat denk je, dacht Dean er misschien over om zich bij hen aan te sluiten?'

Met die broeders in de auto had ik mijn leugenpercentage flink op-
geschroefd en Dean flink naar beneden gehaald. Dat was op zich niet
erg, omdat hij toch dood was, maar dit wist Andy niet, zodat hij het
idee kon krijgen dat ik kwaadsprak over iemand die me goed had behandeld, wat ik niet wilde, dus vond ik het tijd om er een beetje tegen-
gas aan te geven.

'Nee, zeker niet. Hij zei alleen maar dat hij met zijn broeders mee
moest.'

Kan dat eigenlijk wel, leugens over iemand vertellen die dood is,
ook al is hij een moordenaar? Deze vraag begon door mijn hoofd te
spelen omdat ik me schuldig begon te voelen. Ik moest mezelf voor-
houden dat ik dit voor Lorraine deed, plus dat ik niks over het pakje
zou zeggen, zodat we samen gelukkig konden worden. En wat ik over
Dean zei was voor een deel gewoon waar, en de gevolgen zouden niet
groot voor hem zijn omdat hij ze toch niet meer mee kon maken, dus
waar kwam die schuldigheid vandaan? Misschien voelde ik me alleen
maar rot omdat ik nog niet ontbeten had, wat voor mij een belangrijke maaltijd is, die je nodig hebt om je dag goed te beginnen en die je
niet missen kunt omdat je dan halverwege de ochtend flauw wordt en
naar tussendoortjes gaat grijpen, wat tegenwoordig een belangrijke
oorzaak is van overgewicht, zowel bij kinderen als bij volwassenen.

Andy stond op. 'Laten we die auto van jou eens gaan bekijken,' zei
hij, dus stond ik ook op en we liepen naar de schuur, waar ik veel liever was weggebleven, vanwege jeweetwel die er op de vliering lag, maar
ik bleef toch kalm. Vine kwam er ook naartoe en hij liep samen met
Andy om de Monte Carlo heen. Vine schreef het nummer in zijn poli-
tieaantekenboekje, dus je kon erop rekenen dat ze hem gingen natrekken om te zien of-ie echt wel van mij was, en dat was-ie, tot op de laatste cent betaald en verzekerd, dus niks aan de hand. En een ander
gunstig iets was dat ik Dean blijkbaar hoog genoeg had weggestopt,
want ik kon niks van hem ruiken, al zou dat niet zo blijven als hij eenmaal begon te rotten, wat niet lang meer zou duren in zo'n hete zo-
mer. Ik moest snel een plek bedenken waar ik hem voorgoed op kon
bergen zonder dat hij gevonden werd.

'Maak eens open,' zei Andy, en daar bedoelde hij mijn auto mee.
Dus deed ik dit, waarna hij zei dat ik moest starten. De motor hoest-

te en rochelde een paar keer en viel weer stil, waarna ik uit moest stappen en Vine erin ging zitten om hem te proberen, wat natuurlijk ook niet lukte. Wat ze nu doen is mijn verhaal over autopech testen, dus het ziet er goed uit want tot dusver is er niks waaraan ze kunnen zien dat het gelogen is. Ze keken nog wat rond in mijn auto, in het handschoenkastje en zo, en namen toen de pick-up onder de loep, maar ik kon zien dat ze hier weinig verwachtingen bij hadden. We liepen het erf weer op en Andy vroeg me daar te blijven want hij wil iets met Lorraine bespreken, die in de tussentijd met de andere twee politiemannen had staan praten.

Lorraine ging met Andy en Vine mee het huis in en ik liep een beetje doelloos rond om te zien of er nog iemand anders in de schuur ging kijken, maar dat gebeurde niet. Dus kuierde ik naar de achtertuin, waar de twee politiemannen nu waren die met Lorraine hadden staan praten. Een van hen stond bij de rechthoekige plek waar het kippenhok had gestaan. Hij tuurde naar de grond, ging er met zijn schoenpunt overheen en riep zijn collega erbij. Ze gingen met elkaar staan praten, heel zachtjes omdat ze waarschijnlijk wel doorhadden dat ik alleen maar deed alsof ik zomaar wat rondkuierde. En vervolgens liepen ze naar het hok, gingen aan weerszijden staan en tilden het op! Toen ik ze dat zag doen, sloeg mijn hart over en voelde ik iets als een mes door me heen snijden, en ik wist dat dit angst was, pure angst.

Ze tilden het hok opzij en daar had je de aardbult van de kuil die ik had dichtgegooid, alleen zag het er niet uit als zomaar een dichtgegooide kuil maar als een graf. Een vers graf. Ik liep er heel argeloos naartoe en zei: 'Dat is nog maar kortgeleden gedaan, volgens mij.' Ik zei dit omdat een schuldig iemand het niet gezegd zou hebben, wat dus een truc van me was om ze op een dwaalspoor te brengen zonder dat ze wisten dat ik dit deed.

'Dat idee hebben wij ook,' zei de ene politieman, en de andere liep naar het huis en ging naar binnen. Ik wilde nog dichter bij de bult gaan staan, maar de overgebleven politieman hield me tegen. 'Staan blijven,' zegt hij, 'dit is bewijsmateriaal.'

'Bewijsmateriaal?'

'Ik heb zo'n idee dat hier iets begraven is, en ik denk niet dat het kippen zijn.'

Ik keek hem aan alsof ik helemaal van mijn stuk was, wat ik zo goed deed dat ik de Oscar zou moeten krijgen, en ik zeg: 'Weet je wat… ik… ik denk dat *Dean* hier ligt!'

'Denk je dat?'

'Ik weet het wel zeker! Hij of iemand anders in ieder geval.'

'Tja, misschien wel.'

En zo stonden we naar de bult te kijken terwijl de kippen om ons heen scharrelden alsof we er niet waren. Andy en Vine kwamen met Lorraine en politieman nummer twee de tuin in en gingen ook naar de bult staan kijken. 'Dat is verse aarde,' zei Andy. 'Neem er wat foto's van en graaf het uit.'

De fotopolitieman klikte een paar keer, waarna ze een schop gingen zoeken, en die vonden ze snel, want de schop die ik die ochtend gebruikt had stond nog tegen het huis. De ene politieman trok zijn jack uit en begon te graven. De anderen keken toe, en ik ook, maar toen ik even later opkeek, stond iedereen naar mij te kijken, zelfs Lorraine, en het was duidelijk dat ze allemaal dachten dat ik een graf had gegraven waar ik Dean in had gestopt. Het was heel goed zichtbaar dat ze dit dachten, en het gaf me echt een rotgevoel dat er zo over me gedacht werd, dus zei ik heel verontwaardigd: 'Ik heb dit niet gedaan, hoor.' Maar het klonk zelfs in mijn eigen oren als een jongetje bij een kapotte vaas.

'Dat zegt toch ook niemand, Odell?' zei Andy, maar het klonk niet echt gemeend.

Ik had moeite om mijn boosheid te verbergen. Het enige wat ik gedaan had was een kuil dichtgooien, maar die vier politiemannen en Lorraine dachten het ergste van me. Van de politie kon me dat niet schelen, maar het deed pijn dat Lorraine ook zo naar me keek. Toen de gravende politieman moe werd, nam zijn collega het van hem over en het duurde niet lang tot hij de bodem van de kuil bereikte. Je kon zien dat het de bodem was omdat de aarde er niet langer los was en makkelijk schepbaar. En er lag natuurlijk niemand, wat voor mij geen verrassing is, maar voor de rest wel. Ze hadden meteen geen aandacht meer voor me, dus de verdenking leek van me af te zijn, wat niet ongunstig was.

'Dit slaat nergens op,' zei Vine tegen Andy, die zelf ook stond te kijken alsof hij er niks van begreep. En Lorraine stond mijn blik te mijden, waarschijnlijk omdat ze zich schaamde voor het idee dat ik haar broer onder het kippenhok had begraven, 'Laat me je handen eens zien, Odell,' zegt Andy, dus ik liet ze zien.

Hij keek naar mijn handpalmen en ging er met zijn vingertoppen overheen en draaide mijn handen om zodat hij mijn nagels kon bekijken, maar die had ik vanochtend goed schoongeschrobd onder de douche voordat ik Lorraine ging bellen. En op mijn handpalmen zitten geen blaren, want ik had bij het scheppen mijn grasmaaihandschoenen aangehad, waarna ik ze weer in de truck had gelegd.

'Gooi maar weer vol,' zei Andy, en de eerste politieman pakte de schop weer, maar nu zonder nieuwsgierige blik in zijn ogen. 'Zeg, Odell,' zegt Andy, 'wanneer denk jij dat die kuil gegraven is?'

'Een minuut of vijf geleden.'

'Nee, de eerste keer, bedoel ik, voordat we hem uitgroeven. Er lag geen kippenstront op die aarde, terwijl dat hok eroverheen stond.'

'Tja, die kippen. Het is me opgevallen dat ze nauwelijks dat hok binnengaan. Ziet u hoe die deur erbij hangt? Helemaal stuk. Je kunt ze niet binnenhouden als ze dat niet willen, en volgens mij willen ze niet. Als ik een kip was, zou ik ook liever vrij zijn in plaats van opgesloten in een hok. Dean wilde trouwens niet dat ik hier kwam, want hij had een ratelslang gezien, zei hij. Ik mocht hier zelfs mijn kleren niet te drogen hangen maar moest de droogtrommel gebruiken, want hij wil niet dat ik gebeten word en dat ik hem dan aansprakelijk stel, wat ik nooit zou doen want zo ben ik niet.'

Ze stonden me allemaal aan te kijken alsof ik niet goed bij mijn hoofd was, terwijl ik gewoon de waarheid vertelde.

'Wacht eens even, Odell,' zei Andy terwijl hij aan de zijkant van zijn hoofd krabt, 'suggereer je nu dat *Dean* die kuil gegraven heeft en weer heeft dichtgegooid?'

'Nou, dat weet ik niet zeker, want ik heb het hem niet zien doen. Maar wat ik wel weet is dat ik het niet gedaan heb en dat het kortgeleden gedaan is, wat u zelf ook zegt, omdat de aarde nog helemaal vers is.'

Je zou misschien denken dat ik mijn kop in de galg stak door zo te praten, omdat ik op deze manier alleen maar verdenking kan wekken.

Maar ik zei het juist omdat een schuldig iemand het wel uit zijn hoofd laat om verdenking te wekken, dus door het wél te doen leek ik veel onschuldiger dan ik was.

Lorraine zei: 'Met dat hok erover kon er geen zon bij die aarde komen, dus misschien oogt het alleen maar vers.'

'Zou kunnen,' zegt Andy, 'maar het verklaart nog steeds niet waarom iemand een kuil graaft en weer ongebruikt dichtgooit.'

'Misschien groef Dean hem om er Bree in te kunnen stoppen,' zei Lorraine, 'maar is-ie later van gedachten veranderd en heeft-ie haar in de vriezer gestopt.' Ze deed haar best om hun aandacht weer bij Dean te krijgen, die vermist werd onder verdachte omstandigheden zoals dat heet. Andy bleef naar de aarde staren die weer in de kuil werd geschept en dacht er zo te zien zijn politiegedachten bij.

'Ik denk erover om dit aan Homeland Security over te dragen,' zei hij tegen Vine.

'Waarom?'

'Die moslimconnectie bevalt me niet.'

'Vind je die concreet genoeg dan?'

'Iedereen die zijn tante vermoordt bij een geloofsruzie, heeft het in zich om terrorist te worden. De manier waarop hij vertrok, geeft mij de indruk dat hij door geestverwanten werd opgehaald. Homeland weet vast wel of er hier een cel actief is.'

'Híér?' Vine zei het alsof Andy gezegd had dat er hier in Callisto, Kansas, kaboutertjes woonden.

'Waarom niet?'

Dus nu werd Homeland Security erbij betrokken, en dat is een grote organisatie. Dean had heel wat losgemaakt, zogezegd, en daar had ik veel toe bijgedragen met mijn tien procent leugens, maar nu is er geen weg terug meer. Het leek me verstandig om voor Dean op te komen en tegen hen in te gaan, waardoor ik zelf heel onschuldig zou lijken. 'Dean is geen terrorist,' zei ik. 'Daar is hij veel te aardig voor. Neem de manier waarop hij mij zijn werk liet doen, dat doe je alleen als je iets voor mensen over hebt, niet als je gemeen bent. Terroristen zijn gemeen.'

Andy keek me aan en zei: 'Hij was anders gemeen genoeg om zijn tante te vermoorden, Odell.'

Ik zeg: 'Misschien heeft iemand anders dat wel gedaan, van wie we dat nu nog niet weten.'

Ze keken me aan alsof je achterlijk moet zijn om zoiets te denken, maar het was alleen maar goed dat ze zo over me dachten, want dat wilde ik juist, dus ik was ze mooi te slim af met mijn gepraat. En het beste was dat het gesprek meteen niet meer verder kon, want wat moesten ze zeggen op zoiets achterlijks?

De kuil was weer dicht en de politiemannen maakten zich op om te gaan. Ze hadden Deans jachtgeweer bij zich in een plastic zak. Andy stond eerst een poos met Lorraine te praten en kwam toen naar mij toe. 'Odell, jij bent de belangrijkste getuige in deze zaak, dus je mag hier niet weg. Je moet beschikbaar blijven voor vragen. Binnenkort komen er andere agenten, hele speciale, die alles nog eens met je doornemen. Als je je in de tussentijd nog iets herinnert wat je me niet verteld hebt, moet je me meteen bellen. Alles kan belangrijk zijn.'

'Hoe zit het met dat kippenhok? Moet ik dat weer over die bult heen zetten?'

'Nee, laat zo maar staan.'

De politiemannen spraken nog wat onder elkaar en stapten in hun wagens en reden weg. Lorraine en ik keken ze na en toen ze uit het zicht waren, draaide ze zich naar me om en zei: 'Goed gedaan, Odell, je speelde het schitterend. Toen ze die kuil uitgroeven, keek je zo benauwd dat ík je zelfs verdacht, en toen er niks in bleek te zitten, deed je gewoon weer dom. Geweldig!'

'Ik moet me gaan klaarmaken voor mijn werk. Ik heb om elf uur mijn eerste gazon.'

'Wil je daar dan mee door blijven gaan?'

'Tuurlijk, anders heeft Dean geen klant meer over als hij terugkomt.'
Het leek me verstandig om over Dean te blijven praten alsof hij nog leefde. Camouflage met woorden, zeg maar.

'Da's heel lief van je, Odell, maar je weet net zo goed als ik dat Dean niet meer terugkomt, laat staan dat hij weer gras gaat maaien. Je begrijpt toch wel dat hij degene is die Bree vermoord heeft, hè? Ik vond het fideel van je dat je zo voor hem opkwam daarnet, maar het staat als een paal boven water dat hij het gedaan heeft. En nu is-ie op de vlucht met een stel terroristen die god mag weten wat van plan zijn.

Maar afijn, blijf inderdaad die gazons maar maaien. Zo verdien je nog wat tot ik je aan een baantje in de gevangenis kan helpen. Dat wil je toch nog steeds wel, hè?'

'Reken maar.'

'Want als dit achter de rug is, wacht het gewone leven weer en moeten we allemaal weer aan het werk om de kost te verdienen. Dat wil jij toch ook, nietwaar?'

'Een vaste baan, dat zou fantastisch zijn.'

'Nou, laten we hopen dat ik dat voor je regelen kan.' Ze draaide zich om en keek naar het huis. 'Dit is nu mijn huis. Bree heeft me een tijdje geleden verteld dat ze een testament had laten maken en dat Dean en ik het huis zouden erven, en ik denk eerlijk gezegd niet dat Dean zijn deel zal komen opeisen.' Ze slaakte een diepe zucht vol treurigheid, waaraan je goed kon horen hoe sympathiek ze is, en sympathieke mensen zijn de beste die er zijn. 'Maar in de tussentijd zou ik het op prijs stellen als jij hier blijft en de boel verzorgt tot ik mijn intrek kan nemen. Als dit straks het nieuws haalt, zal het hier zwart zien van de mensen die een kijkje willen nemen. En de pers komt natuurlijk ook. Kun je dat aan?'

'Ik zeg gewoon: geen commentaar.'

'Dat lijkt me inderdaad het beste.' Ze legde een hand op mijn arm. 'Ik stel het enorm op prijs wat je zojuist hebt gedaan, en dat je je mond houdt over dat pakje. Er komt nog een hoop trammelant, en die zou ik niet graag onder ogen zien zonder iemand die me steunt.'

'Geen probleem, ik steun graag mensen.'

Ze haalde haar hand weer weg. 'Ik moet aan het werk. Ben al veel te laat, maar dat begrijpen ze straks wel als ik vertel wat er gebeurd is. En dan vertel ik ze meteen hoe goed jij me helpt, Odell. Dat is een goede recommandatie voor je, voor die baan. Ik hoop echt dat je die krijgt.'

'Oké.'

'Ik bel je vanavond,' zegt ze, en ze stapt in haar auto.

Ik keek haar na en keek vervolgens op mijn horloge. Dat is een heel goedkope, van 29,95 dollar, maar hij loopt precies op tijd. Ik had nog een uur en elf minuten voor ik mijn eerste gras moest maaien. Het eerste wat ik deed was Deans honkbalknuppel goed met water en zeep wassen, voor het geval dat er bewijsmateriaal aan kleefde dat te klein was om te zien maar niet voor die slimme gasten van CSI, die alles met laserstralen kunnen bekijken en zo. En het volgende wat ik deed was de schuur ingaan om de maaihandschoenen aan te trekken en Dean, die nu heel erg stonk, van de vliering te pakken en de ladder af te dragen en in de tuin op de grond neer te leggen. En toen groef ik die kuil weer uit, wat heel snel ging want de aarde was nu zo los als het maar kon door al dat heen en weer geschep. Toen hij weer leeg was, legde ik Dean erin en schepte de aarde weer terug tot het er precies zo uitzag als toen de politie er klaar mee was. En ik hoopte dat ik nooit van mijn leven meer hoefde te scheppen, want het hing me nu flink mijn keel uit.

Al dat harde werk gaf me een enorme honger, vooral omdat ik het allemaal gedaan had op alleen maar een rol koek, dus ging ik de kelder in om iets te eten te halen. En wat zie ik? De politiemannen hebben de plaats van de misdaad onderzocht zonder het bevroren voedsel terug in de vriezer te stoppen, die daar gewoon met zijn klep omhoog staat terwijl de motor overuren draait om de temperatuur koud te houden. Is dat professioneel? Ik dacht het niet! Ik pakte iets van de vloer dat ik wilde eten, een doos met bosbessenwafels, en gooide de rest snel weer in de vriezer voordat het nog erger ontdooide dan het al was en smeet de klep dicht. Ik was zo kwaad over dit onprofessionele gedrag dat mijn ontbijtplezier verpest was, maar na het eten zette ik het toch maar van me af. Tegenslag hoort erbij en dat moet je aanvaarden.

Ik nam nog even snel een douche en ging op pad om mijn werk te doen alsof ik een gewoon iemand was die gewoon zijn dagelijkse werk moest doen. Ditmaal draaide ik de deur op slot met de sleutel van Dean, die met de sleutelhanger met de schedel met de gekruiste beenderen, zodat niemand in mijn afwezigheid het huis in kon komen. Het was een goed begin van de dag.

ZES

Er waren die dag vijf maaiklussen en ik deed ze allemaal met een glimlach in mijn hart en op mijn gezicht, omdat ik me heel gelukkig voel. Als ik door blijf gaan met dat maaiwerk, betekent dit dat ik nog steeds in het huis van Dean woon als Lorraine daar ook komt wonen, wat dus wil zeggen dat we dan eigenlijk samenwonen alsof we getrouwd zijn bijna. Ik wilde dit zeer graag nu ik verliefd op haar was, wat ik tussen mijn tweede en derde maaiklus definitief had ingezien, dus het zag er allemaal gunstig uit. Het was natuurlijk wel diep treurig dat Dean een moordzuchtige homofiele islamietenterrorist was, maar daar kon ik verder ook niks aan veranderen. Ik had een goed woordje voor hem gedaan tegenover Chief Andy Webb, en meer kon ik niet doen. Ik wilde ook niet meer aan Dean denken, alleen nog aan Lorraine. Als Dean de regen was geweest, dan was Lorraine nu de zonneschijn die erna kwam. Ik had vanochtend indruk op haar gemaakt met mijn pijlsnelle nadenken, en het was duidelijk dat ze hier heel dankbaar voor was, plus dat ze ook nog gezegd had dat ik niet weg moest gaan. Oké, ik mócht ook niet weg vanwege het politieonderzoek, maar zij wil dat ik blijf en daar gaat het me maar om.

Na mijn laatste klus reed ik met tweehonderdveertig dollar naar huis (naar huis ja, want zo dacht ik nu over het huis van Dean) met nog steeds die glimlach vanbinnen en vanbuiten, maar die verdween toen ik aankwam en een busje op het erf zie staan met 'Channel 7' op de zijkant en twee mensen ernaast die op me staan te wachten, een man en een vrouw. Ik zette de truck in de schuur en daar was ik nog niet uit of ze kwamen op me af met een camera die door de man werd gedragen en een microfoon die door de vrouw werd gedragen.

'Goedemiddag, Channel 7,' zegt ze. 'Wat kunt u ons vertellen over het voorval dat hier vandaag heeft plaatsgevonden?'

'Geen commentaar.'

'Bent u de eigenaar van dit huis? Wij zagen zojuist een pas gedolven graf in de achtertuin. Kunt u ons daar iets over vertellen?'

'Het is geen graf maar een kuil, en de politie heeft hem al uitgegraven en weer dichtgegooid omdat er niks in zat, ga het ze zelf maar vragen.'

'Maar wij vragen het nu aan u.'

'Als dit een plaats van de misdaad was, zou er een geel politielint omheen moeten zitten, niet dan? Nou, waar is dat lint dan als dit een plaats van de misdaad is, hè?'

Dit was sterk geredeneerd van me, maar ze gaven het niet op.

'Wij hebben vernomen dat er hier een vrouw is vermoord en dat haar lichaam ontdekt is in een diepvrieskist in de kelder. Wat kunt u ons daarover vertellen?'

'Geen commentaar.'

Ik werkte me langs haar heen en liep naar de veranda, maar ze hield gelijke tred met me, wat ze deed door zijwaarts met me mee te huppelen, en de cameraman hield me ook bij. Het was zeer irritant zoals die twee van geen ophouden wisten. 'Channel 7 heeft vernomen dat er in deze omgeving een terroristische cel actief is. Kunt u iets zeggen over een mogelijk verband met de moord die hier heeft plaatsgevonden?'

'Een verband? Niet dat ik weet.'

Ik was nu bij de treden aangekomen en ze liepen met me mee naar boven, maar de cameraman verstapte zich en viel vloekend achterover, waarbij hij zijn camera in de hoogte probeerde te houden zodat die nergens tegenaan kon bonken, en zij ging hem helpen, wat mij de kans gaf om snel naar binnen te gaan en de deur dicht te gooien. Ze gingen staan kloppen en hallo roepen maar ze konden het mooi vergeten dat ik ze binnenliet om nog meer irritante vragen te stellen. Ik liep door naar achteren en keek uit het raam, maar het graf was in orde, ze hadden er niet aan gezeten, al leek het me duidelijk dat ze het uitgebreid gefilmd hadden voor op het avondjournaal. Dit zou Lorraine niet bevallen.

Ze hingen nog een minuut of twintig voor de deur rond en net toen ze weg wilden gaan, kwam er een ander busje over de oprit. Dit was Channel 9, ook met twee mensen. De twee koppels spraken een tijdje met elkaar, waarna die van 7 vertrokken en die van 9 op de deur bonkten. 'Hallo, meneer, we weten dat u thuis bent! Kunt u ons vertellen wat hier heeft plaatsgevonden? Meneer?'

'Ik weet helemaal niks!' riep ik door de dichte deur.

'Wat heeft u onze collega's verteld? Wij hebben recht op dezelfde informatie!'

'Voor duizend dollar vertel ik alles wat ik weet!'

'Channel 9 doet niet aan nieuwsgaring per cheque, meneer!'

'Mij best, contant mag ook!'

'Zo werkt de pers niet in ons land, meneer, dat weet u best!'

'Vijftig dollar!'

Ik wachtte even en ja hoor, er werden twee briefjes van twintig en één van tien onder de deur door geschoven. Ik raapte ze op, trok de deur open en gooide het geld naar buiten. 'Geloof je nou dat ik niks weet!'

Ik smeet de deur weer dicht en draaide hem op slot. Ze spraken wat met elkaar en toen gingen hun voetstappen de treden van de veranda af en wist ik al waar ze naartoe gingen. Ik weer naar achteren en ik zag ze door het raam het graf filmen, en vervolgens het huis, en toen waren ze het blijkbaar beu om nog langer te wachten, of ze wilden op tijd terug zijn voor de uitzending, want ze reden weg en ik kon eindelijk ontspannen, tenzij er nog een Channel 10 kwam of zo.

De telefoon ging. Ik liet hem rinkelen, omdat het waarschijnlijk toch weer iemand van een nieuwszender was voor een interview. Maar een rinkelende telefoon is een krachtige bron van irritatie, dus nam ik uiteindelijk toch maar op, al zei ik niks. Als dit een nieuwszender was, kregen ze niet één woord van me.

'Odell?'

'O, hé, Lorraine.'

'Hoe was je dag?'

'Nou, ik heb alle klanten afgewerkt. Tweehonderdveertig pop. Geef ik die nu aan jou? Je zult het bedrijf van Dean nu ook wel geërfd hebben, denk ik… al denk ik natuurlijk niet dat hem iets overkomen is of zo, laten we hopen van niet, maar ik bedoel…'

'Hou dat geld maar lekker zelf, Odell. Dat heb je wel verdiend.'

'Oké.'

'Heb je al gegeten?'

'Nee, ik ben net thuis.' Kijk, nu zei ik het weer – thuis.

'Nou, haal maar niks meer uit de vriezer, da's een veel te naar idee. Ik kom er zo aan met burgers, oké? Ik neem er twee voor jou mee, grote beer van me, want die zullen er wel ingaan denk ik.'

'Oké.'

Grote beer van me! Ik ben haar grote beer! Als dát geen liefde is...

'Is er nog iemand langs geweest om vragen te stellen?'

'Twee tv-ploegen, maar ik heb niks gezegd. Alleen "Geen commentaar".'

'Goed zo. Nou, fris jezelf maar een beetje op, dan ben ik er zo.'

'Ja.'

Ze hing op. Mijn oren gloeiden. Grote beer van me. Dit werd serieus, en zo snel al, maar zo schijnt het te gaan bij echte liefde. Als een donderslag bij heldere hemel, ka-boem! Het ging eindelijk eens de goede kant op met mijn leven, en dat nog wel omdat mijn auto was kapotgegaan, dus dat was een goed voorbeeld van een geluk bij een ongeluk, en ik kon mijn geluk niet op.

Ik hing de was op die ik die ochtend gedaan had en nam een douche en trok mijn beste jeans aan, zo'n hele strakke waar je klok-en-hamerspel duidelijk in uitkomt, als je tenminste een klok-en-hamerspel in de juiste maat hebt. Zocht jij gisteren niet een pakje, Lorraine? Nou, wat dacht je van dít pakje? Ik zette Deans hifi aan en danste een poosje in mijn eentje op Limp Bizkit en Linkin Park, bands die hun eigen naam niet eens kunnen spellen maar wel miljoenen verdienen, is het geen idiote wereld tegenwoordig? Ik bekeek mezelf erbij in de spiegel en vond dat ik misschien toch wel had moeten doen wat mijn vader en de coach van school hadden gezegd, namelijk football gaan spelen. Maar toen bedacht ik dat het bij football niet alleen om je afmetingen draait maar ook om liefde voor de sport, wat ik niet had, dus had ik toch nooit een vet profcontract en een nog veel vetter contract bij Nike gekregen. En bovendien, als ik football was gaan spelen, had ik Lorraine nooit ontmoet, dus ik had niks te klagen over mijn lot.

Toen ze het erf opreed, stond ik al bij de deur op haar te wachten.

95

Ze stapte uit met een grote zak van bruin papier met vetvlekken en mijn maag scheurde zowat doormidden.

'Hé!' roept ze vrolijk en ze zwaait naar me en ziet er heel vrouwelijk uit, ondanks dat uniform.

'Hé.'

We liepen meteen naar de keuken en vielen op de burgers en frietjes aan en ik had nog nooit zulk lekker eten geproefd. Lorraine vertelde over haar dag in de gevangenis, wat een prettige afwisseling was van het praten over Dean en Bree en alle ellende. In die gevangenis hebben ze moderne televisiebewaking met van die camera's die voortdurend heen en weer gaan, zodat de gevangenen elkaar niet kunnen afmaken zonder dat het gefilmd wordt als bewijsmateriaal, wat volgens Lorraine preventieve detectie heet. Maar er zijn ook hele kleine minicameraatjes, die zo goed verstopt zijn dat de gevangenen niet eens weten dat ze er zijn, maar de beveiliging wel, dus die kunnen ermee kijken zonder dat de gevangenen het weten. En op deze dag was daar iets heel bijzonders mee gebeurd. Een van de stoerste gevangenen, met een hele slechte reputatie, dacht dat-ie helemaal alleen was en door niemand werd gezien in de voorraadkamer waar hij moest werken, en hij begint opeens heel verwijfd in het rond te lopen, met één hand op zijn heup en de andere arm opzij en met zijn hand naar beneden. En hij begint dat ouderwetse kinderliedje te zingen: '*I'm a little teapot short and stout, Here is my handle, here is my spout,*' en nu weten ze waarom hij zo'n rare houding heeft, want die hoort dus bij dat liedje, hij doet een handvat en een tuit na. En hij bleef maar zingen en als een theepot door de kamer lopen, als een kleuter bij een schoolopvoering. De technicus speelde de opname voor alle bewaarders af en iedereen lag dubbel en de technicus zei dat hij voor iedereen een kopie zou maken. Geinig voor thuis, maar ook praktisch voor het werk, want ze kunnen die theepotboef nu alles laten doen wat ze willen, met de dreiging dat ze het filmpje anders aan de andere gevangenen laten zien.

'We hoeven maar "theepot" tegen hem te fluisteren en hij gehoorzaamt, reuze handig,' zei Lorraine. 'Zeg, en nog eens wat, ik heb een goed woordje voor je gedaan bij Connors, die over het aannemen van personeel gaat. Ik weet haast wel zeker dat hij binnenkort contact met je opneemt, want iedereen heeft enorm met me te doen en ze vinden het allemaal geweldig zoals jij me helpt. Heb je erge last gehad van die persmuskieten?'

'Ze waren wel opdringerig, ja, maar ik kon ze wel aan. Toch zou het beter zijn geweest als jouw hoofd van de politie ze gewoon niet had ingelicht.'

'Hij zal wel moeten. Het is zijn taak om het publiek te informeren als er zoiets gebeurt. Dat hoort bij de democratie, Odell, dat iedereen van alles op de hoogte is en dat er niet van alles geheim wordt gehouden zoals vroeger in Rusland. Afijn, vanaf nu zal de pers wel door de politie worden ingelicht, met officiële mededelingen over het onderzoek.'

'Mooi zo, ik wil hier niemand meer zien.'

'En ik dan? Wil je mij ook niet meer zien?'

'Ja, jou natuurlijk wel. Het is tenslotte jouw huis nu Dean…'

'Toe maar, Odell, zeg het maar.'

'Nu Dean dood is.'

'Dood?' Ze kreeg een plooitje tussen haar wenkbrauwen en ik wist meteen dat ik weer te onvoorzichtig was, terwijl ik me nog zo had voorgenomen om op mijn hoede te blijven. 'Waarom denk je opeens dat hij dood is?'

'Nou, nee… zo goed als dood, wilde ik zeggen, nu hij de hele overheid achter zich aan krijgt.'

'Kijk, het mag dan een waardeloze klootzak zijn, het is ook nog steeds mijn broer. Ik zou niet willen dat ze hem als schietschijf gingen gebruiken.'

'Nee, nee, natuurlijk niet, ik ook niet.'

'Nou, let een beetje op je woorden dan. Het is al erg genoeg dat mijn tante… er niet meer is. Ik zou het vreselijk vinden om Dean ook nog kwijt te raken.'

'Misschien stoppen ze hem wel bij jou in de gevangenis. Dan kun je hem elke dag zien en een beetje voor hem zorgen. En dat zou ik dan ook kunnen als ik er een baan kreeg. Dan konden we samen voor hem zorgen.'

Ze schudde haar hoofd. 'Vergeet het maar, iemand als hij krijgt eenzame opsluiting. In de lik houden ze al net zo min van terroristen als erbuiten, en dat etiket krijgt hij nu opgeplakt. Moordenaars van oude vrouwen worden geaccepteerd, maar een terrorist wordt levend gevild. En het erge is dat hij niet bestand is tegen eenzame opsluiting. Dan draait-ie door, dat weet ik zeker... Maar waarom hebben we het over al die ellende? Daar heb ik helemaal geen zin in. Nu geen ellende meer, oké?'

'Oké.'

Ze nam nog wat happen van haar burger en zegt: 'Weet je wat mij zo aanstaat in jou?'

'Nee.'

Dit is echt waar, ik wist het echt niet, al had ik wel het vermoeden dat het over mijn bouw zou gaan, dat ik lang ben en nogal breed. Dat vindt elke vrouw leuk en Lorraine zou niet anders zijn, dacht ik.

'Dat je me nooit tegenspreekt. Kan ik pisnijdig om worden, dat idee van veel mannen dat ze altijd gelijk hebben. Wanneer je als vrouw je eigen mening geeft, zeiken de meesten je meteen af. Dat zou jij nooit doen, hè?'

'Nee.'

'Daarom klikt het tussen ons. Die gasten van mijn werk gaan ook wel, hoor, maar over het algemeen hoef je maar één keer met een vent naar bed te gaan of hij begint je te vertellen wat je wel en niet moet doen en welke mening je moet hebben. Waardeloos vind ik dat. Daarom word ik steeds kieskeuriger met mannen.'

Ik wist niet goed wat ik hiermee aan moest. Zei ze nu dat het tussen ons slechter zou gaan als we met elkaar naar bed gingen, en dat ze daarom niet met me naar bed zou gaan? Dat zou dan slecht nieuws zijn. Of zegt ze dat ze juist wel met me naar bed wil omdat ik volgens haar een ander type ben en wel leuk zal blijven als we naar bed zijn geweest? Dat zou goed nieuws zijn. Of zegt ze dat ze zowat met iedereen van haar werk naar bed is geweest? Dat zou verdomd slecht nieuws zijn. Ik wilde het vragen, maar durfde niet, niet hardop tenminste, want zoiets vraag je niet. Dat ze daar met allemaal kerels werkte, zat me in ieder geval niet lekker meer. Ik moest maar zo snel mogelijk een van die kerels worden.

Ik vroeg: 'Dragen jullie een wapen tijdens je werk?'

'Nooit. Is streng verboden. Ze zouden je kunnen overmeesteren en je pistool afpakken, met alle narigheid van dien. Alleen de jongens buiten zijn gewapend, in de wachttorens en de veiligheidszone. We hebben een wapenkamer voor het geval van rellen of een uitbraak, maar normaal gesproken krijgen we nooit een pistool of geweer te zien. Voor wat wij doen heb je ook geen wapen nodig. Ons werk draait om Toezicht en Beheersing, wat wil zeggen dat je er van moment tot moment voor moet zorgen dat er niet te veel gedetineerden bij elkaar op één plek komen. Gebeurt dat toch, dan ontstaat er iets wat ze de kritische massa noemen en kan er zomaar van alles en nog wat gebeuren. Dan ontstaat er opeens bonje en kun je alleen nog tot algemene opsluiting overgaan, iedereen de cel in dus, en dat wil niemand. Het is de bedoeling dat je ze net genoeg bewegingsvrijheid biedt voor een beperkte omgang met elkaar in de daartoe bestemde ruimtes, zodat ze sociaal contact houden en geen traliekolder oplopen. Hou je iemand de hele tijd achter de tralies, dan wordt-ie duf of gek en maak je hem alleen maar slechter. Dat is tegenwoordig de opvatting. Penitentiair Management heet dat, en het draait allemaal om psychologie en hoe je dat tuig een beetje gevoel voor eigenwaarde bijbrengt. Doe je dat niet, dan heb je voortdurend trammelant.'

'Oké,' zei ik aandachtig, maar ik dacht vooral aan hoe ze eruit zou zien met een pistoolriem om en verder geen uniform aan, en dit had weer hetzelfde effect op me als de eerste keer.

'Wat zit je te wiebelen, Odell. Is het eten niet lekker?'

'Nee, heerlijk juist. Maar als ze Dean pakken, dan krijgt hij dus eenzame opsluiting, zei je. Dus krijgt hij dan ook traliekolder?'

'Dean heeft zijn billen gebrand en nou moet-ie op de blaren zitten,' zegt ze. 'Hij heeft altijd al op ramkoers gelegen, zijn leven lang. Zelfs toen hij klein was, haalde hij rottigheid uit waar Bree horendol van werd. Brandjes stichten, dingen jatten. Op een keer heeft ze hem zelfs betrapt terwijl hij een kat martelde.'

'Een kat?'

'En op een andere keer heeft een buurman hem betrapt toen hij vieze spelletjes deed met een ander jongetje. Acht was-ie toen nog maar, en dat was maar goed ook, want als-ie veertien of zo was geweest, had-ie daar een hoop gelazer mee gekregen. Daarna is hij nooit meer op zoiets betrapt, maar dat wil niet zeggen dat-ie het nooit meer gedaan heeft. Denk je dat hij met jou ook wat wilde toen hij die nacht in je oor kwam fluisteren?'

'Misschien wel. Ik schrok me wezenloos.'

'Lijkt me logisch als je nietsvermoedend ligt te pitten. In je oor gefluisterd worden is leuk als je knus in bed ligt met je geliefde, niet als je wordt lastiggevallen door een geile homoterrorist. Maar we zouden het niet meer over hem hebben, hè?'

'Oké.'

Mijn stijve was er niet stijver op geworden door al dat gepraat over brandstichting en gemartelde katten. Dean was inderdaad behoorlijk geschift geweest, en ik vond het stijlloos van hem dat hij mij nu ook in zijn terroristische complot had betrokken, en in die duistere handel met zijn vriendje Donnie Darko.

'Wat zat er eigenlijk in?' De vraag floepte er zomaar bij me uit.

'Wat zat waar in? Je bent soms moeilijk te volgen, Odell.'

'In dat pakje.'

Ze hield op met eten en keek me nijdig aan en zei: 'Er is nooit een pakje geweest, weet je nog wel?'

'Oké, dus er komen ook geen pakjes meer?'

Dat gaf haar iets te denken voor ze antwoord kon geven. 'Eh, ja, daar had ik het inderdaad met je over willen hebben. Kijk, Odell, nu je hier gratis mag wonen, vind ik wel dat je de boel een beetje aan kant moet houden en voor de post moet zorgen en zo. En bij de post hoort ook dat er elke dinsdagavond een pakje wordt gebracht door een vriend van Dean. Dat moet jij voorlopig maar in ontvangst nemen en dan die vriend ervoor betalen. Meer hoef je niet te doen, alleen maar dat pakje aanpakken en betalen. Deze week ging het bijna mis, maar Dean heeft er toch nog voor gezorgd dat het pakje hier terechtkwam. De manier waarop was voor mij trouwens het teken dat hij er voorgoed vandoor is – dat hij het alleen maar voor de deur heeft gelegd en niet eens meer binnen is gekomen. Als hij het al geweest is, en niet die vriend van hem.'

'Donnie Darko.'

Ze keek me lang en scherp aan. Verdomme, ik was wéér niet op mijn hoede. Volgens mij omdat ik zo afgeleid werd door die aantrekkelijke vrouw aan de andere kant van de tafel, maar ik moest er wel mee ophouden!

'Donnie wie?'

'Darko.'

'Dat is een film, Odell. Hoe kom je aan die naam?'

'Van een filmprogramma, denk ik.'

'Lul niet, dan zou je nu niet opeens die naam zeggen. Heeft Dean je verteld wie hij hier dinsdagavond verwachtte? Je zei dat je niemand had gezien.'

'Ik heb alleen die groene Pontiac gezien, maar misschien heeft Dean ook die naam gezegd, weet ik niet meer.'

Ze keek me nog steeds argwanend aan. 'Ik hoop niet dat je dingen voor me achterhoudt, Odell. Dan kunnen we geen vrienden meer zijn, als je dat doet. Vriendschap is gebaseerd op vertrouwen met een hoofdletter V, dat weet je toch wel?'

'Ik hou niks achter. Ja, nu weet ik het weer... Dean zei inderdaad dat zijn vriend Donnie D. zou komen, en als hij kwam, mocht ik niet mee naar buiten want het is privé. Maar ik heb toch stiekem gegluurd, dus daarom weet ik wat voor auto... en toen hij Donnie D. zei, vroeg ik wat dat voor rare naam was, en toen vertelde hij over die film *Donnie Darko*, dus ik denk dat de gozer in de Pontiac dat een goede film vindt.'

Ze stak een frietje in haar mond. 'Nou ja, het is logisch dat zoiets je nieuwsgierig maakt.'

'Vind ik ook. Dus wat zit er in dat pakje dat elke dinsdag gebracht wordt?'

'Voorlopig kan ik alleen maar hopen dát het nog gebracht wordt, nu met al dat gedoe over Dean. Donnie zal daar ook van horen en het schrikt hem misschien wel af. En als dat pakje niet wekelijks blijft komen, heb ik veel mensen een hoop uit te leggen.'

'Wat zit erin dan?'

Dit was nu de derde keer dat ik het vroeg. En ik wist allang wat erin zat. Er kon maar één ding in zitten.

'Noodhulp,' zegt ze. 'Net zoiets als de pakketten die het Rode Kruis aan vluchtelingen geeft, weet je wel, met dingen om mensen door een slechte tijd heen te helpen.'

'Koffie en chocola, zit dat erin?'

'Net zoiets ja. Er zit spul in dat mensen verlichting biedt, zal ik maar zeggen.'

'Aambeienzalf?'

'Hè, gadver, Odell, ik zit te eten!'

'Zeg dan gewoon wat erin zit. Dat zal ik toch óók moeten weten als ik het voortaan aanpak?'

'Kun je het niet raden dan?'

'Drugs,' zei ik, een slecht woord dat er makkelijk uit kwam.

'Kijk, zie je wel, je wist het allang.'

'En jij neemt ze mee de gevangenis in.'

'Tja, iemand moet het doen.'

'Om de gevangenen verlichting te bieden. Wat voor drugs?'

'Van alles. Weed, heroïne, coke. Maar geen lsd, want daar gaan ze gekke dingen door doen, dus dan valt het binnen de kortste keren op. Lsd is uitgesloten.'

'Dus wij zijn drugssmokkelaars, jij en ik?'

Hier werd ze boos om. 'Hoe kom je dáár nou bij? Dean en ik voorzien gewoon in een behoefte en worden daar gewoon voor betaald, heel simpel en niemand heeft er verder nadeel van. Ik steek trouwens wel mijn nek uit door je dit te vertellen, Odell, dus ik zou het je erg kwalijk nemen als je het doorvertelt.'

Ze begon weer boos te worden, en dat wilde ik niet. Ik wilde haar blij en zorgeloos zien, zoals het hoort voordat je met iemand naar bed gaat, wat namelijk wel mijn doel was voor deze avond, en dat van haar ook, hopelijk.

'Het blijft geheim,' zei ik. 'Ons geheim.'

'Zo mag ik het horen,' zegt ze, en ze werd alweer wat vrolijker. 'Het is goed om een geheim met iemand te hebben. Dat schept een band. Een vaste band, dat vind je toch niet erg, hè, Odell?'

'Hoe vaster hoe beter,' zei ik.

Ze lachte. Dat gebeurt mij niet zo vaak, dat een vrouw lacht om iets wat ik zeg, dus dit was opnieuw een Teken dat we bij elkaar hoorden. Partners in de misdaad waren we, Lorraine als drugssmokkelaarster en ik als moordenaar, al was dat niet met opzet, maar ik verstop wel lijken en dat mag ook niet, dus het is niet aan mij om een vonnis over haar te vellen.

'Nou, dat is dan geregeld,' zegt ze, en het klonk opgelucht.

'Ja. Hoe krijg je het eigenlijk naar binnen?'

'In mijn beha en mijn slip.'

'Word je dan nooit gefouilleerd?'

'Natuurlijk wel. Callisto State Penitentiary is een moderne strafinrichting met tal van hoogwaardige preventieve voorzieningen. Maar mijn collega die op de woensdagochtenden het vrouwelijke personeel controleert, heeft toevallig altijd net een vuiltje in haar oog als ik aan de beurt ben. En later stop ik haar wat geld toe, als ik zelf ben betaald door weer iemand anders, dus iedereen is tevreden. We weten allemaal precies waar alle camera's hangen, dus dat geld wordt nooit gezien als het van hand tot hand gaat. Het is een perfect systeem.'

'O.'

'Wat kijk je bedrukt, Odell. Heb je er soms je twijfels over?'

'Ik weet niet wat ik erover heb. Hoeveel mensen doen eraan mee?'

'Dat blijft geheim tot je meedoet, en je kunt pas meedoen als Connors je in dienst neemt. Misschien blijf je wel gewoon grasmaaien en op dinsdagavond het pakje van Donnie D. aanpakken, wie weet? Maar voorlopig vertrouw ik je, omdat ik gezien heb hoe je voor Dean probeerde op te komen. Je bent geen beroerde jongen, dus daarom heb ik je verteld wat ik je verteld heb.'

'Oké.'

'Kijk, je moet het zo zien, door die bajesklanten aan hun dope te helpen, houden we ze rustig, en als ze rustig blijven, bespaart dat ons en hunzelf en hun families een hoop gedoe en ellende. Denk je eens in hoe het in zo'n gevangenis zou toegaan als alle slikkers, snuivers en spuiters er zonder drugs zaten. Dan zou je om de dag een rel hebben. Dat zou niet beheersbaar zijn, zo'n situatie, en dat weet iedereen, van hoog tot laag.'

'Ja, als je het zo bekijkt, is het iets goeds.'

'Nou, zo bekijk ik het dus.'

Ik dacht er even over na en vond dat er wel iets voor te zeggen was zoals ze het zei. 'Oké, je hebt gelijk.'

Ze keek op haar horloge. 'Het nieuws gaat beginnen,' zegt ze, dus gingen we van de keuken naar de zitkamer en deed ze de tv aan. Eerst was er het gebruikelijke nieuws over bosbranden en overstromingen vanwege het broeikaseffect en terroristenbommen op de bekende plaatsen, waar Lorraine weer helemaal kwaad over werd. 'Het maakt ze niet uit wie ze de dood injagen,' zegt ze. 'Kinderen, oude vrouwtjes, zelfs hun eigen medemoslims, het interesseert ze gewoon niks. Dat is het enige wat ik Dean nooit zal kunnen vergeven, dat hij zich dáármee inlaat. Een kat martelen is nog tot daaraantoe, maar dat moorden dat ze daar elke dag doen, dat vind ik... dat is... on-Amerikaans!'

'Precies.'

'Die kant van Dean zal ik nooit begrijpen.'

'Hij is erg in de war.'

'Nou, hiermee gaat-ie echt te ver. En ik was ook erg op Bree gesteld. Wat hij haar heeft aangedaan is natuurlijk ook verschrikkelijk.' Ze begon een beetje te snikken, wat een goed excuus voor mij was om naast haar op de bank te komen zitten en mijn arm om haar heen te slaan, maar troostend, niet op een seksuele manier, dat komt zo wel als ze weer gekalmeerd is, denk ik in mezelf.

Het volgende onderwerp was senator Ketchum die een grote speech geeft over niet wijken voor terreur zoals sommige slappelingen dat willen. Hij noemt dit 'de vlag strijken en afdruipen' en volgens hem kan dat alleen maar de oplossing zijn van lafaards, waarmee hij volgens mij Democraten bedoelt. En hij zegt ook nog iets over de terreurdreiging hier in de vs zelf, door onzichtbare terroristen van wie je niet eens kunt zien dat ze terreur willen veroorzaken omdat ze hier geen theedoek om hun hoofd dragen. En dat is nou juist waarom ze zo gevaarlijk zijn, zegt Ketchum, die stiekemheid van ze, dus we moeten allemaal heel goed opletten want ze zijn Vreselijke Dingen van plan. Lorraine is het met alles wat hij zegt eens. 'Ik ga volgend jaar geheid op hem stemmen.'

Het volgende was een dikke vrouw die zeven miljoen heeft gewonnen in de loterij en een glimlach van wang tot wang heeft, maar ze zegt dat het niks verandert en dat ze morgen gewoon weer naar haar werk gaat op de vleesfabriek, net als altijd. 'Ja ja,' zegt Lorraine, 'vijf minuten, om de baas te vertellen dat hij de tering kan krijgen, en dan rijdt ze meteen naar de Mercedesdealer. Moet je haar zien, wat een idioot gezicht zal dat zijn, dat stomme wijf in zo'n dure slee met haar vette reet.'

'Wat voor auto is dan wel goed voor dikke mensen?'

'Nou, zo'n ouwe rammelbak als die van jou, bijvoorbeeld.'

'Dankjewel. Help me maar snel aan een baantje, dan kan ik...'

'Hier komt het!'

De nieuwslezer vertelt dat er in Callisto een moord is gepleegd en dat de politie op zoek is naar de zevenentwintigjarige Dean Leonard Lowry, en ze laten een foto van hem zien met langer haar dan ik van hem kende, en Lorraine zegt: 'Dat zal de foto van zijn strafblad zijn.

Ik heb ze niks gegeven. Help me trouwens onthouden dat ik Andy een foto van Bree geef. Heeft-ie nodig voor zijn rapport.'

'Oké.'

De nieuwslezer vertelde dat Dean er ook van verdacht werd dat hij deel uitmaakte van een terroristische cel, maar dat de politie niet kon bevestigen of er een verband was met de moord, maar volgens mij wekte dit toch de indruk dat hij Bree vermoord had omdat ze achter zijn terroristische lidmaatschap was gekomen, waardoor de moord dus een terreurdaad leek en niet zomaar een moord. Daarmee liepen ze wel voor de feiten uit, vond ik, maar het zou Dean een zorg zijn want hij was toch dood. De nieuwslezer zei dat hij vuurwapengevaarlijk was en dat je hem niet zelf moest benaderen maar de politie of de FBI moest bellen en dan aan hen moest vertellen hoe hij zich schuilhield voor de wet.

Toen het Deanverhaal voorbij was, bleef Lorraine stil, dus hield ik mijn mond ook maar, want ze was misschien over haar toeren nu haar terroristenbroer zojuist op het nieuws was geweest, en ik wilde haar kalm en ontspannen en klaar voor de liefde die zich ongeduldig zat op te dringen in het kruis van mijn jeans, maar je zult toch moeten wachten tot de vrouw in de stemming is. Dit had ik weleens in een tijdschrift gelezen en het leek me ook wel logisch, al viel het niet mee.

'Nou, dat was dat,' zei ze ten slotte, en ze begon te zappen tot ze een sitcom vond met van dat ingeblikte gelach om mensen het idee te geven dat het grandioos leuk is en dat je achterlijk bent als jij het níét leuk vindt. 'Ken je deze show, Odell?'

'Tuurlijk.'

'Ik vind het de leukste die er is. Heb je iets te drinken hier?'

Ik ging naar de keuken, pakte de overgebleven Coors en Captain Morgan en spoelde een paar rumglazen om, want Lorraine leek me weliswaar het type om bier gewoon uit het flesje te drinken, maar met sterkedrank doe je dat niet, of je moet een hopeloze alcoholist zijn, wat ze duidelijk niet was en ikzelf ook niet. Ik zette alles op een dienblad met blauwe pelikanen erop en liep ermee de kamer in.

'Kijk, dat noem ik nou eens service,' zei Lorraine toen ik het voor haar op tafel zette. 'Je bent de ideale huisvrouw, Odell.'

Dit irriteerde me een beetje, want waarom moet zoiets altijd gezegd worden als een man zich nuttig probeert te maken in huis, op een andere manier dan met een boormachine of zo? Maar ik beet op mijn tong, want ik wilde geen roet door het eten gooien nu de liefde zo dichtbij was. Lorraine pakte een Coors en wipte er de dop af, terwijl ik voor ieder van ons een glas met de Captain inschonk. Ik gooide mijn rum in één keer achterover en wilde hem net wegspoelen met een biertje toen de telefoon ging. Lorraine en ik keken elkaar vragend aan. Officieel wonen we hier nog geen van beiden, dus voor wie kon het zijn?

'De pers?' zei ik.

'Jezus, dat kan ik niet meer aan, hoor.'

'Het zal wel niet. Daar is het veel te laat voor.'

'Ik kan sowieso niemand te woord staan. Ik ben gesloopt.'

Dus stond ik maar op en liep naar de keuken en nam op. 'Hallo?'

Stilte. Maar er was iemand aan de andere kant, want dat kun je toch horen op de een of andere manier.

'Ben jij die gozer?' zegt een stem. Hij komt me bekend voor, maar ook weer niet.

'Ja, ik ben een gozer.'

'De gozer bij wie ik het pakje heb afgegeven?'

'Ja, spreek je mee.'

Het was Donnie D., dat was nu wel duidelijk.

'Zeg, luister, ik heb net het nieuws gezien. Wat ís dat allemaal?'

'Dean heeft iets slechts gedaan.'

'Dat kun je wel zeggen, ja.' Weer even stilte, en toen: 'En hoe moet het nu verder?'

'Gewoon zoals het was, maar nu doe ik open in plaats van Dean.'

'Ik moet vanaf nu bij jou zijn?'

'Ja.'

'Weet zijn zuster ervan?'

'Natuurlijk.'

'Dus verder blijft alles bij het oude.'

'Alles blijft bij het oude.'

'En, waarom heeft-ie het gedaan?'

'Wie zal het zeggen. Hij was altijd al een beetje vreemd.'

'Dat kun je wel zeggen, ja. Maar goed, vanaf nu ben jij het dus.'

'Klopt.'

'Oké, dan zie je me wel weer.'

Hij hing op en ik liep de kamer weer in.

'Wie was het?'

'Donnie D..'

'Donnie D.?'

'Hij wilde weten hoe het verder ging nu Dean er niet meer is, dus ik heb het hem uitgelegd. Hij moet het nu aan mij afgeven.'

'En dat vond-ie geen bezwaar?'

'Prima juist. Hij wil alleen nog maar met mij te maken hebben, zei hij. Dat leek hem veiliger. Te veel schakels maken de ketting zwak, zei hij.'

'Mij best, maar wat zei hij verder over Dean?'

'Dat-ie altijd al een beetje vreemd was.'

'Nee, waar-ie met Dean naartoe is gereden, bedoel ik. Weet hij hoe het nu met Dean is, en wáár-ie is?'

'Nou, eh, niet precies...'

Mijn hersens jakkeren sneller dan ooit.

'Maar toch wel ongeveer? Waar zijn ze die avond naartoe gereden? Het is dat die angsthaas nooit een nummer wil opgeven waar je hem bereiken kan, anders had ik hem allang gebeld. Maar goed, wat is er gebeurd?'

'Hij zei dat ze eerst dat pakje hebben opgehaald en dat Dean hem daarna om een lift naar de stad vroeg. Donnie had het pakje eerst niet bij zich gehad omdat hij opeens bang was voor een valstrik of zo, dus kwam hij hier zonder pakje naartoe en is Dean bij hem ingestapt om het te halen... en daarna wilde Dean ergens in de stad worden afgezet, want hij had met een paar mensen afgesproken, maar hij wilde niet zeggen met wie... dus Donnie heeft hem afgezet en is naar huis gereden met de poen, en net zag hij opeens het nieuws en vroeg hij zich af wat het voor mensen waren met wie Dean een afspraak had.'

'De terroristen?'

'Ik denk het. Maar goed, hij vindt het prima dat ik de plaats van Dean inneem, maar zoals ik zei, hij wil nu alleen nog maar met mij te maken hebben. Ik moet hier helemaal alleen zijn als hij komt afleveren.'

Dit zei ik omdat ik niet wilde dat Donnie en Lorraine in contact zouden komen, want dan kreeg ze iets heel anders te horen dan wat ik zojuist verzonnen had, en dat zou nergens goed voor zijn, alleen maar een struikelblok op de weg van de liefde. Het was opnieuw een leugentje voor de bestwil, en ik had er heus wel spijt van, maar zo moet het soms als het leven ingewikkeld wordt zoals nu.

'Dus we weten nog steeds niet waar Dean nu is,' zegt Lorraine, en ze kijkt weer verdrietig.

'Nee.'

Ze nam een flinke slok van de Captain en gooide er een teug Coors achteraan. Ze hield het flesje tussen twee vingers bij de hals vast, alsof ze nooit anders deed, dus ik had haar stijl van bierdrinken precies goed ingeschat. Met mijn mensenkennis zat het dus wel goed. Maar op het vlak van de liefde zag de avond er niet zo voortvarend meer uit na dat telefoontje van Donnie, dat hij best tot de volgende dag had kunnen uitstellen, die klootzak, maar zo gaat het soms, zoals ik al zei. Als ze nog even bleef en nog flink wat dronk, werd ze misschien weer wat losser en romantischer, maar ze zag er behoorlijk rusteloos uit, dus dat zat er niet in.

We keken nog naar een andere sitcom, maar Lorraine lachte niet één keer. Ik begon me af te vragen of ik niet te vroeg van stapel was gelopen met mijn gedachten over de liefde, want laten we wel wezen, ze had die ochtend gehoord dat haar tante was vermoord en dat haar geschifte broer de dader was, en niet alleen dat maar hij was nog eens een moslimterrorist. Dus het viel te begrijpen dat ze van haar doen was, ook al omdat Dean niet alleen haar broer was maar ook nog een zakenpartner voor het smokkelen van de bewustzijnsvernauwende middelen van Donnie D., al was dat gedeelte alweer opgelost dankzij mij. Kortom, er was in één dag heel veel op haar afgekomen, en misschien wel te veel om mij nu al anders te zien dan als haar nieuwe zakenpartner. Het was waarschijnlijk verstandig om haar voor dat andere even de tijd te geven. Ik wilde niet zo stom zijn om een overhaaste stap te zetten waardoor ze alleen maar op me afknapte, dus bleef ik rustig zitten drinken en naar die stomme lachseries kijken, zonder nog iets te zeggen. En zij zei ook niks, maar ik voelde hoe ze zat te denken over alle narigheid die er gebeurd was.

En toen was het een uur of negen en zegt ze dat het tijd is om op te stappen, want het is een lange dag geweest en zo, en ik zei dat ik dat heel goed begreep. Ik liep met haar mee naar haar auto en hoopte dat er misschien nog wel een afscheidszoentje in zat, maar mooi niet, ik kreeg juist een waarschuwing. 'Hou wel je kop erbij, Odell. Je zit er nu tot je nek in, vergeet dat niet. Ik heb je mijn vertrouwen gegeven en ik ga ervan uit dat je het waarmaakt.'

'Tuurlijk.'

'Oké. Dag.'

En weg was ze, en ik bleef teleurgesteld achter, maar dat geeft niet, er komen nog avonden genoeg om aan de liefde te werken. Ik bleef nog een hele tijd van het briesje staan genieten en naar de sterren kijken die doodstil aan de hemel stonden. Er was een mooie toekomst voor me weggezet.

ZEVEN

De volgende dag deed ik zes gazons waar ik driehonderdtwintig dollar mee verdiende. Bij drie van deze klussen kreeg ik vragen over Dean, omdat deze mensen het nieuws hadden gezien en zijn foto hadden herkend, dus nu wilden ze weten hoe het zat met die moord, maar ik zei dat ik ze geen informatie mocht geven vanwege het Lopende Onderzoek, waarvoor ik had moeten zweren dat ik niks zou zeggen. Ik zei dit om van ze af te zijn, en dat lukte ook, maar een paar ouwe dametjes bleven me toch door hun raam in de gaten houden terwijl ik maaide, alsof ik een verdacht persoon was dat zomaar opeens net als Dean een oud dametje kon vermoorden.

Bij klus nummer vijf, op Willowood Street 2358, belde de ouwe vent die daar woonde stiekem de politie, omdat hij de verdenking had dat ik Dean geholpen had bij de moord. Ik was halverwege zijn grasveld toen er een politieauto stopte, maar ik hoefde ze maar weinig uit te leggen want iedere politieman van Callisto wist ondertussen wel wie ik was, dus werd ik niet gearresteerd, maar moesten ze nog wel aan die ouwe gek uitleggen waarom ze dit niet deden, dus toch een hoop werk voor ze. Als ik oud word, hoop ik dat ik onder een bus kom voordat mijn hersens gaan haperen, zoals bij veel ouwe mensen.

Toen ik na mijn werk naar huis reed, vroeg ik me af of Lorraine weer even langs zou komen of anders op zijn minst even zou bellen, wat ook goed was. Maar mijn gedachten over haar werden mijn hoofd uit geduwd toen ik zag wie me op het erf stond op te wachten, namelijk Chet Marchand en zijn beige Cadillac. Ik had gedacht dat hij nooit meer terug zou komen omdat ik zo kortaf deed nadat ik ontdekt had dat Dean dood op zijn bed lag. En nu zit ik lelijk in de knoei, want ik heb hem verteld dat ik Dean ben en zie dat nog maar eens recht te breien op een manier die ergens op slaat. Ik stapte de pick-up uit en hij kwam meteen naar me toe, weer net zo netjes gekleed en respectabel als de vorige keer. Ik was bang geweest dat hij boos was, maar hij ziet er rustig uit, dus misschien had hij het nieuws niet gezien.

'Hallo daar,' zei hij met een glimlach.

'Hé, Chet.'

'Ah, je weet mijn naam nog. Dat doet me deugd,' zegt hij. 'Maar ik vrees dat ik de jouwe vergeten ben.'

Dit was zijn manier om me op een beleefde manier duidelijk te maken dat hij weet wat voor een leugenaar ik ben. Wat moest ik nu? Ik voelde me behoorlijk opgelaten tegenover zijn glimlach met tanden die veel te perfect zijn om echt te zijn. En hij wist heel goed dat ik koortsig op een goeie smoes stond te persen, maar hij liet me rustig doorgaan met piekeren alsof hij alle tijd had en desnoods zou wachten tot de mussen dood van het dak vielen.

Hij zegt: 'Volgens mij hebben wij het een en ander te bepraten, denk je ook niet?'

'Zou kunnen.'

'Wat dacht je van een koud glas water om onze stem te smeren?'

'Oké.'

Ik maakte de deur open en we liepen net als de eerste keer naar de keuken. Ik vulde twee glazen met water en zette het zijne voor hem neer, maar hij raakte het niet aan. Ik dronk het mijne in één keer leeg, want het was weer een snikhete Kansasdag geweest en ik had hard gewerkt voor mijn geld.

'Moet ik je Dean blijven noemen?' vroeg hij.

'Dat lijkt me niet, nee.'

'Hoe heet je echt, goede vriend?'

'Odell. Odell Deefus.'

Hij liet dit even inzinken en zegt: 'En mag ik je vragen waarom je laatst deed alsof je Dean Lowry was?'

'Dat was… een vriendendienst.'

'Een vriendendienst? Leg eens uit.'

'Dean zei dat hij een paar dagen weg moest en hij wilde dat ik in de tussentijd hem zou zijn, weet u, alles zou doen wat hij normaal doet.

Hij zei niet waarom, en hij zei ook niet waar hij heen ging. Hij vroeg me alleen om een vriendendienst, dus die heb ik hem gegeven.'

'Je hebt als het ware zijn rol op je genomen.'

'Precies.'

'Ik snap het. Welnu, de man heeft jou dus al net zo bedrogen als alle anderen die goed voor hem waren, om nog maar te zwijgen van wat hij zijn tante heeft aangedaan. Zijn eigen tante, Odell, wat vond je daarvan?'

'Daar wist ik niks van.'

'Natuurlijk niet, maar toen je het ontdekte, bedoel ik.'

'Toen was het een grote schok.'

'Kan ik me voorstellen. De wetenschap dat je een moordenaar hebt helpen ontkomen, dat moet ontluisterend zijn.'

'Dat was het ook.'

'En je bent hier nog steeds, zie ik.'

'Dat heeft zij me gevraagd.'

'Wie?'

'Deans zuster. Ze is heel erg van streek en ze vroeg of ik zolang op het huis wilde passen, dus dat doe ik nu.'

Hij pakte zijn glas water en zwenkte ermee heen en weer, maar dronk er nog steeds niet van. 'De politie heeft je al grondig ondervraagd, neem ik aan?'

'En ik heb ze alles verteld. Ik heb niks verkeerds gedaan.'

'Maar dat zal niemand ook beweren, beste jongen. Integendeel, je goedheid is misbruikt.'

'Precies.'

'En hoe denk je nu over Dean Lowry, nu je de waarheid kent?'

'Niet zo goed. Heel erg slecht zelfs, vanwege dat misbruik.'

'Een bedrieger én een moordenaar. Volgens mij is meneer Lowry de rotste appel uit deze hele streek, en ik ben vast niet de enige met die visie.'

'Nee, waarschijnlijk niet.'

'En wat denk je, zou er verband zijn tussen zijn moordzucht en het feit dat hij de islam boven het christendom stelt?'

Ik haalde mijn schouders op. Chet keek me een poosje aan en zei: 'Nou, geen ideeën daaromtrent?'

112

'Misschien was-ie gewoon wel gek... ís-ie gewoon wel gek,' verbeterde ik mezelf. 'Daar zou je best eens gelijk in kunnen hebben, Odell. Ik had het er met Bob over, dominee Jerome dus, en wij vonden het ook treffend dat je hier een moordenaarsgeest ziet samengaan met de islamitische geloofsovertuiging. Nauwelijks verschil dus met de maniakale jihadisten die dood en verderf zaaien in het Midden-Oosten. Hij mag dan Amerikaans staatsburger zijn, hij is vooral een van hen. Onthutsend, vind je ook niet?'

'Nou.'

Ik nam nog een glas water. Ik wilde een douche gaan nemen en een pizza uit de vriezer trekken en een beetje in *The Yearling* lezen tot Lorraine zou bellen, of misschien belde ik haar wel. Maar Chet leek me iemand met veel waardering voor zijn eigen gedachten, en ik had zo tegen hem gelogen dat ik me verplicht voelde om een geduldige luisteraar te zijn, dus die pizza moest nog even wachten.

'Ik neem aan dat je de politie ook over zijn geloofsopvattingen verteld hebt?'

'Zeker. En ik heb ze de boeken laten zien die hij in zijn ladekast had. Islamitische boeken waren dat. Ze hebben ze meegenomen, net als zijn jachtgeweer.'

Hij knikte tevreden naar zijn glas water, dat nog steeds vol was, dus het viel wel mee met die dorst van hem.

'Terwijl ik op je wachtte heb ik de vrijheid genomen om een kijkje te nemen in de achtertuin, bij dat graf dat ze op tv lieten zien. Er ligt niemand in, heb ik begrepen.'

'Nee. De politie heeft het uitgegraven en weer dichtgegooid. Dat heb ik die tv-mensen ook gezegd, maar ze hebben het toch gefilmd. Ze vinden een graf ook interessant als het leeg is, denk ik.'

'En Dean heeft het gegraven?'

'Dat moet wel, want ik was het niet. Ik denk dat hij het voor zijn tante had bedoeld maar van gedachten is veranderd, en toen heeft hij het weer dichtgegooid, dus daar kun je ook wel aan zien hoe gek hij was... is.'

'Tja, wie kan het handelen van zulke ontspoorde mensen verklaren? Zijzelf waarschijnlijk niet eens.'

'Nee.'

'En je hebt geen idee waar hij nu is?'

Ik schudde mijn hoofd. Chet was zo iemand die over ieder ding zes keer wilde praten. Ik vond het zinloos om over Dean te praten en waarom hij was zoals hij was en wat hij gedaan had en waar hij uithing. Voor mij was hij een dooie gek die ik in dat lege graf in de tuin had gestopt, punt uit. Het zou heerlijk zijn geweest om dit tegen Chet en Andy en Lorraine en de tv-mensen te zeggen, zodat ze op konden houden met hun gevraag en hun heeft-u-deze-man-gezien-fimpjes, wat allemaal zonde van de tijd was. Maar dat kon natuurlijk niet. Ik moet mijn Grote Geheim voor mezelf houden. Ze zeggen weleens dat het in je voordeel is om dingen te weten die anderen niet weten, maar ik werd er alleen maar doodziek van en had het veel liever niet geweten, maar ik moest de last van mijn geheim toch dragen, leuk of niet leuk.

'Gaat u nu terug naar Topeka om dit allemaal aan Preacher Bob te vertellen?'

'Ik heb een mobieltje, Odell.'

'O, oké.'

'De dominee en ik maken ons grote zorgen over deze terroristische activiteiten in ons eigen Amerika, over de plannen die gesmeed worden, in sommige gevallen door mensen die hier nota bene geboren zijn. Wij vrezen dat er in het hele land van alles broeit, dat er overal cellen zijn die wachten tot ze in actie kunnen komen, en in dat verband vrezen we met grote vreze voor de presidentsverkiezingen van volgend jaar. Stel het je eens even voor, Odell. Honderden, misschien wel duizenden Deans die afwachten tot ze terreurdaden kunnen plegen in onze Amerikaanse straten. Dat móét voorkomen worden.'

'Ik weet het. Dat hoorde ik senator Ketchum ook al zeggen op tv.'

'De senator doet zijn uiterste best om de mensen in dit land wakker te schudden en bewust te maken van het gevaar dat hen bedreigt. De argeloosheid in dit land is ronduit huiveringwekkend. Mensen wíllen gewoon niet inzien hoe gevaarlijk hun eigen omgeving is geworden. De boodschap van senator Ketchum krijgt nog veel te weinig aandacht in deze dagen vol binnenlandse dreiging.'

'Dean wilde hem doodschieten,' zei ik, en Chet keek me heel raar aan, alsof hij me niet geloven kon, terwijl hij zelf zijn mond vol had van dreiging en gevaar.

'Pardon?'

'Op mijn eerste avond hier zaten we naar het nieuws te kijken toen senator Ketchum een toespraak hield over wat u net zegt, en toen zei Dean dat hij hem wilde doodschieten. "Iemand zou hem moeten neerknallen," zo zei hij het.'

'Heb je dit ook aan de politie verteld?'

'Eh, nee, was ik even vergeten. Het schiet me nu pas weer te binnen omdat we het over senator Ketchum hebben. Daardoor moest ik er weer aan denken.'

'Lieve hemel...' zegt Chet. 'Weet je dit echt zeker, Odell? Heeft hij het werkelijk zo gezegd?'

'Ja. Ik sloeg er op dat moment geen acht op want hij zat zomaar wat te kletsen onder het nieuws, dacht ik, wat mensen wel vaker doen als ze zich irriteren. Ik heb ook weleens iemand horen zeggen dat hij een hond wilde afmaken, namelijk de hond van zijn buren die altijd maar zat te janken om niks, maar hij heeft die hond nooit echt iets aangedaan.'

Het was mijn eigen vader die dat van die hond had gezegd, maar dat zei ik liever niet tegen Chet, die er opeens heel geschrokken en ongerust uitzag.

'Dat had je toch wel moeten vertellen, Odell,' zegt hij streng.

'Ik was het vergeten...'

'Dit betekent dat de senator hoogstwaarschijnlijk een doelwit voor terroristen is in de aanloop naar de komende presidentsverkiezingen. Dit móét ter kennis van de politie komen, en van de FBI en Homeland Security. Is er nog meer dat je wellicht vergeten bent?'

Ik dacht hard na. 'Kan ik me niet herinneren, nee.'

Hij trok zijn portefeuille en ik dacht heel even dat hij me wilde belonen voor mijn informatie, maar hij haalde er alleen maar een visitekaartje uit dat hij me met een plechtig gezicht aangaf. 'Odell, ik wil dat je me onmiddellijk belt als je nog iets anders te binnen schiet. Heb je een mobiele telefoon?'

'Nee, nooit gehad ook.'

'Welnu, dan ga je naar de dichtstbijzijnde telefoonautomaat. Dit is buitengewoon belangrijk, ik hoop dat je daarvan doordrongen bent.'

'Oké.'

'De Born Again Foundation heeft zeer goede contacten in Washington. De dominee kent er menige politicus persoonlijk, dus alles wat je mij vertelt, gaat via Preacher Bob direct naar de kopstukken van Capitol Hill, begrijp je wat ik bedoel? Dus bewaar dit nummer goed.'

'Oké.'

'Blijf rustig zitten, ik kom er wel uit.'

En hij liep de keuken uit en ik hoor buiten de Caddie starten en weg was hij. Ik dacht er nog eens hard over na tot ik er helemaal zeker van was dat mijn herinnering juist was dat Dean inderdaad had gezegd dat hij senator Ketchum wilde doodschieten. Hij had het echt gezegd, maar ik had het beter niet kunnen zeggen, want nu was Chet helemaal in rep en roer over een terreuraanslag op de senator, die natuurlijk nooit gebeuren ging, want Dean lag dood onder de grond in de achtertuin. Maar er was niks meer aan te doen. Ik had mijn mond weer eens veel te wijd opengedaan, en als het zo doorging viel ik er zelf nog een keer in. Het was me de situatie weer wel.

Ik wachtte nog een uur en nog iets langer of Lorraine misschien belde, maar dat deed ze niet, dus besloot ik haar maar te bellen. En er wordt na de derde keer overgaan opgenomen en ik hoor een of andere kerel 'hallo?' zeggen. Dit had ik niet verwacht en ik had dus ook geen antwoord klaar, dus zei hij het opnieuw: 'Hallo?'

'Wie is dit?'

'Welk nummer heb je gedraaid?' vroeg hij.

'Van Lorraine.'

'Dat klopt dan, maar ze is even naar de wc. Wil je wachten of moet ze je terugbellen?'

'Ik wacht wel. Wie ben jij?'

'Een vriend van Lorraine, en jij?'

'Ook een vriend.'

'O, ze komt eraan.'

Ik hoor hoe hij de hoorn neerlegt en hoe die weer wordt opgepakt en dan is zij het. 'Hallo?'

'Met Odell. Wie was dat?'

'O, dat is Cole, Cole Connors van mijn werk. Ik heb je over hem verteld, hij is de man die personeel aanneemt voor de gevangenis. Ik probeer hem net zover te krijgen dat je langs mag komen voor een sollicitatiegesprek, dus ik hoop wel dat je vriendelijk en beleefd tegen hem geweest bent, Odell.' Ze lachte en ik hoorde hem ook lachen, al was het meer grinniken wat ik hoorde.

'Wat doet hij bij je thuis?'

'We zitten over jou te praten, dat zeg ik je net. Wat is er, Odell? Je klinkt alsof je ergens de pest over in hebt.'

'Nee, hoor.'

'O, nou, gelukkig dan maar. Waar bel je voor?'

'Ik vroeg me af hoe het straks met het eten moet.'

'Ja, dat vraag ik me voor mezelf ook af. Ik ben benieuwd of Cole me ergens mee naartoe neemt waar ze echte servetten hebben, en schoon bestek. Hij is nogal gierig, namelijk.'

Ik hoorde hem weer lachen en kreeg zo langzamerhand zin om zijn strot dicht te knijpen, en die van haar ook.

'Waarom ga je met hem mee uit eten?'

'Dat zég ik je toch? We hebben werkoverleg. Onder andere over jou. Jij bent een van de agendapunten. Had je verder nog wat te vragen?'

'Nee.'

'Nou, dan spreek ik je morgen wel weer.'

'Oké...'

Ze hing op. Ik keek nog een tijdje naar de telefoonhoorn, zonder al te veel te denken, en hing toen ook maar op en liep naar de voordeur om even op de veranda te gaan zitten voor wat frisse lucht. Net toen ik naar buiten wilde stappen, zag ik een kaartje op de vloer liggen en dacht dat Chet er voor de zekerheid nog een had neergelegd. Maar toen ik het opraapte, stond er 'Sharon Ziegler – Channel 12 News' op, met twee telefoonnummers, en daaronder had ze 'Zou u graag even spreken' geschreven. Ik was er waarschijnlijk overheen gestapt toen ik met Chet naar binnen liep. Nou, Channel 12 kon de pot op. Dan hadden ze hier gisteren maar moeten zijn toen die anderen er ook waren, en daar waren ze te beroerd voor geweest, dus bekijk het maar. Maar toen kreeg ik opeens een inval: als Lorraine met die Cole Connors naar een of ander sjiek restaurant ging, moest ik maar wat damesgezelschap voor mezelf regelen, kijken wat ze daarvan vond!

Het was allang na kantoortijd, dus toetste ik het tweede nummer in, van haar mobiel, en ze nam na een paar keer overgaan op.

'Hallo?' Ze heeft een hele sexy stem. Daar zal ze haar baan bij de tv wel mee gekregen hebben, denk ik zo.

'Eh, spreek ik met Sharon?'

'Dat ben ik, ja.'

'Nou, eh, je had een kaartje onder mijn deur geschoven, voor een gesprek.'

'Met wie spreek ik?'

'Odell Deefus.'

'Pardon?'

'Odell Deefus. Ik heb een kaartje van je gehad.'

'Ik geef zoveel mensen mijn kaartje. Waar gaat het over?'

'Ik pas op het huis van Dean Lowry.'

'O…' zegt ze, en ze klinkt opeens heel anders, 'o, oké… Neem me niet kwalijk, maar ik kende je naam niet. Mijn collega's zeiden dat er iemand in dat huis verbleef, maar niemand schijnt te weten hoe je heet. Hoe heet je precies?'

'Odell Deefus.'

'Genoteerd. Zouden wij eens kunnen praten, Odell?'

'Daar bel ik voor, ja. Ik heb zelfs wat voor op de voorpagina, als je dat wilt.'

'Gaat het over die moord?'

'Nee, over een andere die nog gebeuren moet, maar nu is het een beroemdheid.'

'En wie mag dat dan wel zijn, Odell?'

'Kom maar hiernaartoe, dan vertel ik het. Maar ik kan ook een ander Channel bellen, hoor, als je te druk bent.'

'Nee, nee… ik kom er meteen aan! Ik moet alleen even mijn cameraman ophalen, en dan zijn we er zo. Maar het is toch geen flauwe grap, hè?'

'Geen grap. Het is groot nieuws en jij kan de eerste zijn die het weet.'

Dit was natuurlijk een leugen. Ze zou de tweede zijn na Chet Marchand, maar daar komt ze toch niet achter, want Chet gaat met Preacher Bob praten en niet met de pers.

'Fantastisch, we zijn er zo!'

Ik hing op met een goed gevoel. Hoe groot was de kans dat Cole Connors ooit op het nieuws kwam? Heel klein, dacht ik zo, dus Lorraine zou voortaan weinig trek meer hebben in etentjes met die gozer. Of ze nu wel of geen werkoverleg met hem had, een vrouw wil het liefst met een man zijn die beroemd is. Al ben je nog zo lelijk, als je geld hebt of beroemd bent of allebei, lopen de vrouwen met je weg. Ik had weleens gelezen dat dit nog uit de tijd van de holbewoners kwam, dat de mooiste vrouwen toen al de beste jager uitkozen, want hij was een garantie voor eten. Tegenwoordig gaat het niet meer om jagen maar om beroemd zijn, maar de aantrekkingskracht komt nog steeds op hetzelfde neer. Er was nog geen halfuur voorbij toen ik ze al over de oprit hoorde komen. Het was geen busje zoals ik had verwacht, maar een personenwagen, maar dat maakte me niet uit. Aan de passagierskant stapte een magere vent uit met een camera op zijn schouder, en uit de andere kant een vrouw. Ze kwamen samen de treden van de veranda op en zij steekt heel vriendelijk haar hand uit met een glimlach en zegt dat ze Sharon is en dit hier is Huey. Ik nam ze mee naar binnen naar de zitkamer waar het comfortabel is. Sharon zag er niet zo knap uit als ik gedacht had, maar dat gaf niet, want ik zal degene zijn die in beeld is om te vertellen wat hij weet. En ik ben het waar Lorraine naar zal kijken.

Terwijl Huey zich klaarmaakte om te filmen, zei Sharon: 'Kun je alvast zeggen waar het over gaat, Odell? Dan kan ik daar een beetje op inspelen.'

'Het gaat over iets wat Dean zei voordat hij wegging met zijn islamietenbroeders.'

'Aha, en wat zei hij dan?'

'Dat hij senator Ketchum gaat doodschieten.'

'Dat méén je niet!'

'Jawel. Hij zei het luid en duidelijk. Je kunt me gerust aan de leugendetector zetten.'

'Nee, nee, ik geloof je. Maar geef me eerst maar eens wat achtergronden, Odell. Hoe je Dean hebt leren kennen en wat er vervolgens gebeurde, in je eigen woorden.' Ze draaide zich om naar de cameraman. 'Klaar?'

'Hij loopt.'

Sharon haalde diep adem en zegt: 'Hoe heb je Dean Lowry leren kennen, Odell?'

Dus ik vertelde het hele verhaal weer, alle leugens en waarheden precies zo door elkaar gemengd als ik ze aan Lorraine en Andy en Chet had verteld. Sharon stelde er af en toe een vraagje tussendoor om het allemaal wat duidelijker te krijgen, en ik werkte goed mee, en op het eind vraagt ze: 'Heeft Dean nog specifieke dreigementen geuit voor hij verdween?'

'Ja, eentje. Hij zei dat hij senator Ketchum wil gaan doodschieten, omdat die veel te goed doorheeft hoe het zit met alle terroristen die zich hier in Amerika verbergen. Hij zei het heel duidelijk: die senator moet eraan met al zijn geklets op tv.'

'Dus jij vond het je plicht om de senator van dit gevaar op de hoogte te stellen.'

'Precies. Er wordt al veel te veel geschoten op de wereld, en dat moet maar eens ophouden, al denk ik niet dat dat gebeurt, eerlijk gezegd.'

'Heb je enig idee wat voor wapens hij tot zijn beschikking heeft?'

'Nee. De politie heeft zijn jachtgeweer meegenomen, maar ik weet niet wat hij verder nog verstopt had. Voor zo'n moord op een senator heb je op zijn minst een geweer met een telescoop nodig, denk ik zo.'

'En liet Dean Lowry nog iets los over het moment waarop hij de aanslag wil plegen?'

'Waarschijnlijk tussen nu en de verkiezingen.' Dit nam ik van Chet over, maar dat zou hij vast niet erg vinden.

'Hoe groot is zijn toewijding aan de zaak van de terroristen, denk je?'

'Heel groot. Hij zei dat moslims op iedere vraag het antwoord hadden en wij niet. Hij had hier ook boeken over, en die heeft hij me laten zien.'

'Heeft hij nog pogingen gedaan om jou te bekeren, Odell?'

'Hij heeft het wel geprobeerd, maar ik zei vergeet het maar. Ik heb geen groene boeken nodig om te weten hoe ik moet leven.'

'Werd hij daar kwaad om?'

'Nee, kwaad was hij alleen op senator Ketchum.'

Ze vroeg nog wat dingetjes en toen waren we klaar. Huey ging aan de andere kant van de kamer staan en begint Sharon te filmen die in mijn richting kijkt en gaat zitten knikken. Ik vroeg waar dit voor was en zij zei: 'Dit zijn *reaction shots*, Odell, voor de montage. Je snapt het wel als je het op tv ziet.' Ze keek op haar horloge. 'Oké, Huey, als we opschieten kan het nog mee op het tienuurjournaal, kom op.'

Huey klapte zijn kleine videoschermpje op zijn camera en ze lopen meteen de kamer uit. 'Dank je wel, Odell,' zegt Sharon over haar schouder. 'En bel me als je nog ander nieuws hebt.'

'Oké.'

En weg zijn ze, als de sodemieterij het erf op en er als de brandweer vandoor. En nu het allemaal achter de rug was, vroeg ik me af of ik er nu echt wel goed aan had gedaan, het hele land in paniek schoppen om iets wat nooit zal gebeuren, maar toen dacht ik: niemand heeft er echte schade van en het helpt misschien wel met Lorraine, je weet maar nooit.

En ik bedenk opeens dat ik door alle rompslomp nog steeds niet gegeten heb! Snel naar de kelder en ik gooide weer een pizza in de oven. Ik had het eigenlijk wel een beetje gehad met pizza's, maar er liggen geen diepvriesmaaltijden meer in, zoals op die eerste avond met Dean. Als ik toen toch eens geweten had dat ik met een adder aan mijn borst zat te eten. Dean had toen nog een prima gozer geleken, en het was eigenlijk toch wel jammer dat hij nu een wolf in een schapenvacht bleek te zijn met al dat terreurgedoe, maar het bewees maar weer eens dat je nooit op iemand zijn uiterlijk moet afgaan.

De pizza ging wel, extra dik met rundergehakt, maar ik wist haast wel zeker dat Lorraine en Cole iets lekkerders zaten te eten, wat me nog steeds dwarszat, al zag ik nu wel in dat Lorraine het echt alleen maar deed om mij aan een baan in de gevangenis te helpen. Ik was gewoon jaloers, dat zag ik nu zelf ook wel in, en als je jaloers bent, zie je dingen die er helemaal niet zijn. Maar ik had er toch geen spijt van dat ik met Sharon had gesproken, want het was mijn plicht om te zeggen wat ik wist voor de veiligheid van senator Ketchum, de man die bijna zeker onze volgende president wordt, dus ik had in wezen het leven van de president gered! Dat zouden de mensen tenminste denken, en dan was het eigenlijk ook zo.

Ik maakte me nergens meer druk om en wachtte rustig op het journaal van tien uur en zat ondertussen op mijn gemak te zappen, een paar seconden hier en een paar seconden daar, van rotzooi naar rotzooi. Het is een opwindend iets om op het nieuws te komen als je dat nog nooit hebt meegemaakt, en ik had het nog nooit meegemaakt, al was het me in Yoder één keer gebeurd dat iemand van de streekkrant vragen aan mij stelde over een tienerzelfmoord die daar was gepleegd. Ik was toen namelijk op weg naar huis geweest via het oude kerkhof waar nog pioniers liggen en zo, met heel oude grafstenen die schots en schuin staan en je kunt de namen niet eens meer lezen, en toen zag ik een jongen op de grond liggen met een gezicht dat helemaal blauw was. Dat laatste zal ik nooit meer vergeten. Zijn gezicht was helemaal blauw en hij was dood, dat zag ik meteen omdat hij daar zo roerloos tussen een paar graven lag. Ik liep door naar huis en vertelde het aan mijn moeder, die toen nog leefde, en zij belde onze politieman, want we hadden er maar één omdat Yoder zo'n klein plaatsje is. Nou, om een lang verhaal kort te maken had deze jongen, Anfer Sheen heette hij, enorme ruzie gehad met zijn meisje, die hem gedumpt had voor een ander, waarna hij de pillen had gepikt die zijn moeder voor god-mag-weten-wat slikte en hij gooide het hele flesje in één keer door zijn keelgat op de stille plek die dat kerkhof was omdat er nooit iemand kwam. En een dag of wat daarna kwam die man van de streekkrant bij ons thuis om mij allemaal vragen te stellen. Ik was een jaar of elf. Maar dat was dus niet het tv-journaal geweest, dus het stelde niks voor in vergelijking met dit, ook al omdat ze mijn naam niet eens afdrukten in dat artikel over Anfer Sheen. Ze noemden me alleen maar een 'jeugdige plaatsgenoot'.

Om even voor tien zegt de nieuwslezer dat het journaal straks een schokkende nieuwe ontwikkeling heeft in de zaak rond moordenaar Dean Lowry. Ik belde Lorraine om te zeggen dat ze snel de tv aan moest zetten, maar er werd niet opgenomen dus ze zit nog steeds met die vent in dat restaurant over mijn nieuwe baan te vergaderen. Toen de reclame voorbij was en het nieuws begon, dacht ik dat ik het eerste grote onderwerp zou zijn, maar dat ging over een aardbeving in China waarbij duizenden Chinezen zijn omgekomen. Normaal hebben ze daar overstromingen waar ze met zijn allen aan doodgaan, maar nu was het dus een aardbeving. Er waren vreselijke beelden van verwoesting en lijken, en toen gingen ze verder over andere dingen die gebeurd waren, en toen was het tijd voor reclame, maar voor die begon zeiden ze weer dat er een schokkende nieuwe ontwikkeling kwam, en daarna dus een hoop gelul over shampoo en zo, en ik vol ongeduld wachten tot het voorbij is. Maar toen het voorbij was, kwamen er toch weer een paar onderwerpen waar ik niks mee te maken had en ik begon behoorlijk kwaad te worden en wenste dat ik Sharon niet gebeld had, maar toen kwam-ie dus, de schokkende nieuwe ontwikkeling.

Ik bekeek mezelf heel nauwkeurig om te zien of ik foutjes had gemaakt, maar dat had ik niet. Ik had niet eens in de camera gekeken terwijl ik geïnterviewd werd, wat mensen soms doen, en dat staat ontzettend dom als dat gebeurt. Maar ik deed het dus niet en ik vond dat ik ijzersterk overkwam. Ze hadden hier en daar een stukje uit mijn verhaal geknipt, maar het meeste was er nog en precies zoals ik het verteld had, met af en toe Sharon in beeld die dan heel begripvol zat te knikken, waardoor het een echt gesprek leek, dus nu snapte ik waarom.

De telefoon ging en het was Lorraine, wat ik niet verwachtte.

'Odell,' zegt ze, 'ik zag je daarnet op tv.'

'Ja.'

'Had je me helemaal niet verteld, dat je op het nieuws zou komen.'

'Ze zijn hier vanavond pas geweest, voor een speciaal interview over de nieuwe ontwikkeling die aan de gang is.'

'Heeft Dean dat echt zo gezegd, over die aanslag?'

'Ja.'

'Waarom heb je mij dat niet verteld dan?'

'Het was me ontglipt, maar opeens wist ik het weer. Dingen die Dean tegen me gezegd heeft zijn nu groot nieuws.'

'Maar je hebt ze niks over dat andere verteld, hè?'

'Welk andere?'

'Dat hij die nacht in je oor zat te fluisteren, daar heb je toch niks over gezegd, mag ik hopen. Want dat zou heel pijnlijk zijn. Vooral voor Bree. Die was heel ouderwets in die dingen.'

'Maar ze kan het nu toch niet meer horen?'

'Nee, dat weet ik óók wel, maar ik vind gewoon dat het andere mensen niks aangaat. Het is privé en het staat los van wat hij met die terroristen doet, dus het hoeft niet in de openbaarheid. Dus hou je mond erover, al was het maar voor mij, oké?'

'Oké.'

'Zeg, ik heb het met Cole over een baan voor jou gehad. Hij zei dat je morgen over een week maar naar de gevangenis moet komen, volgende week vrijdag dus, dan wil-ie met je praten. Volgens mij maak je een goede kans, Odell.'

'Oké, ik zal er zijn.'

'En, krijg ik nog een bedankje?'

'Natuurlijk. Dank je wel.'

'Geen dank. Maar, eh, jij denkt dus echt dat Dean een aanslag op senator Ketchum gaat plegen?'

'Dat zou best kunnen, ja. Hij is er gek genoeg voor.'

Ze zuchtte heel treurig en zei: 'Wat zou dat een schande voor de familie zijn, als dat gebeurde. Dan komt hij in alle geschiedenisboeken, net als de moordenaars van JFK en John Lennon. En ik zou een andere naam moeten nemen. Dan moet ik maar trouwen of zo, Odell.'

'Lijkt me een goed idee.'

'Afijn, ik wou alleen maar even zeggen dat ik je op tv heb gezien.'

Achter haar stem hoor ik opeens gerinkel van een glas dat breekt, of een fles.

'Wat was dat?' vroeg ik.

'Wat was wat?'

'Dat geluid, alsof er glas kapotvalt of zo.'

'O, dat is de kat die wat van het aanrecht duwde.'

'Ik wist niet dat je een kat had.'

'Hij is van de buren. Ik pas er alleen maar op.'

Achter haar begon de kat te vloeken als een dronken kerel.

'Nou, ik spreek je snel,' zei ze, en ze hing meteen op.

Ik hing met veel zelfbeheersing op om te voorkomen dat ik de telefoon van de muur ramde. Misschien was het de buurman die zijn kat kwam ophalen, en die kat wilde natuurlijk niet weg want hij vindt het veel te leuk bij Lorraine, dus rende hij weg en viel er iets kapot. Ja, zoiets zou het wel geweest zijn, dus ik moest er maar niet meer over piekeren. Piekeren is niet altijd verstandig, is mijn ervaring, want voor je het weet zit je klem tussen allerlei ideeën en weet je van ellende niet meer wat waar is en wat niet, dus gepieker moet je zo snel mogelijk van je afzetten.

Wat me ook lukte, met hulp van de Captain.

En toen ging de telefoon weer en ik nam snel op, want het was vast

Lorraine omdat die buurman nu weg was met zijn kat, dus ze voelde zich eenzaam en wilde gezelschap. Maar ze was het niet.

'Odell?'

'Ja?'

Het is een mannenstem.

'Met Andy Webb spreek je. Ik hoor net dat jij vanavond op het nieuws was met een verhaal over Dean Lowry die senator Ketchum wil vermoorden, klopt dat?'

'Dat klopt.'

'Tja, dan vraag ik me af waarom je dat voor mij hebt verzwegen toen we elkaar gisteren spraken. Of denk je soms dat je zoiets belangrijks beter aan de pers kunt vertellen dan aan de politie? Denk je dat misschien, Odell?'

'Eh...'

'Is er trouwens iets van waar? Als het waar is, waarom heb je het dan niet tegen de tv-ploegen gezegd die gisteren bij je waren?'

'Ik was het vergeten, en het schoot me vandaag pas weer te binnen.'

'Aha. Nou, voortaan bel je mij, afgesproken? Ik wil niets meer uit de tweede of derde hand horen. Ik had die informatie gisteren al aan Homeland Security kunnen doorgeven, en nu moet ik ze uitleggen waarom ze het een dag later via de pers moeten vernemen. Bij Homeland hebben ze er een hekel aan om niet goed geïnformeerd te worden, Odell. Als ik jou was, zou ik dat goed voor ogen houden als ze binnenkort contact met je opnemen. Met hen kun je niet zo laks zijn als met mij, oké?'

'Oké.'

'Godverdomme!' hoor ik hem zeggen, en hij smeet de hoorn op de haak. Of misschien hing hij wel op een normale manier op, want dat klinkt hetzelfde, maar volgens mij smeet hij hem erop. Nu heb ik dus het hoofd van politie kwaad gekregen, wat nooit goed is, dus zocht ik maar weer troost bij mijn oude vriend de Captain.

ACHT

Toen ik de volgende dag aan mijn middagpauze begon, kwam ik langs een kiosk en zag dat het nieuws de voorpagina had gehaald, met een foto van Dean en daarnaast een foto van de senator met een gekruiste cirkel om zijn hoofd alsof je hem door een geweertelescoop bekeek, en de kop was DOELWIT! Ik kocht een krant en las hem terwijl ik mijn burger at, en het stond er min of meer precies zoals ik het aan Sharon Ziegler had verteld. Ze had haar eigen naam ook in het artikel gezet, en die van mij. Dit was de eerste keer dat ik mezelf in de krant zie staan en het gaf me een eigenaardig gevoel in mijn borst, zo sterk dat ik moest ophouden met kauwen tot het weer wegtrok. Ik ben beroemd!

Na mijn middageten kocht ik nog een stuk of acht kranten en ging weer verder met het maaien van gazons, wat nu niet helemaal juist meer voelde omdat ik op de voorpagina stond. Ik moest wel de beroemdste maaier uit de hele geschiedenis van het grasmaaivak zijn, en ik deed het nog maar net een week, over vooruitgang gesproken.

Na de vierde klus van de dag zette ik net de maaier met de grasopvangzak in de laadbak toen er achter me een auto parkeerde. Het was een beige Cadillac, met Chet achter het stuur. Hij stapte uit en kwam op zijn gemak naar me toe. Hij had zijn jasje uit, dus je kon wel zien hoe heet het was, want Chet is zo iemand die zijn jasje net zo lang aanhoudt tot iemand zegt dat hij het uit mag trekken. Ik vond hem nog steeds op een zakenman lijken in plaats van iemand die voor het geloof werkt, maar misschien kwam dat alleen maar door de Cadillac.

'Hoe gaan de zaken, Odell?'

'Goed. Dat gras groeit steeds weer terug, hè?'

'Ja, zoiets zegt mijn kapper ook altijd,' zei hij, en dat leek me ook wel logisch, want kappers hebben natuurlijk ook gazons, net als andere mensen.

'Ik zie dat je de kranten hebt gehaald.'

'Ja.'

'Je begint een hele beroemdheid te worden.'

'Ja.'

'Maar dat gras moet nog steeds gemaaid worden, nietwaar?'

'Zo is het.'

Hij keek naar de twee maaiers in de laadbak, en hij zegt: 'Dus je blijft dit voorlopig nog wel doen, denk ik zo.'

'Ja, tot ik die nieuwe baan krijg.'

'Nieuwe baan? Wat voor nieuwe baan, Odell?'

'In de gevangenis. Ik heb volgende week een afspraak voor een gesprek met ze.'

'En wat voor werk zou je dan gaan doen?'

'Bewaarder. Schijnt heel makkelijk werk te zijn. Ze hebben camera's die opletten of iedereen zich aan de regels houdt.'

'Weet je wel zeker dat je dat liever doet dan lekker in de buitenlucht werken?'

'Nou, grasmaaien is ook wel oké, het verdient genoeg, maar het is niet wat ik als carrière in mijn hoofd had.'

'Wat had je dan gewild?' vroeg hij.

'Nou, ik dacht eigenlijk aan het leger. Maar daar kwam dat maaien opeens tussendoor. Ze hadden hier een rekruteringsbureau, maar dat hebben ze gesloten en nu moet je helemaal naar Manhattan om je aan te melden. Maar wel Manhattan in Kansas, hoor, niet in New York.'

'Da's een riskant beroep, Odell. Gevaarlijker nog dan gevangenbewaarder. Zou dat nu echt een goede stap zijn, denk je?'

'Nou, ik wilde het gewoon proberen.'

'Weet je, ik heb het met Preacher Bob over jou gehad. We vroegen ons af hoe wij je konden helpen, wat werk betreft.'

'Nou, bedankt, maar ik zou niet zo goed over God kunnen praten, denk ik.'

'Nee, we dachten meer aan een steuntje in je rug met dit werk, grasmaaien.'

'O ja?'

'Ja, en we hebben iets bedacht dat jou heel goed van pas zou komen in je bedrijfsvoering.'

'Een maaier waar je op rijden kunt?'

'Nee, wij dachten meer aan een mobiele telefoon.'

'O ja?'

'Want zie je, Odell, als iemand nu van jouw diensten gebruik wil maken, belt hij het nummer van je huisaansluiting, maar daar wordt natuurlijk niet opgenomen. Met een mobiel toestel en een paar advertenties kun je ervoor zorgen dat mensen je voortaan bereiken kunnen terwijl je aan het werk bent. Dat zou een hele stap vooruit zijn, denk je ook niet?'

'Ja.'

'Dus Bob en ik willen je graag zo'n toestel cadeau doen.'

'Cadeau?'

'Ja, je mag er een kopen op onze kosten. Ik reed vanochtend door de stad en zag dat ze een actie hebben bij The Telephone Store in Torrence Street. Interessante aanbiedingen, maar alleen deze week. Dus ik zou zeggen, wacht niet tot na het weekend, rust zaterdag lekker uit van deze zware week en ga er nu meteen naartoe. Pak je kans en koop zo'n mooi toestel tegen een aantrekkelijke korting. Ik heb er zelf ook een en zou er niet meer buiten kunnen. Lijkt het je wat?'

'Ik, eh… nou.'

Hij trok zijn portemonnee en haalde er een paar biljetten uit.

'Hier heb je vierhonderd dollar, dan kun je iets moois uitzoeken, met een abonnement op maat.'

Hij hield het geld voor me op. Weigeren was onbeleefd, dus ik pakte het aan.

'Weet je het zeker, Chet?'

'Heel zeker, Odell. Dit is precies wat je nodig hebt, echt.' Hij keek op zijn horloge. 'Welnu, ik heb nog het een en ander te doen, dus ga fijn op je gemak een toestel uitzoeken, ze hebben talloze modellen, en als je er straks een hebt, zou ik het leuk vinden wanneer je mij als eerste belde. Heb je mijn kaartje nog?'

'Tuurlijk, in mijn portemonnee.'

'Mooi, dan houd ik je niet langer op. Ik wens je alvast veel plezier met je nieuwe telefoon. Reuze praktisch, zo'n ding, geloof me.'

Hij lachte nog even vriendelijk en stapte in zijn auto terwijl ik daar met dat geld in mijn hand sta. En toen zwaaide hij en reed weg. Ik stak het geld in mijn zak en vond dat Chet en Preacher Bob net een paar aardige ooms waren die goed voor me zorgden. En Lorraine zorgde ook voor me, maar dan als een, eh... zuster of zo. Nou, ik zou ze geen van drieën teleurstellen.

Ik deed wat Chet had gezegd en reed meteen naar die winkel en zag dat ze alle soorten telefoons hadden. Telefoons voor op een bureau, in zo'n houder met allemaal knopjes, en telefoons die je aan de muur kon hangen maar ook op tafel kon zetten als je dat liever deed, te veel om op te noemen, en in meer kleuren dan ik geweten had dat je er telefoons in had, rood en geel en blauw, en zelfs een roze, maar dat was meer voor een vrouw, vond ik.

Er kwam een jonge gozer naar me toe. Hij had kortgeknipt haar met een hoop vet erin om het in van die puntjes omhoog te laten staan. 'Wat kan ik voor u doen?'

'Ik wil een telefoon,' zei ik. 'Zo'n kleintje om mee te nemen als je van huis gaat.'

'Ons mobiele assortiment hebben we hier,' zegt hij terwijl hij een vitrine aanwijst. 'We hebben deze week een speciale actie.'

Chet had gelijk, er hingen talloze mobieltjes achter het glas, honderden misschien wel, in allerlei kleuren maar ook met plaatjes. De gozer begon meteen te ratelen over abonnement x waarmee je zoveel gratis minuten per week kreeg of abonnement y met een andere regeling of abonnement z met weer een andere regeling. Het viel niet te begrijpen, zo snel stond hij te kletsen, dus liet ik hem kletsen en keek op mijn gemak wat het juiste mobieltje voor me was, en ik kwam uit op twee die ik allebei wel mooi vind om te zien. Het eerste had een plaatje van Bart Simpson, die als het ware het schermpje in zijn hand omhooghield, en het andere was heel mooi zilverachtig groen, maar zonder plaatje, alleen dat groen. Ik had veel zin in Bart, maar dan zouden de mensen zeggen dat het een kindertelefoontje is wat ik heb, dus dwong ik mezelf om de groene te kiezen.

'Doe me die maar.'

'Ah, de nieuwe Fumatsu negen-nul-negen,' zegt hij. 'Goede keus, en we hebben er een speciaal beginnerspakket voor, waarmee u meteen kunt bellen.'

Hij legde alles uit, wat de nieuwe Fumatsu allemaal doet, met tekstberichten en zo, en ik begreep er weer niks van, maar in dat pakket zit vast wel een boekje waarin ze ook alles uitleggen, maar dan langzamer, zodat het een beetje te volgen valt. Maar het mooiste is een klein cameraatje in het uitklapdekseltje, waarmee je filmpjes kunt maken die je meteen kunt verzenden naar degene met wie je belt! Ja, met zoiets als mogelijkheid heb ik zeker de goede keuze gemaakt. Hij noteerde een heleboel gegevens over mijn naam en adres en zo, en zegt dat het nummer binnen tien minuten geactiveerd zal worden en dan is het toestel officieel mijn eigendom. Ik gaf hem het geld en kreeg nog wat wisselgeld terug ook, dus Chet had het behoorlijk goed geschat. Het mobieltje lag glad en aangenaam in mijn hand, waardoor ik alleen nog maar zekerder wist dat het de goede keus was.

Het volgende wat de gozer met het puntjeshaar deed, was me laten zien hoe ik de ringtone kon kiezen, waaraan je kunt horen dat je gebeld wordt, en ook daar was de keuze echt in overvloed, van Beethoven tot een stemmetje dat gilt: 'Neem op, sukkel!' Dat laatste was wel grappig, maar ik laat me natuurlijk geen sukkel noemen, dus koos ik een melodie die ik heel goed ken, namelijk 'Greensleeves', wat we altijd op school zongen toen ik nog klein was. *'Come come come away with me, where the grass grows wild and the wind blows free…'* wat op zich ook wel grappig is voor iemand die ervoor zorgt dat er juist geen wildgroei van gras komt.

'Ja, mooi,' zegt de gozer met het puntjeshaar, maar ik kon aan hem zien dat hij het niet meende. Hij vindt het waarschijnlijk niet cool om zo'n mooi melodietje te hebben. Zijn eigen mobieltje zal wel zeggen: 'Neem op of ik trek je kop van je romp, klootzak!' Moet hij weten. Ik vind Greensleeves mooi.

Zodra ik op straat stond, belde ik Chet op. Het viel niet mee om die piepkleine knopjes een voor een in te drukken met die grote dikke vingers van mij, maar ik werd er al snel handig in, en de cijfers kwamen gelijk op het schermpje te staan, dus ik kon zien of ik het goed deed. Chet nam meteen op.

'Hé, Chet, ik ben het, Odell.'

'Odell, jongen, dat is snel!'

'Ja, ik wilde gelijk maar even mijn kans slaan met die voordelige actie. Ik heb een groene genomen. Heel mooi zilverachtig groen. Die dingen zijn nog kleiner dan ik dacht.'

'Ja, zo'n compact model kun je gewoon in je borstzak dragen, merk je niets van,' zegt hij. 'Ik sla nu meteen je nummer op.'

'Maar dat heb ik je nog niet gegeven.'

'Als iemand je belt, verschijnt zijn nummer op je display, Odell. Is het niet fantastisch, die digitale technologie?'

'Nou.'

'Ik wens je er veel plezier mee, Odell. En bel me als je ergens over praten wilt, het maakt niet uit wat.'

'Zal ik doen, Chet, en bedankt voor het mobieltje, ik vind het heel mooi. Bedank je Preacher Bob ook van me?'

'Zal ik doen. Tot horens!'

Ik was halverwege mijn klus op nummer 9846 in Siefert Street, een simpel gazonnetje van veertig dollar, toen ik de prachtige melodie uit mijn borstzak hoorde komen. Mijn mobieltje ging! Dat moest dus Chet zijn, want hij was de enige die tot nu toe mijn nummer kende. Ik viste het uit mijn zak en drukte op de langwerpige knop waarmee je opneemt, maar ik kon Chet niet horen vanwege de herrie van de maaier, dus zette ik die af en nu hoor ik hem wel.

'Odell?' zegt hij.

'Ja?'

'Odell Deefus?'

Het is Chet niet maar een andere man.

'Ja.'

'Goeiemiddag, Odell, je spreekt met agent Jim Ricker van Homeland Security.'

'O.' Mijn hart gaat opeens van *bonkebonkebonkebonk*, het is Homeland Security! Maar ik had ze mijn nummer niet gegeven, dus hoe kon dat nou?

'Alles goed met je?'

'Gaat wel, ja.'

'Mooi zo. Luister, Odell, wij zijn een onderzoek gestart naar Dean Lowry,' zegt hij. 'Heb je nog iets toe te voegen aan wat je gisteren aan

Sharon Ziegler hebt verteld? Zijn je in de tussentijd alweer dingen te binnen geschoten over die idioot?'

'Eh, nee.'

'Want wij willen alles als eerste horen, Odell, en als enige. Van nu af aan praat je alleen nog met mij en met niemand anders. Niet met de pers, niet met de tv, zelfs niet met die politiechef van jullie daar in Callisto. Ik ben de enige aan wie je dingen toevertrouwt, oké?'

'Oké. Geef me uw nummer dan maar even.'

'Staat op je display. Druk op het hekje, kies "contacten", kies "toevoegen". Mijn nummer is nu het belangrijkste nummer dat je hebt, begrepen? Als Dean Lowry contact met je opneemt, wil ik dat onmiddellijk weten, al is het midden in de nacht. Begrijp je me, Odell?'

'Ja.'

'Heb je mijn nummer al ingevoerd?'

'Wacht even… ik heb nogal grote vingers…' Het was heel moeilijk, omdat ik het toestel dicht bij mijn gezicht moest blijven houden om hem te kunnen verstaan. 'Hekje… oké, toevoegen.'

'Goed zo, druk maar op "ok".'

'Oké…'

'Toe maar, Odell. Hij bijt niet.'

'Nee, ja… ja, gelukt.'

'En nu typ je mijn naam, J-I-M.'

'Ze zijn zo klein, die knopjes… Oké, gelukt.'

'Gefeliciteerd,' zei hij, maar het klonk een beetje sarcastisch zoals hij het zei.

'Maar hoe komt u aan míjn nummer?' vroeg ik. 'Ik heb dit mobieltje net.'

'Heb ik van een heel klein vogeltje gehoord,' zei hij. 'Zeg, ik zou trouwens een andere ringtone kiezen als ik jou was. Je hebt nu dezelfde als mijn dochtertje van negen.' Hoe kon hij verdomme weten wat mijn ringtone was? 'Nog één keer, Odell,' zegt hij, 'vanaf nu vertel je alles alleen nog maar aan mij, is dat duidelijk?'

'Ja.'

Hij hing op. Ik staarde naar het mobieltje in mijn hand. Nu was ik écht belangrijk. Homeland Security had mijn nummer en ik had dat van hen, zodat ik ze dag en nacht kon bellen om nadere informatie te melden over Dean. Het punt was alleen wel dat er geen nadere informatie zou komen, vanwege het simpele feit dat Dean morsdood was, en dat kon een probleem gaan worden als agent Jim Ricker toch nadere ontwikkelingen wilde horen.

Het was naar om te weten dat Dean dood was, bijna nog naarder dan het besef dat ik degene was die hem dood had gemaakt. Dankzij mij ging Jim Ricker een teleurstellende tijd tegemoet. Zijn kleine vogeltje zou hem niets meer vertellen dat hij al niet wist, en het meeste daarvan was nog gelogen ook. Als het tegenzat, kreeg ik hier weer eens de problemen mee die ik mijn hele leven al heb, als gevolg van verkeerde beslissingen en domme plannen die ik beter niet had kunnen maken, al is het moeilijk om op het moment zelf te weten of je een goede beslissing neemt of een slechte, omdat je de gevolgen dan nog niet ziet.

In heel Amerika hadden mensen het nu over Dean en zijn misdadige complot om de senator te vermoorden. Iedereen zat in angst, en de senator zelf nog wel het meest. Zijn vrouw zou wel zeggen: 'Ik wil niet dat je vandaag de deur uitgaat, want Dean Lowry zal wel op je loeren!' Maar hij ging toch, want de staatszaken moeten hoe dan ook doorgaan. En dit idee had iedereen natuurlijk van senator Ketchum, dus zou iedereen op hem stemmen omdat hij zo moedig was om gewoon zijn werk te blijven doen, ondanks de dreiging die hem boven zijn hoofd hing. En dat terwijl er helemaal geen Dean Lowry meer was. En ik ben de enige in het hele land die dit weet. En als ze erachter komen dat ik lieg, zit ik ontzettend in de knoei, dat was wel duidelijk. Dus wat ik moest doen was op mijn Grote Geheim blijven zitten als een broeierige kip op haar eieren, alleen wil die kip dat haar eieren ten slotte uitkomen en dat wil ik juist niet, want dan komen er geen kuikentjes uit maar hele lelijke monsters.

Ik stopte het mobieltje weer in mijn borstzak, waar het opeens heel zwaar woog. Ik kalmeerde mezelf met de gedachte dat ik gewoon mijn kiezen op elkaar moest houden en dat alles dan wel weer goed kwam. Als ik mijn mond hield, ging de tijd vanzelf voorbij en werd Dean Lowry net zo'n bedreiging voor de samenleving als Jesse James of John Dillinger, die ook dood en begraven zijn. Blijf stil en alles waait vanzelf weg, dacht ik, en in de tussentijd heb je een goede baan bij de gevangenis en wil Lorraine misschien wel met je trouwen. Oké, ze is een oudere vrouw dan ik, maar nog steeds heel aantrekkelijk met goede rondingen, dus wilde ik best met haar trouwen, en zij waarschijnlijk ook met mij, want ik ben betrouwbaar met mijn vaste inkomen van de gevangenis, wat vrouwen heel belangrijk vinden in een man, zeker als je inkomen niet alleen vast is maar ook hoog, en het zou vast hoger zijn dan mijn inkomen nu als grasmaaier.

Het zou prettig moeten voelen om op vrijdagmiddag thuis te komen met het weekend voor de boeg om uit te rusten en plezier te maken. Maar zo voelde het niet toen ik de pick-uptruck naast mijn Monte Carlo in de schuur zette en de plastic zakken met maaisel uit de laadbak tilde om ze leeg te gooien op de grashoop verderop. De reden hiervoor was dat het weekend er is om met mensen te zijn, je vrienden en familie, en die had ik momenteel niet. Niet in dit huis, tenminste. Hier had ik alleen mezelf, en in zekere zin Dean, maar hij telde natuurlijk niet echt als gezelschap.

Toen ik de zakken had leeggegooid, ging ik het huis binnen en nam een douche, waarna ik aan de keukentafel ging zitten. Ik vond het jammer dat ik niet rookte, want dit was echt een moment voor een sigaret en een biertje, wat ik ook al niet had, alleen een kwartvolle fles Captain Morgan, en daar was ik niet voor in de stemming. Toen de telefoon ging, de oude aan de keukenmuur, niet mijn nieuwe mobieltje, was dat min of meer een opluchting want ik had al een hele tijd voor me uit zitten staren.

'Hallo?'

'Odell, Chief Webb hier.'

'O, hallo, Chief.'

Dit leek geen goed nieuws te gaan worden, want deze man mocht me niet. Maar hij verraste me met de vraag die hij stelde: 'Heb jij plannen voor deze zaterdag?'

Hij had waarschijnlijk spijt van zijn harde woorden van vanochtend en wilde het goed maken met een uitnodiging om bij hem te komen barbecuen, gezellig met zijn hele familie.

'Nee, hoor, ik ben nog helemaal vrij.'

'Mooi, want ik stuur een agent langs om de tuin te filmen.'

'Pardon?'

'Hij is om een uur of tien bij je.'

'Filmen?'

'Ja, dat graf dat Dean gegraven heeft en weer dicht heeft gegooid. We moeten het op video hebben dat het wordt uitgegraven en dat er niks gevonden wordt.'

'Maar, eh… jullie hebben het toch al uitgegraven?'

'Weet ik, maar dat hebben we dus niet op video. Hij komt ook het huis filmen, boven en beneden, van kamer tot kamer.'

'Waarom?'

'In opdracht van Homeland Security. Ze willen de exacte indeling van het huis weten, voor als ze het willen bestormen. Dan schieten ze het namelijk vol traangas, dus ze willen van tevoren weten hoe alles eruitziet.'

'Maar waarom zouden ze het bestormen? Denken ze soms dat Dean hier terugkomt om er een fort van te maken of zo?'

'God mag weten wat ze denken, het is Homeland Security. Maar als zij willen dat ik iemand naar je toe stuur, dan doe ik dat. Ik stuur er overigens maar één, want de high school heeft hier morgen een honkbalwedstrijd en daar komen mensen uit de hele streek op af, dus er valt een hoop verkeer te regelen.'

'Maar… als die ene man moet filmen, wie graaft er dan?'

'Tja, dat zal jij dus moeten doen.'

'O.'

'Het is een hoop gedoe, maar dat krijg je als Homeland ergens instapt. Als jij niet gezegd had dat Dean moslim is geworden, was dit een doodgewone moordzaak geweest. Maar nu geldt hij als terreurverdachte en moet er van alles dat anders niet zou hoeven, zoals het maken van een videoverslag. Maar goed, jij bent gelukkig bereid om te spitten. De politie van Callisto is je zeer erkentelijk voor je spontane medewerking. Morgenochtend, tien uur.'

En hij hing op, die klootzak. Misschien stond hij wel onder druk nu er een senator met de dood werd gedreigd, maar het kon ook zijn dat hij gewoon wraak op me nam vanwege de uitbrander van Homeland omdat ze het nieuws over senator Ketchum op tv hadden moeten horen. Wat het ook was, ik kon aan de bak, want Dean moest nu weer snel die kuil uit, dus moest ik gaan graven en werd ik weer smerig terwijl ik net had gedoucht.

Ik maak het niet vaak mee dat ik ontzettend de pest in krijg, maar ik kreeg het wel toen ik de handschoenen en de schop ging pakken. Het was gewoon sollen met een overledene wat hier gebeurde, heel oneerbiedig, ook al was het een moordenaar. Elke overledene heeft het recht om vreedzaam onder de grond te blijven liggen als hij eenmaal begraven is, in plaats van voortdurend heen en weer te worden gesleept zonder goede reden. De geest van Dean zou hier niet blij mee zijn.

Ik stond te graven als een graafmachine, zo kwaad was ik. Niet omdat het zwaar werk was, want de aarde was nog los na drie keer opgraven, inclusief de keer dat Dean voor het eerst een kuil had gegraven. Nee, het was de onnodigheid en de pure tijdverspilling die me kwaad maakte. En ik werd alleen maar kwader, en toen ik Dean bereikte was ik echt razend en het kan zijn dat ik een beetje ruw met hem omsprong toen ik hem eruit haalde. Ik droeg hem naar de grasmaaiselhoop, door mijn mond ademend omdat hij erger stonk dan ik ooit had geroken. Hij was nu vier dagen dood en daar liet hij geen misverstand over bestaan. Bij de grashoop legde ik hem op de grond, slikte mijn kotsneiging weg en maakte een grote opening in het maaisel, en daar wilde ik hem net instoppen en dan toedekken met afgemaaid gras, toen ik me bedacht dat zijn stank daar heel gemakkelijk doorheen zou komen, wat de videoagent zeker zou ruiken en dan was ik erbij.

Dean moest stankdicht worden gemaakt, dus haalde ik twee van de grote plasticzakken waar ik normaal maaisel in opving, en trok die over hem heen, een vanaf de bovenkant en een vanaf de onderkant, waarna ik een rol afplakband van Deans werkbank in de schuur ging halen en de twee zakken zo goed mogelijk op elkaar afplakte. Toen ik klaar was, rook je hem nauwelijks meer, en dat kleine beetje stank kwam waarschijnlijk van mijn hemd omdat ik hem tegen me aan had gehouden toen ik hem droeg. Het was achteraf niet slim geweest om hem alleen maar in een beddenlaken te wikkelen, maar het probleem was nu verholpen. Ik stopte hem diep weg in de grashoop en dekte hem toe met bijna een meter gras. En toen ging ik naar binnen en nam maar weer een douche en stopte al mijn kleren in de wasmachine, wat geen overbodige luxe was, geloof me. En toen maakte ik maar weer een pizza, of eerlijk gezegd twee, want dit waren pizza's van de dun&krokant-soort en ik stierf van de honger. Maar het probleem was tenminste verholpen.

Tot ik me herinnerde dat ik de kuil niet opnieuw had dichtgegooid, wat me meer vloeken deed schreeuwen dan ik er dacht te kennen, zo kwaad ben ik op mezelf, en zo bekaf ook. Maar goed, toch maar weer de tuin in en dichtgooien die hap. Toen ik klaar was, leek het niet echt een kuil die al twee dagen terug was dichtgegooid, eerder een kuil die nog maar net was dichtgegooid, met een hele hoge bult nog, maar daar kan ik verder ook niks aan doen, behalve hopen dat die videosmeris niet snugger genoeg was om het op te merken voordat ik morgenochtend met graven begon. God, wat was ik moe.

Het was al behoorlijk donker toen ik voor de derde keer onder de douche ging en daarna mijn was uit de machine haalde en ophing in de avondlucht. En toen was ik eindelijk klaar en kon ik naar binnen om de tv aan te zetten voor het nieuws, wat een groot bericht had over een grootschalige klopjacht op Dean door het hele Midden-Westen, met opnieuw de waarschuwing dat je hem niet benaderen moest, alsof hij bedekt is met anthrax of zo. Ze wilden hem zo graag dat er een beloning is voor informatie over zijn verblijfplaats. Honderdduizend dollar, en da's een hoop geld. Jammer dat ik ze zijn verblijfplaats niet kon vertellen zonder nog veel erger in de knoei te raken dan ik al zit. Die Dean toch, die had nooit kunnen denken dat hij op een dag honderdduizend dollar waard zou zijn.

Na al mijn inspanningen om Dean een nieuwe plek te geven was ik zo moe dat ik voor de tv in slaap viel, zoals zoveel mensen vaak doen, en een hele tijd later wakker werd van een stem die me zei dat ik mezelf nodig moest veranderen anders kon ik nooit echt gelukkig worden, want het geluk was alleen weggelegd voor wie de Here als zijn verlosser had erkend. Ik deed mijn ogen open en wie was daar? Preacher Bob!

Het is geen knappe man en dat probeert hij ook niet te zijn, wat een heel verschil is met sommige anderen die op tv over de bijbel staan te schreeuwen met geverfd haar en tanden die zo wit zijn dat het gewoon pijn doet aan je ogen. Preacher Bob zag eruit alsof hij in zijn pak sliep en wakker werd met een lege fles naast zich, en juist daarom houden de mensen zo van hem, want hij is net als zij en niet zo'n gladde showbinkevangelist waar er tegenwoordig al veel te veel van zijn. Als je hem zo zag, zou je niet zeggen dat hij een multimiljonair was met zijn eigen universiteit-met-de-bijbel in Topeka, die elk jaar ik weet niet hoeveel predikanten oplevert die over de hele wereld trekken om de arme heidenen te bekeren, maar ook hier in Amerika werken om zondaars op het rechte pad te brengen. Op tv zoekt Preacher Bob het niet in een hoop show met zingende mensen en een zaal die eruitziet alsof de Oscar wordt uitgereikt. Zijn programma is heel anders. Gewoon een simpel podium met een preekgestoelte waar zijn bijbel op ligt zodat hij er af en toe uit kan voorlezen. Er staat geen koor achter hem, en er is ook geen vent op het podium waar hij tegenaan praat zoals sommigen van die anderen doen, wat ze dan Gesprekken over Jezus noemen. Preacher Bob voert geen gesprek, hij preekt gewoon zoals ze dat vroeger deden, zonder franje en poespas en een lichtshow en hagelwitte tanden. Da's Bob zijn stijl niet.

Hij heeft zo'n halvemaanbrilletje aan een kettinkje om zijn nek, dat hij af en toe opzet om een stukje voor te lezen uit een bijbelhoofdstuk van zijn keuze, deuteronominum of zo. Dan pakt hij zonder te kijken dat brilletje en zet het op zijn neus, vlak boven het dikke rode uiteinde daarvan, en begint voor te lezen met een hele bijzondere stem. Zijn gezicht is niet veel soeps, maar zijn stem lijkt die van God zelf wel, heel plechtig en diep. Je moet er wel naar luisteren, ook al ben je niet kerkelijk. Het is een stem die je beetgrijpt als een grote warme hand waar je niet uit kan komen, en als die vingers zich eenmaal om je sluiten, kun je alleen nog maar aandacht hebben voor de Stem die je vertelt waar je van het Juiste Pad bent weggedwaald en hoe je er weer op kan komen, namelijk door Jezus Christus, en denk nou maar niet dat er een andere manier is.

Zoals hij praatte, wilde je elk woord geloven, zo simpel en waar liet hij alles klinken. Het enige wat je hoeft te doen is door de kerkdeur lopen die Preacher Bob speciaal voor jou openhoudt, en dan komt het vanzelf goed want je bent nu onder de hoede van Jezus aan de ene kant en Preacher Bob aan de andere kant, dus er kan je niks meer gebeuren. En nu begint hij over iets wat hij de Betaling Van De Tienden noemt, wat wil zeggen dat je een tiende van je inkomen aan de Here moet geven, wat net zo belangrijk is als bidden om je relatie met Jezus goed te houden, dus dat is eigenlijk precies dezelfde kom-op-met-je-poen-boodschap waar ze allemaal mee komen, maar zoals Preacher

Bob het zegt, klinkt het oprecht en eerlijk en krijg je echt het idee dat elke cent naar de hongerige Afrikaantjes gaat, zodat die ook de Weg Naar Jezus kunnen vinden, met uw hulp en vergeet niet dat u uw gift van de belasting kunt aftrekken. Als je het hoort, gaat je hand bijna automatisch naar je portemonnee.

Dit was de man die een brief had gekregen van een simpele kleine vrouw als tante Bree, maar hij had die brief niet ongelezen weggegooid zoals andere beroemdheden zouden doen, nee, hij had Chet Marchand naar Callisto gestuurd om Deans ziel te redden voordat die voor altijd verloren zou zijn omdat hij overliep naar de moslims. Dat was toch wel heel apart, dat zo'n drukbezette man de helpende hand reikte aan één iemand die zijn ziel dreigde te vergooien. Daar moest je hem wel een beetje om bewonderen, vond ik, zelfs als je zelf niet zo kerkelijk bent, wat ik dus nooit geweest ben.

Hij hield even op met praten, alsof hij op adem moest komen, en liep over het podium heen en weer en je zag hem nadenken over wat hij nu ging zeggen, en de mensen in de zaal zaten geduldig af te wachten, en de mensen thuis voor de tv waarschijnlijk ook.

'Wat is de gesel van deze tijd, vrienden?' vraagt hij. En hij geeft zelf het antwoord: 'Terrorisme. We hoeven het nieuws maar aan te zetten of we horen dat afschuwelijke woord. Terrorisme. Na het nazisme en het communisme van de vorige eeuw is dit opnieuw een boosaardig "isme" dat de wereld in zijn greep houdt. In het woordenboek wordt terreur omschreven als georganiseerde geweldpleging tegen onschuldige burgers en het publieke bezit, ter bereiking van politieke doelen. Je zou denken dat dit een goede definitie is, nietwaar? Maar, vrienden, er is één aspect dat deze definitie onbesproken laat. Het onchristelijke aspect! Want de Kerk van Christus bedient zich niet van terrorisme, maar het islamitische geloof doet dat wél. En wel openlijk, in naam van Allah.

Begrijp me goed, vrienden. Ik zeg niet dat alle moslims terrorist zijn. Natuurlijk niet. Waren ze dat wel, dan was de situatie duizendmaal erger. Maar ik zeg wél dat bepaalde aanhangers van de islam deze wereld in een slagveld hebben veranderd. En het doel dat ze daarbij nastreven is dat iedereen op aarde hun gedachtegoed overneemt. Denk het je eens in, vrienden. Elke man, elke vrouw en elk kind moet zich van Jezus afkeren en Mohammed aanvaarden als de enige aan wie God zijn waarheid heeft onthuld. Niet Jezus, maar Mohammed. En om dat doel te bereiken, grijpen ze van oudsher naar het zwaard, deze mohammedanen, al heeft het kromzwaard van weleer nu plaatsgemaakt voor kogels en bommen. Wij allen moeten precies doen wat zij willen. Zo niet, dan doden ze ons. Denk als wij, bid als wij, anders doden we jullie, zo luidt hun huiveringwekkende boodschap.'

Bob begon er helemaal bij te beven, en het was alsof zijn verontwaardiging door de beeldbuis heen op je oversloeg. 'De euvele moed!' riep hij. En nog eens, voor de nadrukkelijkheid: 'De euvele moed, vrienden! Zeggen wij de moslims soms dat ze moeten denken en bidden zoals wij? Natuurlijk niet. Wij zullen nooit verhelen dat onze weg de ware weg is, maar we bedreigen anderen niet als ze aan hun opvattingen willen vasthouden. Dat recht hebben ze. Het is hun keuze. Want laten we niet vergeten, vrienden, je moet ervoor kíézen om christen te worden. Je kunt er niet toe gedwongen worden. Maar deze... deze *onverlaten* willen ons wel degelijk dwingen. Om ons te redden, denken ze! Redden van wát, vraag ik! Van het leven dat wij christenen, miljoenen en miljoenen van ons, al tweeduizend jaar leven? *Tweeduizend* jaar al, vrienden! Zo oud is de islam bij lange na niet. Zij kwamen pas eeuwen later, en nu willen ze óns vertellen wat de waarheid is!'

Het was duidelijk dat Bob razend was over de terroristensituatie. Hij zegt: 'En denk niet dat terroristen zich uitsluitend in een Arabische sjaal hullen en zich alleen maar in het Midden-Oosten ophouden. We hebben ze ook hier in Amerika, gewoon gekleed en soms niet eens van Arabische afkomst. Geen immigranten die de woestijn verruild hebben voor onze welstand, maar geboren Amerikanen die met christelijke normen en waarden zijn opgevoed. Hoe is dit mogelijk, hoor ik jullie vragen. Hoe kan het dat een Amerikaanse jongeman zich afwendt van alles wat hem dierbaar zou moeten zijn, van de tradities, het wereldbeeld, de *levenswijze* waarbinnen hij is grootgebracht? Hoe kun je je van dat alles afkeren om het islamitische geloof te omhelzen? Welnu, ik zal jullie vertellen hoe dit kan, en zij die mij al jaren beluisteren, zullen niet verrast zijn. De satan is een fluisteraar, vrienden. Hij fluistert in het oor van eenieder die misleid en zwak van wil is. Hij sluipt het hoofd van zulke mensen binnen en lokt hun gedachten weg bij Jezus. Jazeker, zo gaat Satan te werk. Hij kan je hoofd binnensluipen om een drugsverslaafde van je te maken. Hij kan je geest zo beïnvloeden dat je kinderen gaat misbruiken. Hij verandert mensen in monsters, in de meest uiteenlopende soorten van monsters, en dus ook in monsters van het ergste soort... in moordenaars.'

Hij nam een slokje water uit het glas dat naast zijn bijbel stond. 'En ook moordenaars heb je in soorten, en het ergst is wel de moordenaar die zich tegen zijn eigen familie keert. Iemand uit je eigen familie vermoorden, denk het je eens in, vrienden. Stel je een familie voor die geteisterd wordt door tragedies. Een man die zijn vrouw verlaat terwijl ze zwanger is van zijn kind, en die vrouw verlaat vervolgens haar kind nadat het is geboren. Wat een vreselijk begin van een nieuw mensenleven. Maar er was licht in de duisternis. De vrouw had een ongetrouwde zuster, en deze zuster toonde zich een ware christen, vrienden. Zij ontfermde zich over het verlaten kind en voedde het op als was het de vrucht van haar eigen schoot! Een waar gebeurd verhaal, vrienden. Hier in Kansas. Maar wat denken jullie dat er uiteindelijk gebeurde? Groeide het kind op tot een fatsoenlijke burger, naar het voorbeeld van zijn tante die hem zo liefdevol verzorgd had? Helaas, nee. Want de duivel sprak zijn fluisteringen in het oor van deze jongeman... die het onzegbare deed en deze rechtschapen vrouw de *dood* injoeg.'

Er ging geroezemoes door de zaal. Bob stond op het podium zijn hoofd te schudden met zijn lippen stijf op elkaar gedrukt, alsof hij de gedachte nauwelijks kan verteren van wat er hier in Kansas is gebeurd. 'Hij joeg haar de dood in met een jachtgeweer, vrienden.' En het geroezemoes maakte een nieuwe ronde door de televisiekapel van Preacher Bob, en ik ging rechtop zitten en lette heel goed op. 'Hij broedde op een manier om zich van haar ontzielde lichaam te ontdoen, en stopte het zolang in een diepvrieskist. Deze onkreukbare, godvrezende vrouw die hem voor het weeshuis had behoed en hem niets dan liefde had geschonken. Wat moeten we zeggen van deze jongeman? Wat is hier in vredesnaam gebeurd? Ik zal het jullie zeggen. Satan fluisterde hem niet eenmaal maar tweemaal in het oor. Tweemaal! En wat was dan die tweede fluistering? Ook dat zal ik jullie zeggen. De islam. Satan wil dat deze jonge moordenaar de *islam* omhelst.'

Hij zei het met zoveel drama dat hij even moest wachten tot de boosheid van de zaal was uitgedoofd, en toen zei hij: 'En was Satan nu tevreden? Nee, nog steeds niet. Hij fluisterde een derde maal in het oor van deze ontvankelijke jongeman, en gebood hem een wapen op te nemen... en een van de meest begaafde politici te vermoorden die ooit onze democratie gediend hebben!'

De gemeente raakte nu helemaal over zijn toeren en begon wild te klappen. Bob heeft de naam van senator Ketchum niet eens genoemd, maar iedereen snapt dat hij hem bedoelt. De naam van Dean heeft hij trouwens ook niet genoemd, en misschien mag dat ook wel niet vanwege juridische redenen, geen idee, maar als er al mensen waren geweest die zich afvroegen wie die verdwaalde jongeman was, dan wisten ze nu dat het Dean was, reken maar.

Bob wachtte tot het wat rustiger werd en ging weer verder. 'Is het niet erg genoeg dat onze beste presidenten zijn vermoord? Lincoln, neergeschoten nadat hij de natie voor de ondergang had behoed! Kennedy, neergeschoten, zo jong nog en zo beloftevol, nadat hij het communistische onheil had afgewend dat ons vanuit Cuba bedreigde! Niet nóg een keer, zeg ik!'

Gejuich en geklap. Er waren zelfs mensen die op hun vingers floten. Dit gebeurt anders nooit tijdens een geloofsshow. Bob bewerkte zijn publiek als iemand die voor een zaal vol bejaarden verjongingspillen verkocht. 'Ik weet, vrienden,' zei hij, 'dat de politicus in kwestie nog geen president is. Dat zal hij pas in november 2008 zijn,' zegt hij met een grijns. Nog meer gejuich, dat hij met zijn handen tot stilte wuift, en hij gaat weer verder. 'Maar de situatie is er niet minder ontluisterend om. De man op wie iedere weldenkende Amerikaan zijn hoop heeft gevestigd, de man die bij uitstek geschikt is om ons te leiden in de strijd tegen de terroristen, wordt nu zelf door terroristen bedreigd. Bedreigd terwijl hij zijn leidersrol nog op zich moet nemen. Nog voor hij zijn opmars naar het hoogste ambt heeft ingezet. Bedreigd door het ergste uitschot dat men zich voor kan stellen – iemand die zo verstoken is van dank voor zijn christelijke opvoeding in het beste land ter wereld, dat hij zich van het licht heeft afgewend en welbewust het duister zoekt! Een jongeman die uit is op het leven van iemand die geliefd is bij miljoenen. Maar zijn doelwit wordt niet voor niets om zijn moed en oprechtheid geprezen. Hij zal de confrontatie niet uit de weg gaan. Onversaagd zal hij ons prachtige land doorkruisen om u om steun te vragen, om uw stem als de tijd van kiezen daar is. De jonge moordenaar zal hem in de naam van Allah belagen, maar hij zal niet slagen in zijn boze opzet. Want onze gebeden zullen met onze held zijn. Door ons gebed zal hij onder de hoede zijn van de Here zelf!'

Hierdoor ging het dak er zowat af. Ze klapten nog steeds toen de aftiteling over het beeld rolde. Ik had wel vaker naar dit soort programma's gekeken, maar nog nooit zo'n opgewonden publiek gezien, en dat nog wel zonder dat er iemand op staande voet werd genezen door alleen maar een hand op zijn hoofd. Ik vroeg me af of de senator het zelf ook had gezien, en hoeveel stemmen hij nu gewonnen dacht te hebben dankzij Preacher Bob.

Ik zette de tv uit en hoorde een welkom geluid uit de verte komen, het gerommel van donder. Waarom dit welkom was? Omdat het betekende dat het zometeen ging plenzen en dat de aardbult in de tuin dus nat werd en naar beneden zou zakken, waardoor hij eruit zou komen te zien als een kuil die al op woensdag was dichtgegooid en niet pas vanavond, wat dus mooi uitkwam met die videosmeris die morgen kwam filmen. Het leek wel alsof Preacher Bob mijn probleem had aangevoeld en regen stuurde om me te helpen. Ik stond op en liep de veranda op om naar het bliksemen in de verte te kijken en de wind op mijn gezicht te voelen. En ja hoor, de storm kwam deze kant op, dus mijn verlossing was nabij. Amen!

NEGEN

Het is zaterdagochtend en de politieman kwam precies op de tijd die was afgesproken. Zijn banden spetterden door de plassen. Toen hij uitstapte, kon ik zien dat hij nog maar een beginneling was van mijn eigen leeftijd en met lichtblond haar, en hij had zijn camera bij zich. Hij zei dat hij filmopnamen kwam maken van de indeling van het huis en van de grafkuil terwijl die werd uitgegraven, en hij is er niet blij mee want hij was eigenlijk niet ingeroosterd voor weekenddienst maar het moest toch van de Chief. Hij klonk alsof hij niet alleen hier de pest over in had maar ook in het algemeen.

Ik nam hem mee naar de achtertuin en wees de bult aan, die er dankzij de regen uitziet alsof hij al een hele tijd op zijn gemak is ingezakt. Hij filmde hem even voor een beeld van hoe het er onaangeraakt uitzag, en keek toen naar mij met een verontschuldigende blik die betekende dat Webb hem gezegd had dat ik het graafwerk zou doen. Ik pakte de schop en ging aan de slag terwijl hij me filmde terwijl ik het deed, maar na een poosje zei hij dat hij in de tussentijd alvast het huis van binnen gaat filmen, omdat het toch nog wel even duurt eer ik klaar ben. Dus daar ging hij, door de achterdeur naar binnen terwijl ik mijn eerste zweetdruppels van de dag door mijn hemd voelde komen. Dank je wel, meneer Webb!

De eerste meter grond was zwaar van de regen en elke schep aarde bleef plakken vanwege de vochtigheid, waardoor ik maar langzaam opschoot. Ik zwoer in mezelf dat ik hierna nooit meer een schop zal aanraken. Zelfs mijn hond, als ik er ooit een zou hebben, zou ik niet begraven als hij uiteindelijk overleed. Ik zou hem op een baar in de takken van een boom leggen, zoals de indianen vroeger met hun dode familie deden om ze een prooi voor de tijd en de elementen te maken. Hoe dieper ik kwam, hoe droger de grond werd, dus ging het steeds een beetje makkelijker, maar intussen ben ik al wel moe, dus een pretje wordt het niet. Toen ik halverwege was, kwam de jonge agent weer naar buiten en hij zegt dat hij alles gefilmd heeft. Ik had waarschijnlijk eerst wel even mogen opruimen en schoonmaken daarbinnen, maar nu is het te laat.

Hij stak een sigaret op en ging naar me staan kijken terwijl ik stond te graven, wat eerlijk gezegd behoorlijk irritant was, en hij vertelde ondertussen dat het bureau te gierig is voor een digitale camera, dus moest het met dit aftandse ouwe videoding waar je bijna geen banden meer voor kon krijgen, dus moesten ze steeds opnieuw hun oude banden gebruiken. Hij zei dat hij had aangeboden om alles met zijn eigen digitale camera te filmen als het bureau dan de geheugenkaart betaalde, maar Chief Webb had nee gezegd, we gebruiken onze eigen apparatuur. De band gaat naar Homeland Security voor permanente bewaring, dus die kunnen ze nooit meer opnieuw gebruiken. Het wordt wel een hele speciale band, zegt hij, omdat hij deel uitmaakt van het onderzoek naar het gevaar dat senator Ketchum bedreigt en waar iedereen over praat. Je kon aan hem zien dat hij het dan wel klote vond om zijn vrije zaterdag te verkloten, maar dat hij er aan de andere kant ook wel trots op was dat hij zo'n belangrijke band stond te maken. Terwijl hij het allemaal zei, stond hij aan de rand van de kuil zijn rook in mijn richting te blazen, en op een gegeven moment tikte hij zelfs zijn as in de kuil, waardoor ik zin kreeg om hem met mijn schop een kluit aarde in zijn smoel te gooien als wraak, maar zoiets kun je maar beter niet doen met een agent, als is het dan een beginneling.

Uiteindelijk kwam ik bij de bodem, terwijl hij filmde hoe ik er kwam en niks vond. Het bekijken van deze video zou een opwindende ervaring zijn voor Homeland Security. Ik klom de kuil uit en hij filmde het lege gat, en daarna zei hij dat hij geen opnamen hoefde te maken van het dichtgooien, want het is nu officieel vastgesteld dat het graf leeg is. Dus kon hij er lekker vandoor terwijl ik weer voor joker die aarde terug kon scheppen. Maar oké, het kwam me ook wel van pas dat hij ging, want ik had nog een kleinigheidje in de maaiselhoop liggen dat ik graag weer in de kuil terug zou stoppen voordat ik hem dichtgooide, wat ik niet had kunnen doen met een smeris erbij die het voor Homeland Security filmde.

Ik liep met hem mee naar de politieauto en weg reed hij. En toen hij uit zicht was, liep ik naar de grashoop om Dean te halen. De plastic zakken deden hun werk goed want er kwam weinig stank doorheen, al was het natuurlijk geen pretje om hem weer vast te pakken, maar goed, ik was toch al smerig van het graven. Ik telde het voor mezelf en het was nu vijf keer dat die kuil was uitgegraven – eerst door Dean om er Bree in te stoppen, waar het dus niet van gekomen was, toen door de politie om te zien wat erin lag, toen door mij om er Dean in te stoppen, toen opnieuw door mij om Dean er weer uit te halen, en nu vanochtend wéér door mij en hopelijk voor de laatste keer.

Ik moet eerlijk zeggen dat ik niet erg zachtzinnig was met Dean, want ik was hem beu na alle trammelant die hij voor iedereen had veroorzaakt. Ik klom niet meer in de kuil om hem daar netjes in te leggen als een respectabel medemens, maar gooide hem er gewoon in en had er maling aan dat hij in een knik neerkwam en niet keurig rechtuit. Zelf had hij Bree zowat dubbelgevouwen en schandalig in de vriezer gestopt, dus wie was hij om een zorgzame behandeling te verlangen nu hij zelf dood was? Preacher Bob had het precies bij het rechte einde over Dean en ik voelde totaal geen medelijden terwijl ik aarde op hem schepte met een publiek van nieuwsgierige kippen.

Ik nam een douche en at voor de middag en belde Lorraine op met mijn mooie nieuwe mobieltje. Mijn laatste telefoongesprek met haar was geen succes geweest, maar dat had ik ook gepleegd met de lelijke oude telefoon aan de keukenmuur. Met mijn nieuwe mobieltje kon het alleen maar beter gaan omdat we elkaar op, hoe zeg je dat, een nieuwe golflengte zouden spreken. Dat hoopte ik tenminste terwijl ik haar nummer intoetste op die kleine knopjes.

'Hallo?'

'Lorraine, ik ben het.'

'Hé, Odell, ik wilde je net bellen.'

'O ja?'

'Ik ga zo naar de begrafenisonderneming om Brees uitvaart te regelen. Ik moet er vroeg zijn omdat ze op zaterdag al om half een dichtgaan, en ik kan dit niet in mijn eentje, Odell. Ik ben op van de zenuwen door alles wat er is gebeurd. Heb je gisteravond Preacher Bob gezien?'

146

'Ja.'

'Nou, het komt dus uit wat ik gezegd heb, hè? Dean is nu staatsvijand nummer één. De familienaam is volkomen te schande gemaakt.'

'Preacher Bob heeft zijn naam toch niet gezegd?'

'Nee, maar iedereen wist over wie hij het had! Zijn naam staat in alle kranten, met zijn foto erbij. Je hebt toch niemand verteld dat hij homo is, hè?'

'Nee, dat weet je toch?'

'Want dat zou ik echt niet aankunnen, hoor, als de mensen dat óók nog te weten kwamen.'

'Ik zal het nooit aan iemand vertellen, dat beloof ik.'

'Dank je, Odell. Je bent een echte vriend voor me. Kom je me helpen bij het regelen van die begrafenis?'

'Ik kom eraan.'

'Het is in Fifth Street. Regis Galbally Funeral Services. Ik ga nu van huis.'

'Oké.'

Ze hing op. Ik was haar vergeten te vragen of ik anders klonk dan anders, zodat ik daarna kon zeggen dat ik een mobieltje had, maar dat kwam nog wel. Ik trok mijn beste jeans aan, en mijn mooiste hemd en controleerde of er geen vlekken op zaten, en liep naar de pick-up.

Onderweg naar de stad zat ik voortdurend aan Lorraine te denken. Het was heerlijk geweest om haar stem weer te horen, wat toch wel het bewijs is dat ik echt verliefd ben en niet zomaar een bevlieging heb. En het gekke was dat ze niet eens mijn ideale type vrouw was, want die is klein en slank en donker, terwijl Lorraine groot en stevig en blond was, dus eigenlijk precies het omgekeerde. Ik moet zeggen dat ik het zelf altijd raadselachtig heb gevonden, dat ideale vrouwbeeld van mij. Waarom juist klein en slank en donker? Waarom juist dit type en niet een ander? Geen idee, maar mijn moeder was klein en slank en donker, dus misschien is dat er een psychologische reden voor, maar daar moet je dan niet te lang bij stilstaan, want voor je het weet ga je geloven dat je altijd met je eigen moeder hebt willen trouwen, en ik weet zeker dat ik dat nooit heb gewild, wat maar goed is ook, want volgens mij is dat behoorlijk gestoord als je het mij vraagt.

Nee, de vrouw over wie ik wél altijd fantaseerde was Condoleezza

Rice, zo gek als dat klinken mag, want ze is veel ouder dan ik, ouder dan Lorraine zelfs. Maar toch, over haar had ik al jarenlang fantasieën, al had ik dat nooit tegen iemand gezegd, want ze zouden me toch niet geloven, of anders zeiden ze misschien iets aanstootgevends waarvoor ik ze een lesje moest leren. Condi was volgens mij de intelligentste vrouw van de wereld, en de aardigste ook, zoals ze altijd van het ene land naar het andere vloog om dingen recht te zetten en haar best te doen voor vrede tussen de mensheid, en ondertussen zag ze er ook altijd nog slank en goedverzorgd uit in haar mantelpakjes en parels en altijd een glimlach. Ik was dol op dat spleetje tussen haar voortanden, en ik durf te wedden dat ze heel bescheiden is en nooit hoog van de toren schreeuwt zoals veel van die andere politici als ze weten dat er een camera in de buurt is, zoals senator Ketchum bijvoorbeeld. Nee, zo is Condi niet, en dat waardeer ik in haar, naast het gevoel dat ik best met haar zou willen trouwen zoals veel andere kerels dromen over trouwen met een filmster of een zangeres van wie ze in werkelijkheid nog niet eens de vuilnis mogen buitenzetten. Maar nu Lorraine er was, ging ik natuurlijk wel mijn best doen om niet meer zo vaak aan Condoleezza te denken. Ik had dit nog niet eerder vermeld, omdat er nog geen noodzaak voor was, en dit soort dingen zijn heel privé en persoonlijk, de gevoelens die je over vrouwen hebt. Maar nu moest ik het opschrijven, want dit was het punt waarop ik zeker wist dat ik Lorraine niet meer mocht bedriegen, niet eens in mijn gedachten, dus was het vaarwel, Condoleezza, het ga je goed en wens me maar geluk met een ander, namelijk Lorraine.

Aan het eind van deze gedachten was ik niet ver meer van Fifth Street toen er opeens een zwaailicht in mijn achteruitkijkspiegel opdook. Rood en blauw, dus het was politie. Reed ik te hard? Volgens mij niet, maar dat deed er niet toe want je kunt niet blijven doorrijden met een zwaailicht in je achteruitkijkspiegel, dus zette ik de truck langs de kant en wachtte op de politieman die me kwam vertellen wat ik misdaan had. En toen ik zag wie het was, kreeg ik een rilling over mijn rug want het was Chief Webb. Hij kwam bij mijn raampje staan, dat ik beleefd omlaag draaide.

'Goeiemiddag, Odell,' zegt hij, en daar zegt hij niks verkeerds mee, want op mijn dashboardklokje is het inderdaad al 12:03, dus er was niet veel tijd meer om nog op tijd te komen en Lorraine bij te staan in Gallbladder Funeral.

'Goeiemiddag, Chief.' Ik gaf hem een brede glimlach om te zorgen dat hij niet te kwaad werd over wat het ook mocht zijn dat ik misdaan had.

'Is mijn agent vanochtend bij je langs geweest?'

'Jazeker, en hij heeft alles gefilmd wat los en vast zat. Toen hij weer weg was, heb ik de kuil weer dichtgegooid.'

'Wij moeten eens even praten, Odell.'

'Oké.'

'Over Dean Lowry.'

'Nou, daarover liever niet, Chief. Dat onderwerp maakt me te veel van streek met alles wat er allemaal speelt.'

'Van streek? Dat zal heus wel meevallen, Odell. Maar wie weet, als je hoort wat ik je te zeggen heb, raak je misschien echt wel van streek.'

'Oké, maar ik moet nu eigenlijk in de begrafenisonderneming zijn. Lorraine zit de begrafenis van haar tante te regelen, en daar wil ze me graag bij hebben.'

'Dat kan wel zijn, maar zoiets moet wijken als er iets belangrijkers aan de orde is, zoals het geven van valse informatie bij een moordzaak.'

'Huh?'

'Denk eens even terug, Odell. In je verklaring over hoe je bij Dean verzeild raakte, zei je dat je op zaterdagmiddag autopech kreeg en bij hem aanklopte. Zo was het toch, nietwaar?'

Dat was inderdaad wat ik gezegd had, al was het eigenlijk zondag geweest, maar daar had ik zaterdag van gemaakt om het geloofbaarder te maken dat Dean me genoeg vertrouwde om me zijn maaiwerk te laten doen.

'Klopt,' zei ik.

'Dus het was zaterdag, dat weet je absoluut zeker?'

'Ja.'

'En dat zal je ook voor de rechter verklaren?'

'Voor de rechter?'

'Bij wijze van spreken.'

'O, oké.'

'Dus je zegt dat je vorige week zaterdagavond bij Dean Lowry was. Bij hem thuis. De hele avond.'

'Ja.'

'Maar weet je wat nu het gekke is? Ik heb links en rechts wat vragen gesteld, en het blijkt dat Dean toen helemaal niet thuis was.'

'Nee?'

'Nee. En daar zijn getuigen van, een heleboel.'

'Getuigen van wat dan precies?'

'Van waar hij wel was.'

'Ik kan u niet goed volgen, Chief. En de begrafenisonderneming gaat over een klein halfuur dicht en Lorraine heeft me daar echt nodig, dus…'

'Lorraine wacht maar even. Ben je weleens in de Okeydokey Karaoke Bar geweest?'

'Nooit van gehoord,' zei ik.

'Nou, Dean kwam daar regelmatig, en vorige week zaterdagavond was hij er ook. Het is een bekende nichtentent, Odell. Alle homo's uit de omgeving gaan erheen om liedjes voor elkaar te zingen. Afgelopen zaterdag stond Dean er op het podium met "Do You Know the Way to San José". Ken je dat nummer, Odell?'

'Ik geloof het wel. Is dat geen gouwe ouwe?'

'Iemand heeft het gefilmd met een digitale camera, met de tijd en de datum in de hoek rechtsonder, weet je wel? Valt niet mee te knoeien, met die datuminstelling. Dat zit in de chip van zo'n ding, of hoe zoiets heten mag. Dus kortom, Dean was daar op zaterdagavond, en dus niet thuis met jou. Wat heb je daarop te zeggen, Odell?'

'Nou, eh… dan zal het wel zondag zijn geweest.'

'Zondag.'

'Ja.'

'Je stelt je verhaal dus bij, begrijp ik dat goed?'

'Ik dacht dat het zaterdag was, maar als u voor die avond een film van hem heeft, dan zal ik me vergist hebben en dat spijt me dan.'

'Spijt het je?' Hij keek me langdurig aan door zijn zonnebril. 'Ik weet niet wat ik van jou denken moet, hoor. Ben je nou het stomste stuk vreten dat ik ooit ben tegengekomen, of ben je juist slim?'

Ik probeerde vrolijk te lachen, maar het klonk als de hoest van een oude roker met een borstkas vol kanker. 'Ik ben niet stom, hoor, alleen maar een beetje vergeetachtig af en toe.'

'Vergeetachtig, hè?'

'Ja. Kijk, we zijn ontzettend dronken geworden, Dean en ik. Dus daarom zal ik het wel onthouden hebben als zaterdag in plaats van zondag.'

'Dat is de verklaring, volgens jou?'

'Als ik een kerkelijk iemand was geweest, zou ik het goed onthouden hebben omdat je op zondag naar de kerk gaat, maar dat doe ik dus nooit en dan is zondag net als zaterdag. Is het zo belangrijk dan, Chief?'

'Of het belangrijk is, vraagt-ie. Heb je gisteravond Preacher Bob gezien, Odell?'

'Ja.'

'Het hele land staat op zijn kop omdat een terrorist het op Ketchum heeft gemunt, en dan vraag jij je af of het belangrijk is? Je doet alleen maar alsof je zo stom bent, hè, Odell?'

'Nee, hoor, echt niet.'

'Dus je bent echt zo stom?'

'Nee, dat ben ik niet. Ik bedoel…'

'Waren er zondagavond nog andere mensen bij? Mensen die tot Allah lagen te bidden of bommen in elkaar zaten te knutselen of zo? Je houdt toch niks achter, hè, Odell?'

'Echt niet. Ik was er alleen met Dean en we hebben Captain Morgan zitten hijsen. Ik had durven zweren dat het zaterdag was, maar ik zal me wel vergist hebben…'

'En of je je vergist hebt!' Hij priemde een vinger in mijn gezicht. 'En dat zal ik Homeland Security ook laten weten, Odell, en die houden niet van mensen die hen op een dwaalspoor proberen te brengen. Het zijn net bloedhonden, die gasten, en als je liegt, kom je daar niet mee weg.'

'Oké.'

'Dus je trekt je eerdere verklaring in? Want dat moet je dan officieel op het bureau komen doen, voor de camera. Homeland wil al dat soort dingen op film, voor hun archief.'

'Mag dat dan na de begrafenisonderneming?'

Hij keek me opnieuw langdurig aan, om me bang te maken, wat redelijk goed lukte. Die man heeft echt een pesthekel aan me, en ik heb geen idee waarom.

'Goed,' zegt hij, 'ik zie je over twee uur op het bureau, en dan horen we wel wat je allemaal om wilt gooien.'

'Ik wil niks omgooien, Chief. Ik zeg alleen maar dat ik me misschien in de dag heb vergist.'

'Twee uur,' zegt hij, en hij priemt weer met zijn vinger.

Hij keek me nog even verachtelijk aan en liep weer naar de politieauto die al die tijd met zijn licht had staan zwaaien, dus die wagens zullen wel extra grote accu's hebben voor al dat stroomverbruik. Het had ervoor gezorgd dat iedereen die voorbijkwam naar ons keek, wat nog heel gênant had kunnen worden als ik mensen in Callisto had gekend, maar dat deed ik gelukkig niet.

Chief Webb schoot me voorbij en ging de hoek om. Ik startte de truck en reed rechtdoor naar de begrafenniszaak, met een slecht gevoel over alles. Ik wenste dat Chief Webb onder de grond zou verdwijnen bij een aardbeving, zodat hij ophield met mij lastig te vallen en te doen alsof ik een crimineel was. Vooral dit laatste was erg irritant, want ik had niks gedaan.

Het was al 12:14 toen ik de truck parkeerde en naar binnen ging, waar Lorraine in gesprek was met een dikke kerel in een zwart pak. Ze was heel netjes gekleed, maar ik zag meteen dat ze kwaad op me was, al bleef ze naar die dikke kerel staan glimlachen omdat hij nog niet klaar was met wat hij wilde zeggen. Maar toen ze waren uitgepraat, kwam ze naar me toe terwijl die dikke wegliep naar zijn kantoortje of zo.

'Hoe laat denk je dat het is?' vraagt ze.

Ik keek op mijn horloge om het haar te vertellen, maar ze sloeg mijn pols weg, heel eigenaardig, en ze zegt: 'Ik heb alles alleen moeten regelen.'

'Ja, het spijt me…'

'Je had tijd zat om erbij te zijn. Ben je verdwaald of zo?'

'Nee, ik werd aangehouden.'

'Door de politie, bedoel je?' Ze keek me ongelovend aan.

'Door Chief Webb. Hij denkt dat ik lieg.'

'Wat?'

Ik vertelde over mijn gesprek met Andy Webb en dat ik naar het bureau moest om een nieuwe verklaring af te geven over dat zaterdag eigenlijk zondag was geweest, dankzij die film over Dean in die karaoke-tent.

Lorraine was niet blij. Ze zegt: 'Zeg er vooral bij dat jullie dronken waren, dat accepteren ze wel. Als je lam bent, kun je inderdaad vergeten wat voor dag het is.'

'Oké.'

'Maar dat van de Okeydokey is beroerd. Iedereen weet dat dat een tent voor homo's is. Ik heb Dean wel duizend keer gezegd dat hij daar niet heen moest gaan, en nu is hij er gefilmd door een homo met een digitale camera terwijl hij daar nichterig staat te doen en dat debiele liedje zingt... Jezus, wat zouden die tv-zenders dáár wel niet voor overhebben? Ik krijg een wegtrekker bij de gedachte...'

Ik wist niet hoe ik daarop reageren moest. Als ik een hoed op had gehad, had ik die voor haar kunnen afnemen om in te kotsen, maar ze had geen hoed nodig want ze vermande zichzelf en zei: 'Andy treitert je alleen maar om mij dwars te zitten.'

'Waarom?'

'Laat ik dat maar in het midden laten, maar het botert al een tijd niet meer tussen ons.'

'Maar je zei dat hij een oude vriend van je was.'

'Laat maar zitten, Odell. Wat gebeurd is, is gebeurd. Laten we maar wat gaan eten, of nee, wil je de kist zien die Bree voor zichzelf heeft uitgezocht?'

'Hoe kan dat nou, ze is toch dood?'

'Ze had een uitvaartverzekering. Veertig dollar per maand.'

Ze nam me mee naar een kamer vol doodkisten, rij na rij. Sommige waren heel groot, met gouden handgrepen en dikke kussens aan de binnenkant, niet dat een dode lekkere dikke kussens nodig heeft, maar hoe moet je zo'n grote kist anders vol krijgen? 'Die daar,' zei ze, en ze wees naar een kist die niet zo heel groot was, en het hout was ook niet glimmend gepoetst. 'Vijf mille, inclusief de uitvaart.'

'Sjonge, da's een hoop geld.'

'Allemaal gedekt door haar polis. Vind je hem mooi?'

'Ja, hoor. Het was maar een kleine vrouw.'

'Wil je haar zien? Ze ligt in de kamer hiernaast opgebaard. Ze hebben haar heel mooi opgemaakt.'

'Nee.'

'Waarom niet? Jij hebt haar gevonden, Odell, dus je bent ook een betrokkene. Of ben je bang voor dode mensen?'

Nou, dat was ik dus duidelijk niet. Ik had een paar uur eerder nog met een dode lopen zeulen en daar was ik totaal niet bang bij geweest, alleen maar een beetje onpasselijk, en uit mijn humeur door al dat onnodige graafwerk. Maar zoiets zeg je niet tegen de vrouw met wie je trouwen gaat, dus liep ik met haar mee de andere kamer in, en ja hoor, daar lag Bree, op een tafel met een jurk aan, en schoenen zelfs, en die had ze niet aan gehad toen ik haar vond want ik kon me haar gerimpelde oudevrouwenvoetjes nog goed herinneren, dus ze zag er nu een stuk verzorgder uit. 'Kom maar wat dichterbij,' zegt Lorraine, dus dat deed ik. Ze hadden Bree make-up op gedaan om haar er levend uit te laten zien, niet zo kouwelijk wit als in de vriezer, dus dat was wel een verbetering, al vond ik dat ze de wangen een beetje te rood hadden gemaakt.

Lorraine zuchtte en slikte een paar tranen weg. 'Net alsof ze slaapt, vind je ook niet?'

'Nee.'

'Wel waar. Dit is de beste begrafenisonderneming van de hele stad. Ze kunnen toveren hier. Moet je haar huid zien, en haar haar. Je zou zweren dat ze nog gewoon ademhaalde.'

'O.'

Bree was de doodste dode die ik ooit had gezien. Ze leek nog doder dan Anfer Sheen toen in Yoder, en zijn gezicht was helemaal blauw geweest, zo dood was hij. Maar dat wilde Lorraine vast niet horen, dus ik zeg: 'Ze ziet er heel vreedzaam uit. Alsof ze uitrust of zo.'

'Precies. Ach, die arme Bree. Dit heeft ze niet verdiend. Het is verschrikkelijk wat Dean haar heeft aangedaan, daar heeft Preacher Bob helemaal gelijk in. Als ze hem pakken, krijgt hij geheid de doodstraf. Levenslang kan-ie vergeten, dan komt het hele land in opstand. Zeker als het hem ook nog lukt om senator Ketchum te vermoorden. Mijn eigen broer, en dan zulke verschrikkelijke dingen doen...'

'Ja, dat is niet goed,' zei ik, om een wit voetje van haar te krijgen. Ze legde een hand op mijn arm en ik kreeg die elektrische tintelingen weer. Ja, deze vrouw had me compleet in haar ban. 'Dank je voor je steun, Odell. Daar heb ik nu echt behoefte aan. Ik kan me anders prima alleen redden, maar dit valt me allemaal erg zwaar.'

'Met plezier.'

'Ik hoop niet dat je dat zo meent, Odell. Je zou het niet als plezier moeten zien om iemand in nood te helpen, maar als je plicht.'

'Oké.'

'Vooral als er moord en terrorisme in het spel is. Bij zulke dingen hoort geen plezier.'

'Neem me niet kwalijk, ik bedoel plicht.'

'Goed. Nou, trakteer me dan nu maar op een lunch.'

Ze wilde dat we met haar auto gingen, al was die zo klein dat ik mezelf er met moeite in moest persen en de stoel helemaal in zijn achterste stand moest schuiven. In de pick-up wilde ze niet, want die was van Dean en ze wilde nu even niet aan Dean herinnerd worden, en ze wilde ook niet in een pick-up waar de grasmaaiers nog in de laadbak staan en met Deans boosaardige naam op de zijkant. Ze reed heel hard en ik was bang dat Chief Webb opnieuw mijn dag zou vergallen door ons aan te houden voor te hard rijden, maar we kwamen zonder bekeuring bij het restaurant aan. Ze zei dat dit hetzelfde restaurant was waar ze met Cole Connors had gegeten, en het eten was er verrukkelijk.

We moesten een poosje op een tafeltje wachten, zo populair was deze tent, die Caprice heette, alleen maar dat, Caprice, dus zonder Café of Restaurant erbij om duidelijk te maken wat het is. Maar uiteindelijk konden we gaan zitten en er kwam een mooi gekleed meisje naar ons toe met menu's om in te lezen. Nou, op 'salade' na kende ik niet één woord, dus wat mij betreft had het net zo goed een andere taal kunnen zijn, en dat bleek het voor de helft ook te zijn, namelijk Frans. Dus dit was een Frans restaurant, maar dan zonder het restaurantgedeelte in de naam. Ik had vaak over dit soort tenten gehoord, en hoe lekker het eten er is, maar toen ik stiekem om me heen keek naar wat de andere mensen zaten te eten, herkende ik niks van wat er op hun bord lag, behalve de witte stukjes brood in de mandjes die ook op elke tafel stonden, die natuurlijk wel.

Lorraine vroeg me waar ik trek in had, wat een moeilijke vraag voor me was. 'Hebben ze Franse frietjes?' vroeg ik.

'Nee.'

'Maar het is hier toch een Frans restaurant?'

'Hebben ze niet, Odell. Kies maar wat anders.'

Het viel niet mee om uit dingen te kiezen waarvan je niet weet wat het is, maar het meisje kwam er alweer aan voor onze bestellingen. Lorraine ratelde gelijk wat ze hebben wilde, waarschijnlijk hetzelfde dat ze genomen had toen ze hier met Cole Connors zat, zo vertrouwd klonk het, maar ik kon niet kiezen tussen dit onbekende eten en dat onbekende eten, tot Lorraine haar geduld verloor en zelf maar iets voor me bestelde, en toen het meisje weer wegliep, zei ze dat ik aardappelen kreeg, op zijn Frans klaargemaakt, maar het leek op de frietjes die ik met alle geweld wilde. Ze zei het op een geïrriteerde toon en ik kreeg het idee dat ik dit niet goed had aangepakt en wist niet meer wat ik zeggen moest en zei niks meer, wat Lorraine alleen nog maar ergerlijker maakte. 'Kun je niet even een beleefd gesprekje voeren terwijl we wachten?' vroeg ze.

'Oké.'

Ze wachtte nog even, maar ik wist niks, en toen rolde ze met haar ogen en vroeg op een sarcastische manier of ik de laatste tijd nog goede boeken had gelezen, wat een enorme opluchting was, want ik had een uitstekend boek gelezen. '*The Yearling*,' zei ik. 'Da's echt een uitstekend boek.'

'*The Yearling*? Gaat dat niet over dat jongetje met zijn hond?'

'Nee, het is een hertenjong. Dat adopteert hij als de moeder ervan is doodgeschoten en...'

'Ja, nou weet ik het weer. Dat moesten wij op school lezen en er dan een opstel over maken. Wat ik er vooral goed aan vond, was dat het zo lekker kort was, maar dat heb ik maar niet in mijn opstel gezet.'

'Dan heb jij het boek voor schoolkinderen gelezen,' zei ik. 'Dat is niet het hele boek, maar een kort boek voor kinderen. Het hele boek is twee keer zo lang en veel beter omdat alles erin staat. Het heeft de Pulitzerprijs gewonnen, wist je dat? Maar goed, dat is dus het boek dat ik de laatste tijd gelezen heb. Nou ja, ik ben eigenlijk op de helft nu. Er is de afgelopen week nogal wat gebeurd, dus ik heb niet veel tijd om te lezen.'

'Ja, laten we maar hopen dat het weer snel rustiger wordt, dan kun je het uitlezen,' zegt ze, terwijl ze om zich heen kijkt naar hoe de andere mensen zitten te eten of ook zitten te wachten.

'O, maar ik heb het al eens uitgelezen, hoor,' zei ik.

'Wat, lees je hetzelfde boek twee keer?'

'Ik heb het al zestien keer gelezen.'

Ik was hier trots op. Ik durf te wedden dat niemand anders zestien keer *The Yearling* heeft gelezen. Het is vast een soort van record. Misschien wel een record voor in het *Guinness Book*. Dat zou ik eigenlijk eens moeten vragen, want dan komt mijn naam ook nog in het *Guinness Book* en niet alleen maar in de krant.

'Zestien keer?'

'Ja, het is het beste wat ik ooit heb gelezen.'

'Zo te horen is het ook het enige wat je ooit hebt gelezen.'

'Nee, hoor. Ik heb nog twee andere boeken geprobeerd, maar die bevielen niet.'

Ze keek me een hele tijd aan, en keek toen nog een tijd naar het tafelkleed, en ze zegt: 'Odell, als je volgende week bij Cole gaat solliciteren, vertel hem dan maar niet dat je zestien keer hetzelfde boek hebt gelezen, oké?'

'Waarom niet?'

'Omdat het een beetje eigenaardig overkomt. En ze willen geen eigenaardige mensen als bewaarder, daar is het werk te belangrijk voor. De gevangenen mogen eigenaardig zijn, wij niet. Voor de rest lijk je me geknipt voor die baan, met dat postuur van je, dus verpest het nou maar niet. Dat hemd staat je goed, trouwens.'

'Het is ook mijn mooiste,' zei ik, en dat was ook zo, met sierkrullen op de borstzakken, heel elegant en toch stoer.

'Dus weet je wat,' zegt ze, 'zeg maar tegen Cole dat je helemáál geen boeken leest. Dat vindt hij niet erg. Maar zeg wel dat je tijdschriften leest, want ze willen wel mensen die kunnen lezen. Daar hebben ze ook tests voor. Ben jij goed in tests?'

'Ik heb in maar twee keer mijn rijbewijs gehaald, en de enige vraag die ik fout had bij theorie, was hoe ver je van de stoeprand af mag staan als je parkeert, en nog een paar vragen, maar die weet ik niet meer.'

'Dan komt het prima voor elkaar. Als je die baan krijgt, levert mij dat trouwens een leuke beloning op.'

Een beloning? Ik denk: je beloning is dat we dan samen kunnen werken en dat je me elke dag ziet, dat zou de enige beloning moeten zijn die telt.

'Tweehonderdvijftig dollar krijg je dan, als je iemand aanbrengt die ze na zijn drie maanden proeftijd in vaste dienst nemen. Ik vind zelf dat het best meer zou mogen zijn, vijfhonderd of zo, want goede mensen zijn schaars. Maar goed, zeg dus maar niks over die zestien keer.'

'Oké.'

'Mooi, waar zullen we het nu eens over hebben?'

Er kwam gelukkig een goed onderwerp van gesprek bij me op, wat ik haar al eerder had willen vragen. 'Alles goed met de kat?'

'De kat?'

'Ja, de kat van je buurman die iets omgooide toen ik je belde.'

'Mijn buurman? Mijn buurman heeft een parkiet.'

'Maar je zei dat hij een kat had.'

Haar gezicht veranderde in één keer van irritatie naar een lach. 'En een kat, da's waar. Maar die kat zit steeds op die parkiet te vlassen, weet je, net als Sylvester en Tweety Pie, dus daarom vroeg hij of ik op de kat wilde passen. Maar hij zal hem terug moeten nemen als ik naar het huis van Bree verhuis.'

Dit maakte dat ik mijn oren splitste. 'En wanneer gaat dat gebeuren?'

'O, als het testament wordt bekrachtigd en het huis officieel van Dean en mij is, al denk ik niet dat Dean er snel zijn intrek zal nemen.'

Als ze toch eens wist dat Dean er allang en voor altijd zijn intrek had genomen.

'En hoe zit het met mij?' vroeg ik haar.

'Hoe zit wat met jou?'

'Kan ik er blijven wonen?'

'Ik heb je toch al gevraagd om erop te passen? En nu Dean zo berucht is, moet je ook maar goed op vandalen en souvenirjagers letten, want die zullen er nu ook wel op afkomen.'

'Nee, als jij er eenmaal woont, bedoel ik. Kan ik dan een soort van kostganger worden, of zo?

'O, dat is nog ver weg, Odell. Dat duurt nog weken, en als ik één ding geleerd heb, dan is het dat je zulke dingen stap voor stap moet bekijken. Anders verlies je het overzicht en raken er mensen teleurgesteld. We zien wel hoe het allemaal loopt, en als ik jou was, zou ik er voorlopig maar van genieten dat je er gratis woont en het geld voor dat grasmaaien in je eigen zak kunt steken. Dat is toch al heel wat?'

Ze liet het klinken alsof ik het prima voor elkaar had, en dat klopte waarschijnlijk ook wel, en ik wist bovendien niks meer te zeggen, dus ging ik maar zitten luisteren naar hoe ze over de begrafenis van aanstaande maandag vertelde, waarvan ze vond dat ik er ook bij moest zijn, dus ik moest nog wel even een pak huren, en daar wist ze wel een zaak voor, maar ze wist niet of ze mijn maat wel hadden.

En toen kwam het eten en begonnen we te eten. Ze vertelde me dat het aardappelen waren die ik op mijn bord had, maar dat geloofde ik alleen maar omdat ik van haar hield. Ik at het gerecht wel op, maar ik zal het nooit meer bestellen, hoe het ook heten mag. Vergeleken met wat ze altijd zeggen, vond ik de Franse kookkunst nogal tegenvallen, maar dat zei ik niet tegen Lorraine die met smaak haar bord zat leeg te eten. We hadden er ook wijn bij, en de smaak daarvan beviel me ook al niet, veel te scherp en niet lekker mild zoals bier of lekker pittig zoals Captain Morgan, maar Lorraine vond hem geweldig, dus dronk ik een paar glazen om haar een plezier te doen. Daar draait het namelijk om in de liefde, dat je degene van wie je houdt een plezier wilt doen, dus deed ik dat, al liet ik haar het meeste nemen omdat ze hem geweldig vond. Prettig was wel dat ze geen spraakzaamheid meer verwachtte terwijl we aten, wat zij deed alsof ze uitgehongerd was. Toen we klaar waren, zei ze dat ik bij de kassa kon afrekenen terwijl zij naar het toilet ging, en je houdt het niet voor mogelijk wat dat kleine beetje eten en zo'n flesje wijn kostte. Voor mij was het in elk geval een grote schok, zeker omdat ik trakteerde.

Ze reed me terug naar de begrafenisonderneming, zodat ik daar in de pick-up kon stappen, en ze zei dat ik naar het politiebureau moest rijden maar niet naar binnen moest gaan totdat zij er ook was, want ze wilde met me mee naar binnen om me te steunen. Dus deed ik wat ze zei, reed naar het bureau en parkeerde en wachtte, en toen zij er ook was liepen we samen naar binnen en ze vraagt de man achter de balie waar Andy Webb is, maar net op dat moment kwam hij zijn kantoortje uit.

'Wat doe jij hier?' vraagt hij.

'Ik moest hier toch naartoe komen?' antwoordde ik, maar hij had het aan Lorraine gevraagd.

'Mag ik hier soms niet zijn?' zegt ze, en de Chief haalt alleen maar zijn schouders op.

Hij wees de gang in. 'Tweede deur links, Odell,' zegt hij, en hij klinkt opeens heel vriendelijk, dus heel anders dan toen hij me een paar uur eerder aanhield. Tegen Lorraine zegt hij: 'Ben jij zijn advocate?'

'Wat dacht je zelf, Andy, zou ik zijn advocate zijn?'

'Hij mag er alleen zijn advocaat bij hebben, niemand anders.'

'Hij heeft geen advocaat.'

'Geen probleem. Dan ziet hij daar gewoon van af en doen we het zonder.'

'Odell,' zegt ze tegen mij, 'zonder advocaat hoef je niks te zeggen.'

'Ik hoef geen advocaat, hoor,' zeg ik. 'Ik heb niks verkeerds gedaan.'

Ze keken me allebei aan, en Andy zegt: 'Nou, wat wordt het? Het zal niet meevallen om op zaterdag een advocaat te regelen.'

'Dan hoef je dus ook niks te zeggen, Odell,' zegt Lorraine.

Maar ik liep gewoon de gang in om ze te laten zien dat ik een zelfstandige man ben en geen advies hoef, en zeker geen advies dat ik toch niet nodig heb omdat ik niks verkeerds heb gedaan. Ik was een beetje draaierig van de wijn, die zwaarder is dan je zou denken als je hem drinkt. Andy kwam vlak achter me lopen en we gingen een kamertje in met een tafel en een paar stoelen en een videocamera op een statief, met dezelfde jonge politieman die vanochtend het huis had gefilmd, dus hij ging dit ook filmen.

'Agent Dayton ken je al,' zegt Andy, en dat was ook zo, al was dit de eerste keer dat ik zijn naam hoorde. We knikten naar elkaar en ik ging op de stoel voor de camera zitten. Naast de stoel stond een karretje met een apparaat waar allemaal draden uit kwamen, dus ik dacht dat het een bandrecorder was zodat ze mijn stem ook los van de video konden opnemen. Maar er komt nog een andere man binnen, ouder, met een sigaret aan zijn onderlip geplakt, en niet in uniform en hij heeft de mouwen van zijn hemd opgestroopt. 'Verboden te roken,' zegt

Andy tegen hem, en de man kijkt hem aan met een blik die ik niet bepaald vriendelijk zou noemen, en hij gooit zijn sigaret gewoon op de vloer en maakt hem uit met zijn zool, want in een kamer waar het verboden te roken is, heb je natuurlijk ook geen asbak. Hij ging bij het apparaat staan en deed het deksel omhoog, en ik zag een rol papier met ijzeren staafjes erop, dus toen zag ik pas wat het echt was, een apparaat om aardbevingen mee op te nemen.

'Waarom is dit?' vroeg ik aan Andy terwijl ik op het apparaat wees.

'Gewoon routine,' zegt hij.

'Buig eens iets naar voren,' zegt de man met de opgestroopte mouwen tegen mij, en toen ik dat deed, wikkelde hij elastieken banden met draadjes om mijn borst en toen wist ik pas écht wat het was, geen aardbevingrecorder maar een leugendetector. Hier had Andy niks over gezegd, hij had het alleen over video gehad, dus nu ben ik verward over wat er hier gaande is.

'Dit is een leugendetector,' zeg ik, om ze te laten horen dat ze mij niet in de maling konden nemen.

'Nou, vertel ons maar geen leugens dan,' zegt Andy met een glimlachje.

'Dat was ik ook niet van plan.'

'Mooi zo. Eerlijk duurt het langst, nietwaar, Dannyboy? Odell, dit is Dan Oberst. Dan is een ervaren vakman en hij is hier speciaal voor jou, dus je ziet dat je een heel speciale behandeling krijgt.'

'Goeiemiddag,' zeg ik tegen Dan, maar hij gromt alleen maar wat en heeft volgens mij duidelijk een rothumeur, waarschijnlijk net als agent Dayton omdat hij geen zin heeft om op zaterdag te werken. Ik durfde te wedden dat ik de enige was die het niet erg vond dat hij hier op zaterdag zat, want op een stoel zitten voor een videocamera is lang niet zo zwaar als gazons maaien, dus voor mij was het evengoed een rustdag. Dan Oberst deed een soort van bloeddrukarmband om mijn arm en plakte een paar plastic plakdingetjes in mijn handpalm.

'Ziezo, we kunnen beginnen,' zei Dan. 'Ik ga je nu eerst een paar vragen stellen waar je zonder te aarzelen met ja of nee op moet antwoorden. Verder niets, alleen maar ja of nee, begrijp je dat?'

'Ja,' zei ik, en ik lachte, want ik vond dit humoristisch gereageerd van mezelf, maar ze snapten het niet.

Hij zette het apparaat aan en het papier begon heel langzaam te rollen, en toen zette hij het weer uit want dit was alleen maar om te zien of het apparaat werkte, wat het dus deed, en nu verreed hij het karretje zo dat het achter mijn rug stond en hij ging er zelf naast zitten op een metalen stoel.

'In de camera kijken, Odell,' zei Andy, wat ik deed, en ik zag agent Dayton knikken dat hij ook klaar voor de start was. Achter me begon het apparaat weer te draaien en ik hoor Dan heel langzaam en duidelijk vragen: 'Is jouw naam Odell Deefus?'

Het was heel verleidelijk om nee te zeggen en te horen of het apparaat dan een piepje gaf of zo, maar ze keken allemaal zo ernstig dat ik dit niet deed. 'Ja,' zei ik, heel zeker en serieus, want als zij zo deden, kon ik het ook.

'Is je geboortedatum 21 november 1985?'

'Ja.'

En zo stelde hij nog een stel heel gemakkelijke vragen met duidelijke antwoorden. Als dit een quiz op tv was, zou ik steenrijk worden.

'Ken je Dean Lowry?'

'Ja.'

'Weet je waar hij zich momenteel bevindt?'

Natuurlijk wist ik dat, namelijk in de achtertuin van het huis. En ik wist ook dat het apparaat het zou merken als ik loog, dus besloot ik ja te zeggen. Dat was veilig om te doen, want ze konden me niet vragen wáár hij dan was, want dat was geen ja-of-nee-vraag.

'Ja.'

Andy veerde meteen op. 'Dus je weet waar hij is?'

Dan zuchtte een zware zucht en zei: 'Geen interrupties, Chief. Nu moeten we weer helemaal opnieuw beginnen.'

'Als hij weet waar Lowry is, moeten we dat onmiddellijk van hem horen,' zei Andy nijdig. 'Waar is Dean nu, Odell?'

'In Amerika,' zei ik, wat inderdaad de waarheid was.

'Waar in Amerika?'

Dan zette het apparaat uit. 'Nog één interruptie en ik moet u de kamer uitsturen.'

'Dan moet je die vragen maar beter stellen,' zegt Andy.

'U heeft van tevoren de lijst kunnen doornemen,' zegt Dan. 'Het is mijn schuld niet dat u die moeite niet genomen heeft. Nu moet het weer helemaal overnieuw.'

Hij begon aan het apparaat te prutsen. Agent Dayton vroeg aan Andy: 'Moet ik blijven filmen?'

'Blijf filmen.'

Ik had intussen door dat ze me strikvragen wilden stellen om me dingen te laten zeggen die ik wél wist en zij níét, dingen waarmee ik in de knoei kon komen, zoals waar Dean op dit moment is, dus het was maar goed dat Andy de ondervraging had verpest, want nu was de opzet duidelijk en wist ik wat me te doen stond. Ik had weleens gehoord dat je een leugendetector kunt verslaan door aan dingen te denken die niks met de vragen te maken hebben. Dan denkt het apparaat namelijk bij elk antwoord dat je liegt, zelfs als ze iets simpels vragen als 'Is het vandaag zaterdag?' Dan zeg je dus ja, maar je denkt ondertussen aan de dag dat je hond werd doodgereden, of die keer dat je vader je sloeg waar andere mensen bij waren, zomaar, zonder reden, alleen maar omdat hij zo'n klootzak is, dat soort dingen. Dan ga je namelijk zweten en je hart gaat sneller kloppen, waardoor het apparaat zegt dat je liegt terwijl iedereen hoort dat je het goede antwoord geeft op een hele simpele vraag, wat dus betekent dat het apparaat niet te vertrouwen valt in jouw geval, dus kappen maar met die test.

Om dit voor elkaar te krijgen, moet je je heel goed concentreren, dus deed ik dat. Ik ging me sterk zitten voorstellen dat ik Jody uit *The Yearling* was, als hij te horen krijgt dat hij zijn hertenjong moet doodschieten omdat het de oogst aanvreet waar Jody's familie zo hard voor gewerkt heeft. Het hertenjong moet dood, hoeveel Jody er ook van houdt en hoe erg hij het ook vindt om de beul te worden van dat mooie lieve wezentje met zijn grote bruine ogen en zijn vochtige zachte neusje en die parmantige hoefjes, en dat grappige witte wipstaartje waar het zijn naam aan dankt, namelijk Flag. Flag het hertenjong dat bij Jody in bed sliep toen het nog klein was, Jody's kameraadje dat net zoveel van hem houdt als andersom, maar dat nu moet worden doodgeschoten alsof het een schadelijk rotbeest is zoals een wolf of een slang, een kogel door het onschuldige lieve hartje in zijn smalle borstkast die bedekt is met het allerzachtste haar, dat besmeurd zal worden met bloed als de kogel erdoorheen gaat...

'Wat krijgen we nou?' vroeg Andy, en hij klonk bozer dan ooit. Maar ik kon hem geen antwoord geven, zo erg zat ik te snikken. Mijn hele lichaam schokte en de tranen stroomden over mijn wangen bij de gedachte hoe vreselijk het moet zijn om je eigen hertenjong dood te moeten schieten, waar je zoveel van houdt en dat zo lief is en ook veel van jou houdt, maar je zult het toch moeten doen want het moet van je vader…

'Wel godverdomme… wat is er lóós met jou, Odell?'

Achter me hoorde ik Dan zeggen: 'Ik stop ermee. Dit kan nooit een bruikbare uitslag opleveren. Ik hanteer professionele maatstaven, Chief, en daar wordt hier op geen enkele wijze aan voldaan. Dien gerust een klacht in, maar dan zal ik erop wijzen dat de hele procedure op video is vastgelegd.'

Hij trok de plakkertjes weg en maakte de armband los en haalde heel snel adem door zijn neus, wat betekende dat hij minstens zo kwaad is als Andy, alleen niet op mij maar op het hoofd van politie van Callisto. 'Je kunt gaan,' zei hij tegen me, dus ik stond op.

'Hij gaat pas als ík het zeg!'

'Moet ik doorgaan met filmen?' vroeg agent Dayton.

'Stoppen!' zegt Andy.

'Kan ik gaan?' vraag ik snikkend, want ik ben nog steeds over mijn toeren.

'Donder op!'

Ik liep de kamer uit en de gang in, waar Lorraine op me wachtte, en ze vroeg meteen: 'Odell, wat is er?'

'Ik wilde niet…' zei ik, met mijn wangen nog helemaal nat, en meer zei ik niet, want wat ik eigenlijk wilde zeggen was dat ik Flag niet had willen doodschieten, en dat zou ze toch niet begrijpen.

'Wat wilde je niet? Wat hebben ze met je uitgevreten?'

'Ze hadden een leugendetector… Die man heeft me aangesloten…'

'Wát?'

Andy kwam ook de gang in en ze zegt: 'Een léúgendetector? Daar had je niks over gezegd, Andy, er zou alleen een camera zijn. Waar slaat dit op? Wat voor leugens denk je dat hij verteld heeft? Zaterdag in plaats van zondag, is dat een reden om iemand zo'n test af te nemen? Hij heeft al verklaard dat hij dronken was en nu zet je hem aan een leugendetector? Zonder advocaat? Waar slaat dat verdomme op, Andy?'

'Kalm aan, Lorraine. Jij hebt hier niets mee te maken.'

'Heb ik hier niets mee te maken?' Het is wel mijn bróér waar ze achteraan zitten, en mijn tánte die vermoord is, en nu wordt mijn vríénd als een crimineel behandeld terwijl hij hier alleen maar in verzeild is geraakt omdat hij autopech had!'

'Hé, kalm aan een beetje.'

'Je speelt dit helemaal verkeerd, Andy, geloof me.'

'Jóú geloven?'

Ze keken elkaar snuivend aan, met blikken die konden doden zoals dat heet. Ik was niet verdrietig meer over Flag, alleen nog maar verbaasd over de manier waarop ze ruzie over mij maakten. Lorraine had me haar vriend genoemd. Haar vriend. Als een vrouw dat over een man zegt, kan het verschillende dingen betekenen. Ik hoopte dat die betekenis snel op een goede manier duidelijk zou worden.

'Kom op, Odell, we gaan.'

Ze greep mijn arm beet en rukte me mee naar de deur, en rukte nog steeds aan me toen we al buiten liepen. 'Vuile gluiperd!' zegt ze woedend. 'Waar haalt-ie de moed vandaan, die gluiperd... Wat heb je ze verteld, Odell?'

'Niet zoveel. Hoe ik heet en hoe oud ik ben, en toen wilde Andy weten waar Dean is, en toen zei ik "in Amerika," en toen werd hij kwaad... maar die man zei dat hij ophield met de test.'

'En dat was alles?' We stonden nu tussen de pick-up en haar auto en ze keek steeds opzij naar het bureau, alsof ze denkt dat Andy naar buiten komt rennen met een raketwerper of zo.

'Ja, die man hield ermee op en toen werd Andy nog kwader.'

'Maar ze hebben je niet geslagen of zo? Want dat is tegen de wet, hoor, Odell.'

'Nee.'

'Nou, je zag er anders uit alsof je gehuild had toen je naar buiten kwam, dus ze moeten je toch wel íéts misdaan hebben.'

Ik kon haar niet vertellen dat ze me gezegd hadden dat ik Flag dood moest schieten. Dat zou ze niet snappen, helemaal niet omdat ze me verboden had om over dat boek te praten. Dus zei ik maar wat anders, ik zei: 'Hoe ziet Cole eruit?'

'Wat?'

'Cole Connors, hoe ziet die eruit?'

'Hoe hij eruitziet? Zat hij soms ook in die kamer?'

'Nee.'

'Hij is een jaar of veertig, kalend, en hij heeft een buikje.'

Aha, dan kan ze dus zeker niet vinden dat hij er beter uitziet dan ik. Dit was een grote opluchting voor me, want het had me eerlijk gezegd wel beziggehouden, een beetje van streek gemaakt zelfs.

'Waarom wil je dat opeens weten?'

'O, zomaar. Ik heb een nieuwsgierige aard, denk ik.'

'Odell, kost het jou soms moeite om je aandacht ergens bij te houden? Hebben ze je weleens gezegd dat je concentratieproblemen hebt?'

Nou, die problemen had ik dus duidelijk niet. Ik had net nog bewezen dat ik me hard genoeg concentreren kon om een leugendetector beet te nemen, dus het sloeg nergens op dat ze me van zoiets beschuldigde.

'Nee.'

'Want dat gevoel krijg ik weleens met jou, dat we finaal langs elkaar heen praten. Je reageert heel eigenaardig soms.'

'Nee hoor.'

'Afijn, als Andy je nog eens ergens toe wil dwingen, dan vertel je het meteen aan mij en zoeken we een advocaat voor je.'

'Ik hoef geen advocaat. Ik heb niks gedaan.'

'Dat maakt niet uit, Odell. Dit is Amerika. Als je geen advocaat hebt, ben je de lul in dit land.'

'Ik ga maar eens naar huis, denk ik.'

'Gaat het wel met je?'

'Ja, hoor. Uitstekend juist.' En het ging ook uitstekend, want Lorraine was bezorgd over me, wat dus wel bewees dat ze echt om me gaf.

'Weet je de weg hiervandaan?'

'Ik ken Callisto heel goed, door dat maaiwerk.'

'Oké, maar mijd Eagle Avenue. De high school speelt vandaag een honkbalwedstrijd, dus het verkeer wordt daar moordend.'

'Ga jij er ook naartoe? Dan kunnen we misschien samen gaan.' Dit leek me heel erg leuk, samen met haar op de tribune met een Coke en hotdogs, juichen voor de thuisploeg, die de Callisto Cougars heet. *Go Cougars!* Maar ze schudde haar hoofd en ze zei dat ze geen zin had om Cole Connors tegen te komen, want zijn oudste zoon zat in het team. 'Maar hij is toch een vriend van je?' 'Ik zie hem doordeweeks al vaak genoeg, Odell. Je hoeft je vrienden niet elke dag te zien.' Met dit standpunt was ik het wel eens, maar toen zei ze: 'En zijn vrouw is er ook, en ik kan dat secreet niet uitstaan. Maar goed, ga jij maar lekker naar huis, dan bel ik je vanavond misschien nog wel even.'

Ze maakte de deur van haar auto open, en het schoot me te binnen dat ik haar nog steeds niet verteld had dat ik een nieuw mobieltje heb, maar nu zat ze er al in en startte de motor, dus dat was een gemiste kans zoals dat heet. En weg reed ze, heel snel zonder nog even gedag te zwaaien. Ik keek haar autootje na tot het om de hoek verdween, met veel rook uit de uitlaat, dus ze mocht weleens naar de garage met dat ding, en toen draaide ik me om en zag Chief Webb boven aan de trap van het politiebureau staan. Hij rookte een sigaret en keek naar mij, al deed hij net alsof hij alleen maar stond te roken en niet keek, maar ik wist wel beter want ik kon zijn ogen zien hoewel hij zijn gezicht de andere kant op hield. Hij had vreselijk de pest aan me, die man, terwijl ik toch echt niks gedaan had.

Ik wilde net in de pick-up stappen toen mijn mobieltje ging. Ik pakte het en drukte op het knopje en het was Jim Ricker van Homeland Security. 'Hoe gaat het, Odell?' zegt hij.

'Het gaat wel.'

'Heb je je gesprek al gehad?'

'Gesprek?'

'Ja, ik had gehoord dat je vandaag een gesprek zou hebben op het politiebureau. Heb je dat al gehad?'

'Ja.'

'En, hoe ging het?'

'Niet zo goed.'

'Niet zo goed? Waarom niet, Odell?'

'Chief Webb denkt dat ik een leugenaar ben, terwijl ik me alleen maar in de dag heb vergist. Ik dacht dat het zaterdag was, maar het was zondag, dat is alles.'

'Tja, de politie moet nou eenmaal wantrouwig zijn, Odell. Dat hoort bij hun vak.'

'Maar ik heb niks gedaan!'

'Dat zeggen ze allemaal, Odell, dus daar kan de politie niet altijd genoeg mee nemen. Soms moeten ze mensen ondervragen, ook als ze onschuldig zijn.'

'Hij vertrouwt me nog steeds niet want hij staat nu wéér naar me te kijken.'

'Is dat zo? Film hem even voor me, ik wil weleens zien hoe die vent eruitziet.'

'Oké, wacht even...'

Ik richtte het lensje van mijn mobieltje op Andy Webb en filmde hem een paar tellen tot hij het in de gaten kreeg en me recht aankeek, heel kwaad, maar toen drukte ik al op de verzendknop.

'Ah ja, ik zie hem,' zegt Jim tegen me. 'Nou, zo onvriendelijk ziet hij er niet uit, Odell.'

'Je moet hem meemaken om te weten hoe hij is. Hoe wist je trouwens dat ik naar het bureau moest komen?'

'Maak je daar maar niet druk over, Odell. Ik ben je vriend, dat weet je, en dat kleine vogeltje van mij let goed op al mijn vrienden, de hele dag door, waar ze ook zijn.'

Ik keek om me heen of ik misschien ergens een vogeltje zag, maar ik zie alleen Andy Webb, boven aan de trap van het politiebureau, die zijn peuk op het parkeerterrein gooit, dus als er niet echt een vogeltje is, hoe kan Jim Ricker dan weten waar ik ben? Wacht eens even, denk ik, dan heeft hij vast een... spionagesatelliet! Ik keek omhoog, maar je kunt die dingen natuurlijk niet zien op zo'n grote hoogte, en zeker niet overdag, maar ik wist dat ik gelijk had, want het kon gewoon niet anders. Homeland Security heeft een massa technologie om op de uitkijk te zijn voor terroristen en andere volksvijanden, het nieuwste van het nieuwste en alles is peperduur, dus het is logisch dat ze het dan ook maar gebruiken om op hun vrienden te passen. En ik was een vriend, dat had Jim net zelf gezegd. Het bewees maar weer hoe belangrijk ik was, want wie kan zeggen dat hij vanuit de ruimte beschermd wordt door satellieten?

'Oké,' zei ik in mijn mobieltje en ik zwaaide naar de lucht, wat hij zou zien op zijn scherm in de geheime Homelandkelder ergens onder een berg waarvan je denkt dat er alleen maar rotsen en bomen zijn, maar daaronder is het als een James Bondfilm met allemaal computers en knipperende lampjes en professionele mensen die alles in de gaten houden. 'Ik snap het.'

Andy Webb zag me zwaaien en keek ook omhoog, en daarna nog een poosje naar mij, en toen schudde hij zijn hoofd en ging weer naar binnen.

'Goed zo,' zegt Jim. 'Kijk, wij werken op de achtergrond om het zo maar eens te zeggen, dus je zult mij nooit persoonlijk ontmoeten. Daar zijn andere instanties voor, zoals de politie. Wij volgen je op afstand, en weet je waarom? Omdat jij lokaas bent.'

'Lokaas?'

'Om een terrorist in de val te lokken.'

'Wie dan? Hosanna Bin Laden?'

'Nee, Dean Lowry.'

'O ja, natuurlijk.'

'Je beschouwt hem misschien nog steeds als je vriend, en dat is dan heel begrijpelijk, maar vrienden zijn soms heel andere mensen dan je denkt, Odell. Soms doen ze iets waardoor je geen vrienden meer met ze wilt zijn. En zo is het ook met Dean. Je hebt nooit geweten dat hij een moordenaar was, toch?'

'Nee, dat was een grote verrassing.'

'Precies, dat bedoel ik. En nu zou het dus heel goed kunnen dat hij weer contact met je zoekt, als hij zich in het nauw gedreven voelt. Dan probeert hij misschien wel misbruik van je vriendschap te maken door je om hulp te vragen. Of je hem de grens over wilt smokkelen of zoiets. Vertel eens, Odell, hoe zou je daarop reageren?'

'Heel verrast,' zei ik, en dat overdreef ik niet, want het leek me heel onwaarschijnlijk dat hij zoiets zou vragen, aangezien hij zo dood was als een pier.

'Nou, toch zou het best kunnen gebeuren, hoor. En als het gebeurt, meld het mij dan met je nieuwe mobiel. Je bent een belangrijke factor, Odell. Houd er dus ook maar rekening mee dat er nog anderen met je komen praten, misschien vandaag al. Zo wordt het hoog tijd dat het Bureau zich bij je aandient. Die zijn weer eens veel te langzaam, dat stelletje amateurs.'

'Het bureau?'

'De FBI. Dat knusse stadje van jullie staat in het brandpunt van de belangstelling, hoor. Je hebt trouwens nog steeds je ringtone niet veranderd.'

'Hoe weet je dat?'

'Maar hij hing op zonder zelfs maar gedag te zeggen. Jim Ricker had een rare manier van contact opnemen, maar hij zal wel drukbezet zijn en geen tijd hebben voor kletspraatjes over het weer en zo. Hij leek me al met al best aardig, dus het was jammer dat ik hem nooit persoonlijk zou zien. Of misschien was dat juist wel goed, want anders moest ik toch maar tegen hem liegen waar hij bij stond. Deze gedachte was eigenlijk wel treurig, maar ik had geen keus meer. Ik moest wel liegen over Dean, anders kwam ik vreselijk in de knoei met alles.

TIEN

Het was weer een zware dag geweest en ik wilde naar huis, maar ik ging eerst langs de drankenhandel voor een nieuwe fles met de Captain en nog wat bier. Ze hadden Carlsberg in de aanbieding, dus nam ik dat, plus wat zakken Cheetos en Doritos voor de afwisseling van mijn voedselpatroon, wat belangrijk is voor een goede gezondheid, en ook nog een zak knabbelnootjes, waar veel voedingswaarde in zit, wat de reden is waarom apen en olifanten ze ook eten.

En toen ging ik op weg naar huis, maar vergat dat ik Eagle Avenue moest mijden, zodat ik vast kwam te zitten in de verkeersdrukte voor de wedstrijd van de high school, maar dat duurde niet lang, dus ik kon al snel weer doorrijden, in een goed humeur, wat ik trouwens meestal heb, omdat het nu eenmaal in mijn aard ligt. Je hebt ook mensen die altijd maar kniezen en piekeren, maar zo ben ik dus niet, gewoon omdat ik daar het nut niet van inzie. Zelfs toen het slecht met me ging in Yoder, met mijn vader en zo, deed ik niet aan kniezen en piekeren, al kende ik jongens die dat wel deden. Corky Busch, bijvoorbeeld. Hij had ook problemen met zijn vader, die namelijk wilde dat Corky op een dag de ijzerhandel zou overnemen, die al eeuwenlang een familiebedrijf was. Maar Corky wilde niet achter de toonbank maar in een *gang*, wat ook de reden was waarom hij altijd als een neger praatte, *Yo muthafuckah* en zo, en heel wijde kleren droeg als een skater, maar dan zonder skateboard. Corky was de enige *gangsta* in Yoder, wat hem volgens mij nogal eenzaam moet hebben gemaakt, zo zonder een gang waarmee hij moorden kon plegen en drugdeals kon doen. En zijn vader bleef maar drammen over de ijzerhandel, tot Corky op een dag een pistool kocht dat perfect bij zijn kleding paste en dat hij meteen ook maar gebruikte om zijn vader het zwijgen op te leggen, waarna hij maakte dat hij wegkwam. Hij kwam in Colorado terecht, waar hij nog iemand neerschoot in een supermarkt, en daardoor kwam hij in de gevangenis terecht, waar hij eindelijk lid kon worden van een gang, wat helaas wel een gang van blanke neonazi's was, waardoor hij moest ophouden met als een neger te praten. Dus dat komt ervan als je altijd maar kniest en piekert. Het leidt tot niets en je kunt het maar beter niet doen.

De middag was al voor de helft voorbij toen ik het bier in de koelkast zette en de tv aandeed voor een beetje gezelschap. Op dit vroege uur is er geen nieuws, behalve op de nieuwszender, dus keek ik daar maar naar in de hoop dat ze iets over Dean hadden dat ik nog niet gezien had, maar het ging vooral over een oorlog in Afrika, waar altijd wel een oorlog is, soms zelfs meerdere. Ik snap dit niet, want ze hebben er alleen maar aids en mensen die doodgaan van de honger, dus waar vechten ze eigenlijk om? Het zal niet lang meer duren of er is geen Afrikaan meer over, omdat ze allemaal gestorven zijn van de honger of een ziekte of een kogelregen, en dan nemen de dieren het weer over, de leeuwen en de zebra's en zo, voor de toeristen die vanhier komen. Maar goed, ik kon daar ook niets aan doen, al deed het wel afbraak aan mijn humeur om al die kinderen te zien met alleen maar lompen aan hun lijfje en een AK-47 in hun handjes als ze nog geen aids hadden.

Ik bleef kijken in de hoop dat er misschien toch nog iets over Dean kwam, tot ik op een gegeven moment een auto op de oprit hoorde en meteen opstond in de verwachting dat het Lorraine was die even langskwam, maar toen ik keek was het haar auto niet maar die van iemand anders. Misschien de FBI al, voor dat gesprek wat Jim Ricker al had voorspeld. Maar toen de deur opening, bleek het agent Dayton te zijn. Dit gaf me een gevoel alsof er vingers in mijn hart knepen. Kwam hij opnieuw een video van het graf maken? Dat zou niet best zijn, want daar lag Dean nu weer in. Maar nee, ik zie dat hij geen camera bij zich heeft, gelukkig maar. Maar wat komt hij dan doen?

Hij kwam de treden van de veranda op en zei: 'Hallo'. Heel vriendelijk, dus niet met de tegenzin van vanochtend, omdat hij op zaterdag moest werken. En hij heeft trouwens geen uniform aan maar gewoon zijn normale kleren, dus het zijn geen politiezaken waar hij voor komt. Ik deed de deur voor hem open en we liepen naar de zitkamer.

'Wil je een biertje?'

'Lekker.'

'Zit je politiewerk erop voor vandaag?'

'Ja, voor vandaag is het mooi geweest.'

Ik pakte een blikje Carlsberg voor hem en trok het open.

'Kijk je niet naar de Red Sox?' vroeg hij, wat een rare vraag was, want hij kon zelf ook wel zien dat ik geen honkbalwedstrijd op had staan, maar ik begreep de hint en zocht het voor hem op met de afstandsbediening, wat een kleine moeite was en je kunt smerissen maar het best te vriend houden. We keken een paar minuten en toen sloeg iemand een homerun en Dayton juichte alsof hij nog nooit zo blij was geweest, en toen keek hij pas naar mij, alsof hij nu pas zag dat ik er ook was en hier naar mijn eigen tv zat te kijken.

'Zo,' zegt hij, 'geen makkelijke dag voor jou, hè, Odell? Mag ik je Odell noemen?'

'Oké.'

'Ik ben Larry. Dat was een mooie puinhoop, hè, dat verhoor door Chief Webb.'

'Ging wel.'

'Voor jou wel, ja. Jij liep na twee tellen weer de deur uit. Maar Webb ging af als een gieter. Hij wilde je dingen ontlokken om je in die moord te betrekken, en het liefst ook nog in die terrorismezaak. Maar jij hebt met geen van beide iets te maken, hè?'

'Ik had alleen maar autopech en toen kwam ik hier een glas water vragen.'

'Zo zie je maar hoe mensen buiten hun schuld in de problemen kunnen komen, zomaar, door op het verkeerde moment op de verkeerde plaats te zijn.'

'Ik heb niks verkeerds gedaan.'

'Dat weet ik, Odell. Als politieman leer je aan te voelen of iemand wel of niet deugt. Maar Webb is dat gevoel kwijt.'

'Volgens mij heeft hij gewoon een hekel aan me.'

'Zou best kunnen. Zo'n man is het wel, om zomaar zonder reden een hekel aan iemand te krijgen. Heb ik wel vaker bij hem gemerkt.'

We keken nog wat naar het honkballen, en Larry zegt: 'Weet je, hoe hij jou vandaag behandeld heeft, dat mag helemaal niet.'

'Nee?'

'Nee. Zoals hij je sloopte toen je niet zei wat hij wilde horen, dat was heel onprofessioneel.'

'Hij heeft me niet gesloopt.'

'Nou, op het eind was je toch behoorlijk overstuur. Ik had het er achteraf nog met Dan Oberst over, en hij zei dat hij nog nooit zo'n slechte leugentest had meegemaakt. Dan is een echte professional en hij kan er niet tegen als mensen de procedure verstoren, zoals Webb dat deed. Dat vond hij onaanvaardbaar en daarom is-ie er ook mee gekapt. Zo ontredderd als jij was, dat had hij nog nooit meegemaakt, zei hij. En volgens hem ben je sowieso niet geschikt voor een onderzoek met een leugendetector. Hij zei wel niet waarom je ongeschikt was, maar hij is heel deskundig.'

'Ik deed maar alsof, hoor.'

'Zeg, luister, krijg je hier veel journalisten over de vloer?'

'Nu niet meer, maar eerst wel. Maar het ging alleen maar over Dean, niet over mij.'

'Tuurlijk, Dean staat volop in de belangstelling. Nieuws over hem is goud waard, momenteel. De grote televisiemaatschappijen hebben er een vermogen voor over om als eerste iets nieuws over hem te kunnen melden. Verdient dat grasmaaien een beetje, Odell?'

'Gaat wel.'

'Gaat wel? Dat klinkt niet echt florissant, Odell.'

Ik begreep nu waar hij op uit was. Hij wil iets over Dean horen wat hij aan het nieuws kan verkopen. Nou, pech dan, want er valt niks meer te vertellen dat ik al niet eerder heb verteld. Zelfs mijn verzinsels waren uitgeput. En trouwens, waarom zou ik geld voor sappige nieuwsfeiten met Larry Dayton willen delen? Waarom moet hij meeprofiteren?

'Misschien is het voor jou dan wel nuttig,' zegt hij, 'om een kopie te hebben van de video die ik van het verhoor en de leugentest heb gemaakt. Daar kan een advocaat wonderen mee doen.'

'Ik heb geen advocaat, want ik heb niks gedaan.'

'Dat weet ik, maar ik denk nu even aan je toekomst. Een advocaat zou een hoop geld voor je kunnen binnenhalen.'

'Hoe dan?'

'Door een zaak aan te spannen over de manier waarop Webb je behandeld heeft. Zeg eens eerlijk, Odell, toen je bij ons binnenkwam, had je geen idee dat er een leugendetector voor je klaarstond, nietwaar?'

'Nee, dat was een grote verrassing voor me.'

'Kijk, dat kon ik dus al aan je zien. En Dan Oberst zal het ook hebben gemerkt, en hij is er de man wel naar om voor je te getuigen, wat nog meer gewicht zou geven aan het videomateriaal. Ja, dan sta je volgens mij ijzersterk, want Oberst staat bekend als een hele deskundige en betrouwbare man. Typisch iemand die je aan jouw kant wil hebben bij een rechtszaak.'

'Een rechtszaak? Maar ik heb niks gedaan!'

'Nee, je begrijpt me niet. Ik heb het over een zaak die jíj zou aanspannen, nou ja, je advocaat dan, tegen Chief Webb.'

'Tegen Andy Webb?'

'Juist. Omdat hij je rechten heeft geschonden. En dat is heel ernstig, Odell. En dan heeft-ie dat verhoor ook nog eens verpest omdat hij zijn mond niet kon houden. Hij was ervan overtuigd dat jij wist waar Dean was, en hij dacht je wel even te overbluffen.' Hij nam een slok van zijn bier. 'Een goede advocaat maakt gehakt van hem. Maar het zou niet eens tot een rechtszaak komen, denk ik.'

'Waarom niet?'

'Omdat de politieleiding geen risico zal willen lopen dat dit uitlekt naar de pers, zeker niet met al dat videomateriaal. Dus zullen ze een schikking willen treffen om jou je mond te laten houden en te voorkomen dat die video op tv komt. Dat levert je zeker een ton op, maar het kan ook veel meer worden. Hangt ervan af hoe goed je advocaat is. Een echte terriër kan je schatrijk maken. Maar goed, zonder een kopie van die videoband maak je dus niks klaar. Je advocaat kan het origineel natuurlijk opeisen bij de politie, dat recht heeft hij, maar de kans is groot dat er dan dingen zoekraken, als je begrijpt wat ik bedoel. Webb kan in het hele bureau gaan en staan waar hij wil, ook in het archief, dus die band verdwijnt spoorloos, reken maar. En zonder band heb jij geen zaak. En dus ook geen schikking. En zonder schikking moet je gras blijven maaien.'

'Misschien heeft hij hem al zoekgemaakt,' zei ik.

'Dat zou inderdaad best kunnen. Dus daarom is het maar goed dat ik al een kopie heb gemaakt. Het leek me verstandig om daar maar niet te lang mee te wachten.'

'Heb je al een kopie?'

'Jazeker. En, zou jij die in je bezit willen krijgen?'

'Ik denk het wel, ja.'

'Ja, dat dacht ik ook al. Want die schikking kun je gewoon niet mislopen. Wie weet, misschien beur je wel een half miljoen. En dat allemaal dankzij mij, Odell. Omdat ik zo snel gehandeld heb. Ten koste van mijn eigen politiecarrière, want het zal ze duidelijk zijn dat ík die kopie heb gemaakt. Ik zal zelfs wel gedagvaard worden om dat officieel te verklaren. Weg carrière. En dat alleen maar omdat ik jou heb willen helpen.'

'Nou, dank je wel.'

'Dus je begrijpt natuurlijk wel dat ik gecompenseerd wil worden.'

'Met geld?'

'Met goudstaven mag ook, als je dat liever doet.' En hier moest hij hard om lachen.

'Hoeveel?'

Tja, ik neem aan dat je geen liggende gelden hebt, Odell. Anders zou je geen gras hoeven maaien, nietwaar?'

'Ik krijg binnenkort een andere baan.'

'Da's mooi, maar waarschijnlijk niet als bankdirecteur, hè?'

'Nee, in de gevangenis.'

'In de bajes? Dat méén je niet. Waar dan, in de keuken of zo? Daar laten ze de gevangenen met goed gedrag toch werken?'

'Als bewaarder. Ik ga binnenkort solliciteren.'

Hier moest hij opnieuw heel hard om lachen, heel lang ook, en daarna hield hij een grijns op zijn gezicht. 'Doe dat nou maar niet, Odell. Beroerder werk is er niet. En trouwens, ze zullen je nooit aannemen.'

'Waarom niet?'

Larry zuchtte alsof hij zijn geduld begon te verliezen, en de grijns was weg. 'Ben je gewoon het type niet voor. Voor dat werk moet je snoeihard zijn, Odell, en dat ben jij niet.'

'Ik ben groot.'

'Ja, maar daarom ben je nog niet hard. Wat ik je aanbied, levert meer op dan je ooit als bewaarder bij elkaar kunt sparen. Met die kopie van mij zit je geramd, geloof me.'

'Maar ik heb geen geld. Niet veel, tenminste.'

'Dat dacht ik ook al, dus daarom heb ik iets anders bedacht. Ik wil een percentage van de opbrengst. Dat zal die advocaat ook willen, en dat is alleen maar goed, want dan doet hij des te harder zijn best om er veel voor je uit te slepen. Ga maar rustig van een bedrag met zes cijfers uit. Lijkt dat je wat, zo'n opzet?'

'Ik denk het wel.'

'Heel verstandig. Kijk, dan moet er dus een wettig contract komen voor de verkoop van die kopie, met mijn percentage van het smartengeld. De hoogte daarvan hangt van je advocaat af, maar het zal genoeg zijn om ons allemaal gelukkig te maken.'

'Maar vind je het dan niet erg dat je baan bij de politie de mist in gaat?'

Hij zette zijn blikje op tafel. 'Ben je gek. Dat baantje heb ik alleen maar genomen om mijn opleiding te bekostigen. Met dat percentage kan ik voltijds gaan studeren en ben ik jaren eerder klaar.'

'Waar studeer je voor?'

'Voor het mooiste beroep van de wereld, Odell. Advocaat.'

'O.'

Hij stond op. 'Dus we hebben een afspraak?'

'Ik denk het wel, ja.'

'Regel een goede advocaat en bel me op. Ik sta in het telefoonboek.'

De telefoon begon te rinkelen, die in de keuken.

'Ik kom er zelf wel uit,' zei Larry, en hij liep naar de voordeur. Ik liep naar de keuken.

'Hallo?'

'Met Lorraine. Ze rijden hier net weg en komen nu naar jou toe.' Ze was helemaal opgewonden en ademloos.

'Wie komen naar mij toe?'

'De fbi, Odell. Ze hebben me net over Dean ondervraagd en zijn nu op weg naar jou, dus bereid je voor!'

'Ja, oké, ik verwachtte ze al.'

'Verwachtte je ze al?'

'Er was me verteld dat ze vandaag vragen gingen stellen. Dat had al eerder moeten gebeuren, maar ze zijn weer eens veel te langzaam, dat stelletje amateurs.'

'Waar heb je het in godsnaam over?'

'Over iets wat ik van een vogeltje heb gehoord.'

'Odell, heb je gedronken?'

'Ja, maar gewoon een biertje.'

'Nou, hou daar nu maar meteen mee op. Je moet nuchter zijn als die lui bij je aan de deur komen. Je weet toch nog wat je niet moet vertellen, hè?'

'Eh…'

'Over dat hij homofiel is. Daar hebben we het uitgebreid over gehad, Odell.'

'Ja, maar er is nu wel een film dat hij in die Okeydokeytent staat te zingen.'

'Dat wil nog niet zeggen dat hij homofiel is. Het betekent alleen maar dat hij daar zaterdagavond was, meer niet. Dat moet je ze trouwens wél vertellen, Odell, dat je hem pas op zondag hebt leren kennen, niet op zaterdag, en dat je je daar bij je eerste verklaring in vergist had, oké? Anders gaan ze je net zo wantrouwen als Andy Webb. En je weet wat je nog meer niet mag vertellen, hè?'

'Eh…'

'Dat pakje, Odell. Dat pakje dat nooit is bezorgd en dat ook nooit bezorgd zal worden omdat er helemaal geen pakjes bestaan, weet je nog wel?'

'Oké.'

'Nou, ga nu je mond maar spoelen en zet dat bier weg. Nu meteen.'

'Kom je vanavond nog langs om te praten over wat ze gevraagd hebben?'

'Ik bel je wel even, of nee, bel jij mij maar als ze weg zijn. En maak er geen rommeltje van, Odell, anders blijven ze terugkomen.'

Ze hing op. Ik ging mijn tanden poetsen en kamde mijn haar, wat zonde van de tijd was omdat het veel te kort is om te kammen, maar het gaf me wel het gevoel dat ik klaar was voor de FBI. Ik ging bij de voordeur staan om ze op te wachten. Larry Dayton was allang weggereden, dus het erf was leeg. Na een hele tijd wachten kwamen ze aan, in een grote blauwe Ford.

Ze waren met zijn tweeën, in nette pakken en een van hen droeg een bril. Ze kwamen de treden van de veranda op en stelden zich voor als agent Kraus en agent Deedle. Agent Deedle was de agent met de bril. Ik liet ze binnen en we gingen in de zitkamer zitten en ze stelden hun vragen, wat precies dezelfde vragen waren die ik van de politie had gekregen, en ik gaf dus precies dezelfde antwoorden, behalve dat ik nu heel nauwkeurig zei dat de Monte Carlo op zondag was stukgegaan, en dus niet op zaterdag. Na hun vragen nam ik ze mee de achtertuin in zodat ze de bult van de kuil konden zien, waar ik duidelijk bij vertelde dat hij al twee keer was uitgegraven en dat het op film stond dat er niks in zat, maar agent Krauss zei dat ze dit al wisten omdat het in hun rapport stond. Ze bleven zowat een uur en bedankten me voor de medewerking en reden weer weg, wat een grote opluchting was en ik belde meteen Lorraine met mijn nieuwe mobieltje.

'Hoe ging het?' wil ze weten.

'Heel goed. Ze zijn net vertrokken.'

'En je hebt niks gezegd over de dingen waarover je niks mocht zeggen?'

'Nee.'

'Goed zo. Jezus, wat is dit een rotdag geweest. En het is nog wel weekend. Dan hoor je tot rust te komen in plaats van ruzie te maken met het hoofd van politie en ondervraagd te worden door de FBI en de begrafenis van je vermoorde tante te regelen. Ik sta stijf van de zenuwen.'

'Zal ik naar je toe komen?' Dan kon ik haar nek misschien masseren en zou het een tot het ander leiden.

'Nee, ik ga een lang en warm bad nemen. Misschien ontspan ik dan een beetje.'

'Zal ik je rug inzepen?'

'Daar heb ik een badspons voor, Odell. Als ik jou was, zou ik ook maar een bad nemen, jij hebt net zo'n rotdag gehad als ik. En volgens mij houden we die stress tot ze Dean pakken. Ik weet haast wel zeker dat *Sixty Minutes* me binnenkort belt voor een interview, over hoe het is om op te groeien met een broer die terrorist wordt. Maar ik denk niet dat ze betalen voor interviews.'

'Die andere tv-mensen wel, hoor. Ze hebben mij vijftig dollar geboden.'

'Ja, maar die andere programma's hebben niet zoveel prestige, Odell. En het gaat me niet alleen om geld. Ik zou het ware verhaal over Dean willen vertellen, om begrip voor hem te kweken.'

'Maar dan zonder het homogedeelte.'

'Precies. En Andy Webb moet het niet in zijn hoofd halen om met dat filmpje uit de Okeydokey te gaan leuren. Maar dat zal hij ook wel niet, het is politie-eigendom en hij kan het niet zomaar aan de hoogste bieder verkopen. Bovendien heeft het niks met Deans lidmaatschap van die terreurgroep te maken. Moslims zijn juist erg anti-homo. Tegen drank zijn ze trouwens ook, terwijl Dean dol is op zuipen en blowen en weet ik veel wat, dus hij zou een waardeloze moslim zijn. Maar dat gaat niemand ene moer aan, en het is ook niet belangrijk, want dat terreurgedoe alleen is al genoeg voor een leven achter de tralies. Luister je nog, Odell?'

'Jazeker. Weet jij een goede advocaat?'

'Ik ken er een paar, maar daar heeft-ie niks aan. Dean heeft een echte zwaargewicht nodig om hem vrij te krijgen, en dan moeten ze hem nog pakken voor hij Ketchum iets aandoet. Als ze hem daarna pas pakken, krijgt hij gegarandeerd de naald.'

'Nee, voor mij bedoel ik.'

'Voor jou? Waarom wil je opeens een advocaat? Voor als Andy je weer lastigvalt?'

'Zoiets ja.'

'Wacht nou maar eerst af of hij dat doet, Odell. Misschien zitten die verhoren er wel op nu we met de FBI hebben gepraat.'

'Ja, maar… ik weet eigenlijk niet of ik wel geschikt ben voor gevangenbewaarder.'

'Natuurlijk ben je dat, anders zou ik dat niet zeggen. Dat gesprek met Cole is al geregeld, dus je hoeft komende vrijdag alleen nog maar op te komen dagen en laten zien dat je zelf je veters kunt strikken, dan heb je die baan. Laat me niet zakken, hoor, Odell.'

'Nee, maar ik dacht… misschien ben ik niet hard genoeg of zo.'

'Waar heb je het nou over, zo'n grote beer als jij? Niet aan jezelf gaan twijfelen, Odell. Onzekerheid is heel slecht voor een mens, dat gaat aan je vreten, neem dat maar van mij aan.'

Ze hing op. En ik had haar weer niet gezegd dat ik met een nieuw mobieltje belde. De volgende keer dan maar. Ik moest denken aan wat ze gezegd had over dat Okeydokeyfilmpje, dat dat officieel politie-eigendom was en daarom niet verkocht kon worden. Maar de opname van mijn verhoor met de leugendetector was ook officieel politie-eigendom, en dat ging nu wel verkocht worden, dus daar zat waarschijnlijk een probleem, maar Lorraine had al genoeg aan haar hoofd zonder dat ik haar daarmee lastigviel.

Het Franse eten van die middag bood weinig versterking voor de inwendige mens, dus ging ik naar de vriezer voor wat echte voeding als avondeten en haalde er een menu uit van gekruide aardappelschijfjes en maïs-aan-de-kolf en een kwarktaart van Sara Lee, maar die kon natuurlijk niet de oven in en moest op zichzelf ontdooien en zou dus een toetje voor later op de avond worden. Onder het wachten op de schijfjes en de maïs dacht ik na over wat Larry Dayton me verteld had, en over zijn aanbod van de kopie. Ik vond het geen gemakkelijke kwestie en ik was er nog niet uit toen het ovenbelletje ging en het tijd was om te eten, dus besloot ik er een nachtje over te slapen en dan morgen maar een beslissing te nemen. Het eten was gewoon goed Amerikaans voedsel zoals het hoort, en het ging erin als soep, en daarna ging ik een tijdje voor de tv zitten dommelen met het geluid af, lekker onderuit op de bank.

Na die ene nacht in de kamer van Bree had ik steeds in de kamer van Dean geslapen, en in allebei de kamers sliep ik als een otter, wat een bewijs is voor mijn zuivere geweten. Maar toen ik dieper in slaap viel op de bank, kreeg ik een hele nare nachtmerrie. Ik zat in mijn auto (die opeens weer reed als een trein) en Dean zat naast me aan een joint te lurken en naar het voorbijzoevende landschap te kijken, dat ik trouwens niet herkende, dus vraag me niet waar we reden. Dean zag er precies zo uit zoals toen hij nog leefde, behalve dat hij een oranje overall aanhad, zoals gevangenen die dragen, maar hij zat dus niet in de gevangenis maar in mijn auto.

Hij draait zich naar me toe en zegt: 'Ik deed het alleen maar om haar te stangen, weet je.'

'Wie wilde je stangen?'

'Nou, Bree natuurlijk, wie anders? Ze zat steeds maar te zeuren dat ik nooit meer naar de kerk ging en bleef maar proberen om me Jezus door mijn strot te duwen, en dat werd ik zo zat dat ik een paar moslimboeken kocht en tegen haar zei dat ik naar een moskee zou gaan, niet naar een kerk. En als we hier een moskee hadden gehad, zou ik dat nog gedaan hebben ook, puur om haar te stangen. Afijn, ze ging helemaal over de rooie. Compleet van de kook was ze, en maar jammeren dat mijn zielenheil gevaar liep, dus mijn grap was geslaagd, ik had haar boven op de kast gekregen. Maar ik had die boeken nu toch, dus las ik er wat in en ik vond eerlijk gezegd dat er veel mooie en verstandige dingen in stonden. Echte wijsheid, weet je, die ik eigenlijk wel gebruiken kon. Wie niet? Dus op een gegeven moment dacht ik: oké, ik ga stoppen met drinken, want dat is gewoon niet goed voor een mens. En laat ik ook maar ophouden met varkensvlees en kijken hoe dat bevalt. Het gewoon eens een tijdje uitproberen, weet je, stapje voor stapje. Een beetje kennismaken met de islam, niet meteen fanatiek maar gewoon eens zien wat er gebeurt.'

'En wat gebeurde er?'

'Wat er gebeurde? Jij sloeg me mijn hersens in, klootzak! Dus nu zal ik nooit weten of er een goede moslim in me school. Misschien had dat me wel een heel ander mens gemaakt. Beter en gelukkiger. Maar dat heb jij dus voor me verknald, achterlijke domme klootzak die je bent!'

Hij stak zijn hand uit en greep het stuur en we schoten over de rand van een afgrond waarvan ik niet eens wist dat die er was, en terwijl we naar beneden suizen, begint hij keihard te zingen: '*I'm a little teapot short and stout, Here is my handle and here is my spout…*' Het was een heel diep ravijn, dus we vielen een hele tijd, en toen we de grond raakten schrok ik wakker en dook van de bank alsof het een spijkerbed met gloeiende spijkers is. Ik viel op de grond en mijn keel zat helemaal dicht zodat ik nauwelijks lucht kreeg, en het zweet gutste over me heen alsof ik uit een zwembad was gestapt en mijn hart ging van *bonkebonkebonk*.

Ik stonk als een dode vis, zo erg zweette ik. Nadat ik een douche had genomen, knapte ik wat op, maar niet veel. De kwarktaart was intussen ontdooid, dus at ik die voor de helft op om een beetje te kalmeren, waarna ik de rest in de koelkast zette voor morgen. En toen ging het wel weer, want het was alleen maar een droom geweest, dus niets om overstuur door te raken.

De zon ging onder. Ik liep de achtertuin in en keek naar de bult en zei in gedachten tegen Dean dat hij op moest hoepelen, want het was mijn schuld niet, dan had hij me maar niet wakker moeten maken door midden in de nacht in mijn oor te fluisteren omdat hij zogenaamd een inbreker heeft gehoord, en al helemaal niet met een jachtgeweer in zijn hand, ook al zaten daar geen kogels in. Het was zijn eigen schuld dat het gebeurd was, niet die van mij, het lag gewoon aan hemzelf en zijn gestoorde persoonlijkheid! Ik voelde me helemaal alleen op de wereld. Maar dat was ik niet. Ik had een vriend in agent Jim Ricker. Dat had hij zelf gezegd. Zijn kleine vogeltje hield een oogje op al zijn vrienden, en daar was ik er één van, had hij gezegd. Dus haalde ik mijn kleine telefoontje te voorschijn en drukte op de index en daar verscheen Jims nummer. Ik drukte op het beltoetsje, want je hoeft niet eens zo'n nummer in te toetsen, dat doet zo'n mobieltje uit zichzelf met behulp van de digitale technologie waar ik inmiddels een groot voorstander van ben.

'Hé, Odell.'

Dit zei hij zonder dat ik zei dat ik het was, want hij kon het zien op zijn schermpje. Digitale technologie!

'Hé, Jim.'

'Wat is er, jongen?'

'O, niet zo veel. De FBI is hier geweest om met me te praten.'

'Aha, en hoe ging dat?'

'Wel goed, geloof ik. Ze waren aardiger dan Chief Webb in ieder geval.'

'Professionele wellevendheid, Odell, daar bereik je het meest mee.'

'Ja.'

'Verder nog iets?'

'Nou… ik sta in de achtertuin en de zon gaat onder. Wacht, ik laat het even zien.'

Ik stuurde hem een filmpje waarop hij de achtertuin met de bult kon zien, en de zonsondergang op de achtergrond.

'Zie ik daar soms dat lege graf, Odell?'

'Ja. Er zit alleen maar aarde in, maar ze hebben het twee keer onderzocht, de politie.'

'Nou ja, ze gaan tenminste grondig te werk. Dat is alleen maar goed.'

'Ja, maar de tweede keer moest ik het voor ze uitgraven.'

Hij lachte. 'Ben je daarom kwaad op Chief Webb?'

'Nee... nou, misschien ook wel. Zeg, Jim, kun je me nu zien?'

'Waarom vraag je dat, Odell?'

'Want ik bedenk me opeens, als die satellieten de hele tijd om de wereld draaien, moet het soms toch ook zo zijn dat die van jou net aan de andere kant van de wereld is, zodat-ie me niet kan zien.'

Hij grinnikte, maar heel vriendelijk, en zegt: 'Een béétje observatie-systeem is daarop ingericht, Odell. We hebben honderden satellieten die achter elkaar om de aarde draaien, dus er is er altijd wel eentje die min of meer boven jouw hoofd hangt.'

'Dus je kunt me écht zien?'

'Het antwoord op die vraag moet ik geheim houden, Odell. Zo zijn de regels en daar heb ik me aan te houden, maar daar heb je vast wel begrip voor.'

'Ja,' zei ik, en toen kreeg ik een briljante inval en stak mijn linker-arm omhoog. 'Zeg me alleen maar welke arm ik nu opsteek.'

Hij lachte opnieuw. 'Je linker,' zei hij, en mijn mond viel open. Hij kan me écht zien! 'Wauw...'

Hij lachte alweer. 'Je bent rechtshandig, nietwaar, Odell?'

'Eh, ja.'

'Dan is de kans groot dat je je mobieltje in je rechterhand houdt, dus zal je je linkerarm hebben opgestoken, nietwaar?'

'Eh, ja... dus je kunt me toch niet zien?'

'Zoals ik al zei, daar mag ik geen antwoord op geven. Prettige za-terdagavond nog, Odell.'

Hij hing op. Het was een teleurstelling dat hij me dus toch niet kon zien, want het was wel een prettig gevoel geweest om te denken dat hij als een grote broer over me waakte. Maar misschien kon hij me toch wél zien maar mocht hij dat gewoon niet zeggen omdat het geheim is.

Ik schonk een stevig glas met de Captain in, dronk het leeg en schonk het nogmaals stevig vol. Niets helpt mij zo goed tegen zenuwachtige gevoelens als de Captain, door wie ik een en al vreedzaamheid word. Ik zapte de tv af en vond een natuurprogramma over wolven in Ca-nada. In Amerika zijn alle wolven verdwenen, behalve een paar die ze in nationale parken hebben neergezet om te zorgen dat er niet te veel bizons komen, al zou je denken dat er daar toch ook niet zoveel meer van zijn, dus waarom laten ze die opeten door wolven? Maar goed, dit waren dus wolven in Canada, een stuk of zes die samen een troep vormden, maar toen sloeg het noodlot toe want één kreeg staar en werd blind.

Die arme wolf. Hij strompelde zomaar wat rond en deed allemaal rare dingen omdat hij niks meer kon zien, en de andere wolven begrepen niet waarom hij zo raar deed, want het zijn natuurlijk maar dieren, dus ze weten niet wat blindheid is, ze wisten alleen maar dat die ene wolf raar deed. En het zielige van het verhaal was dat de gezonde wolven het beu werden om die ene rare in hun midden te hebben. Ze hebben geen schijntje medelijden met hem en snauwen alleen nog naar hem en happen naar hem als hij te dicht in de buurt komt. Dus hij wordt steeds eenzamer en hongert langzaam uit omdat hij niet meer kan jagen en alleen nog overgebleven restjes eet als hij die toevallig ruikt. Dus na een tijdje ging hij dood en dat kon die andere wolven niks schelen. Ze liepen niet eens naar hem toe om bij wijze van afscheid nog even aan hem te snuiven of zo. Vreselijk zielig. Hij kon er ook niks aan doen dat hij blind werd, maar hij werd er wel voor gestraft, en zijn straf was niet alleen maar dat hij blind werd maar ook dat de anderen hem lieten barsten omdat hij niet meer zo is als zij. Dat laatste was nog wel het zieligste en ik begon ervan te janken als een kind, zo erg vond ik het. Normaal doe ik dat niet snel, huilen bedoel ik, maar ik had vreselijk medelijden met dat arme beest dat helemaal buiten zijn schuld in de versukkeling raakte en doodging zonder dat hij begreep waarom. Ik was blij toen het afgelopen was en ik een ander programma op kon zoeken.

Maar hoe ik ook zapte, er waren alleen maar politieke reclames, al duurt het nog langer dan een jaar tot aan de presidentsverkiezingen. Dat doen ze altijd, veel te ruim van tevoren vertellen hoe je stemmen moet, terwijl je dat nog lang niet kunt. Er valt niet aan te ontkomen, zelfs niet door de *mute*-knop in te drukken, want zonder geluid krijg je nog steeds die beelden van wapperende vlaggen en blije mensen die er trots op zijn dat ze in Amerika wonen, vooral dat schattige kleine meisje van een jaar of vier dat met de Stars and Stripes staat te zwaaien, met daaronder de tekst 'Doe het voor haar'.

In de meeste Republikeinse reclames zie je senator Ketchum wijs en ernstig en trots in de camera kijken, en hij zegt dingen als: 'Amerika is groot geworden door de werklust van de mensen en het principe van Rechtvaardigheid voor Iedereen. Dat principe kan ook andere landen vooruit helpen, als men er de kans maar krijgt. En daarom zijn wij in die landen, en moeten we er blijven. Amerikanen zullen zich nooit terugtrekken als ze ergens hulp moeten bieden. Dan staan wij pal. Dat is wat ons Amerikanen maakt.' En de andere kant zegt dat je nooit te groot bent om van je fouten te leren en dat het tijd wordt om het Verkeerde Pad te verlaten, en zij hebben ook hun schattige kleine meisje met een vlag, en zij zegt: 'Ik mis mijn papa, mag hij weer thuiskomen?'

Welke reclame er ook te zien was, ik was het er helemaal mee eens en dít was op wie ik ging stemmen, maar dan kwam de andere partij met de omgekeerde boodschap en vond ik díé mijn stem waard, waarna de eerste partij weer kwam met hun boodschap over Niet Wijken Voor Terreur en vond ik dat weer de juiste opvatting, en zo zigzagde ik heen en weer tot ik wou dat ik in winterslaap kon vallen als een beer en pas na de verkiezingen wakker zou worden en dan zag ik wel wie er in het Witte Huis zat.

Volgens mijn eigen persoonlijke mening had Condoleezza Rice trouwens de kandidaat voor de Republikeinen moeten worden, niet senator Ketchum. Haar had ik sowieso mijn stem gegeven, van welke partij ze ook was, zo sympathiek vond ik haar. En wat veel mensen niet weten: Condi kan prachtig pianospelen, dus ze is niet alleen politiek maar ook kunstzinnig en hoe vaak zie je zulke mensen in Washington? Niet zo bar vaak, neem dat maar rustig van mij aan. Als Condi president werd, zou ze als eerste tegen de nationale parken zeggen dat ze alle blinde wolven moesten vangen, zodat ze aan hun staar konden worden geopereerd en niet helemaal in hun eentje hoefden dood te gaan zonder te weten waarom. Zo'n vrouw is het. Heel gevoelig voor de behoeften van anderen. En van senator Ketchum wist ik dat nog niet zo zeker.

ELF

In Yoder, waar ik opgroeide, was zondag altijd de saaiste dag van de week, werkelijk waar. De zondagen in Yoder waren heel geschikt om een wereldburger van je te maken, want het verlangen werd elke zondag groter om nooit meer één zondag in Yoder door te brengen. En dat gold voor iedereen, wat ze ook mogen beweren. Volgen Feenie Myers zeiden negen van de tien Yoderianen dat ze het vreselijk vonden om er te wonen, en de tiende, die het niet zei, was een leugenaar. Maar de zondagen in Callisto bevielen me prima. Ik werd wakker op de bank waarop ik in slaap was gevallen van de rum, terwijl de tv nog naar me siste. Ik werkte me overeind en strompelde naar de keuken voor een glas water met een aspirientje om de eetlust voor het ontbijt op te wekken en strompelde weer terug naar de bank, waar ik nog wat tukte om het bonken uit mijn hoofd te krijgen, en toen stond ik écht op en maakte wafels en opgebakken aardappels met uitjes uit de vriezer. Die was nog steeds goed gevuld, wat verbazingwekkend was omdat er in de tussentijd toch een compleet lijk uit was verwijderd, al was Bree natuurlijk maar een klein vrouwtje geweest.

Om een uur of twaalf was ik helemaal opgeknapt en vroeg ik me af of ik Lorraine moest bellen om te vragen of ik iets voor haar kon doen, misschien naar haar toe komen met een sixpack voor de lunch of zo. Ze had me nog nooit uitgenodigd en ik wist eerlijk gezegd niet eens of ze in een huis woonde of in een appartement, en je kunt niet echt van vriendschap spreken als je nog nooit bij iemand over de vloer bent geweest en niet eens weet hoe ze woont, wat dus geen goed teken was en vragen bij me opriep of ze nu echt wel iets om me gaf.

En toen hoorde ik een auto aankomen, maar nog voor ik naar de deur liep, wist ik dat het niet de hare was, want de motor klonk anders, veel zwaarder, dus was het geen verrassing dat het Chet was die bij me op bezoek kwam. Ik was blij dat ik hem zag, want het was door zijn vrijgevigheid en die van Preacher Bob dat ik nu dat mobieltje had waar ik zo dol op was. Hij zwaaide naar me en kwam de treden van de veranda op en ik zei: 'Kom binnen,' maar hij zei dat het een mooie dag was en waarom gingen we niet lekker op de schommelbank zitten, dus deden we dat. Ik liet hem meteen het mobieltje zien en vertelde wat er allemaal de mogelijkheden van waren.

'Da's een geweldig toestel, Odell. Fijn voor je. En dan moet je nu advertenties gaan plaatsen met het nummer, zodat de mensen je overal kunnen bereiken om je langs te laten komen voor hun gazon.'

'Dat ga ik morgen doen,' zei ik. 'Of nee, morgen komt niet goed uit. Dan moet ik mijn werk al onderbreken voor de begrafenis van tante Bree, en ik weet nog niet eens hoe laat dat is. Dus ik doe het dinsdag wel.'

'Ah, ga je naar de begrafenis? Da's een mooi gebaar,' zei hij. 'Dat zal juffrouw Lowry wel waarderen. De gebeurtenissen zullen jullie wel tot elkaar hebben gebracht, hè?'

'Het is een nare manier om iemand te leren kennen, maar inderdaad, Lorraine heeft iemand nodig om haar te steunen.'

'En jij biedt haar een wel zeer brede schouder, Odell. Geweldig, en het bewijst dat je een goed christen bent.'

Dit laatste compliment gaf me een ongemakkelijk gevoel, omdat ik het niet verdiende. En hij zag het blijkbaar aan me, want hij zegt: 'Je bént toch een christen, nietwaar?'

Het zou verkeerd zijn geweest om te liegen tegen iemand die zo aardig was geweest om me geld te geven voor een prachtig nieuw mobieltje, maar aan de andere kant vond ik het ook weer naar om hem teleur te stellen door te zeggen dat ik totaal niet in een God geloof die voor ons zorgt. Als God voor ons zorgde, zouden die kinderen in Afrika niet in lorren hoeven rondlopen, en met honger en een AK-47 of met aids, volgens mij. Dus zat ik me in rep en roer af te vragen wat ik in godsnaam moest antwoorden, en Chet is een hele intelligente man, dus die zag dat natuurlijk, en hij zegt: 'Spreek maar vrijuit, Odell. De waarheid mag altijd gezegd worden.'

Dus zei ik het open en bloot. 'Eh, niet echt.'

Chet klopte me op mijn arm als een vriendelijke oom die je op je gemak wil stellen. 'Zo gaat het soms, Odell. Sommigen van ons hebben tijd nodig om het licht van de Heer in hun leven toe te laten. Maar bedenk, het is nooit te laat om je voor Hem open te stellen.'

'Oké.'

'Ben je ooit lid geweest van een gemeente en toen afgedwaald?'

'Nee, we zijn vanaf het begin al nooit naar de kerk gegaan. Mijn vader had een sterk oordeel over godsdienst en dat heeft hij doorgegeven zoals dat heet.'

'Ik begrijp het.'

We zaten een tijdje stil naast elkaar, en hij zegt: 'Wat denk je, Odell, zou je op een dag toch nog christen kunnen worden?'

Hij was bezorgd om mijn ziel, wat heel aardig en zorgzaam van hem was, maar eerlijk gezegd ook tijdverspilling, want vergeet het maar, ik zal nooit van gedachten veranderen over het geloof. Ik wilde hem graag een plezier doen en zeggen van wel, maar ik was bang dat hij me dan vroeg om samen op onze knieën te gaan zitten en te bidden dat die dag snel zou komen, en daar moest ik niet aan denken, veel te gênant, dus ik zei: 'Niet echt, nee.'

Ik schaamde me wel om dit antwoord te geven, maar het kon niet anders, en Chet knikte alleen maar, heel langzaam en aandachtig, zonder me aan te kijken, en hij zei: 'Alles gebeurt om een reden, Odell. En soms blijft die reden duister voor ons.'

Dit klonk heel wijs, dus besloot ik het met hem eens te zijn om de sfeer een beetje luchtiger te maken.

Hij zegt: 'Heb je misschien een glas water voor me? Het is weer een warme dag.'

'Met ijs?'

'Nee, hoor, gewoon water uit de kraan. De profeten in de woestijn hadden ook geen ijsblokjes om zich te verfrissen.'

Ik haalde zo'n glas profetenwater voor hem en hij dronk het leeg en stond op en gaf me een hand. 'Ik ga morgen terug naar Topeka, Odell, dus het is tijd om afscheid te nemen. Het is jammer dat Dean zich zo ontpopt heeft, maar daar kun jij niets aan doen. Jij wist van niets.'

'Nee, zeker niet.'

'Het leven is een mysterie,' zegt hij, 'althans in de ogen van ons stervelingen.'

'Ja.'

Hij kneep nog eens stevig in mijn hand en liep de treden af naar zijn auto. Het gaf me een triest gevoel om hem te zien wegrijden, omdat hij een heel aardige man was, die de dingen alleen heel anders zag dan ik, zodat er tussen ons nooit de speciale band kon groeien die je vriendschap noemt. Ik keek zijn Cadillac na en vroeg me af met wie ik die speciale band wél had, en toen ik iedereen de rij had laten passeren, moest ik toegeven dat zo iemand er eigenlijk nog nooit was geweest. Maar ik ben nog jong, dus het kan best nog komen, tijd genoeg. En ik had goede hoop op Lorraine. Misschien kon ik haar morgen bij de begrafenis zeggen wat ik voor gevoelens had, al waren begrafenissen natuurlijk wel ernstige plechtigheden waarbij je niet zomaar over je eigen dingen kon beginnen. Het was gepast om de nabestaanden aan het woord te laten over hun verdriet, dus misschien moest ik toch nog maar even wachten. Chets auto was aan het eind van de oprit gekomen en draaide de weg op richting Callisto. Dag Chet.

Ik bleef nog een lange poos op de schommelbank zitten wachten of er nog iets gebeurde, maar dat gebeurde niet. Het uitzicht vanaf de veranda over al die leegheid van Kansas maakte me onrustig. Ik had het gevoel dat er iets was wat ik wilde doen, maar ik wist niet wat. Dit klinkt misschien raar, maar zo was het wel, een gevoel alsof ik iets van plan was geweest maar mijn kop had gestoten, en nu wist ik alleen nog dat ik íéts wilde doen, maar vraag me niet wat. Ik peinsde me gek maar kreeg het niet te pakken, hoe irritant dat ook was, maar wat doe je eraan, niks.

En toen wist ik het opeens. Natuurlijk! Ik wilde iemand vertellen dat ik Dean per ongeluk had doodgeslagen en dat hij dus heus niet met een geweer achter senator Ketchum aanzat zoals iedereen dacht. Het hele land is in alle staten over Dean, en dat alleen maar omdat ik niet verteld heb wat ik weet, en dit Grote Geheim begint een Zware Last voor me te worden. En het was logisch dat ik zojuist aan Condoleezza Rice had zitten denken, want zij was het aan wie ik de volledige waarheid wilde vertellen. Aan haar alleen, niemand anders. Want mijn Condi was de enige bij wie ik op begrip kon rekenen. Zij zou het me niet kwalijk nemen, omdat ze heel goed zou snappen dat ik het echt niet met opzet had gedaan. Ja, dit was wat ik wilde, en nu dat me duidelijk was, werd het me ook duidelijk dat ik het eigenlijk al heel lang wilde, en nu dát me duidelijk was, hield niemand me meer tegen.

Ik ging naar binnen en liep door het hele huis tot ik een pen had gevonden, en papier en een doos met enveloppen en een rolletje postzegels, en met dit alles ging ik aan de keukentafel zitten, plus een glas met de Captain om mezelf in de hand te houden omdat ik zo opgewonden ben. En toen schreef ik haar een brief. En die ging zo:

Beste Condoleezza Rice,

U kent mij niet maar hebt me misschien wel op het nieuws gezien, over Dean Lowry nadat hij vorige week zijn tante Bree heeft vermoord.

Dean is in het nieuws geweest over deze moord, plus over zijn contact met moslimterroristen die hij kent. Maar de echte waarheid is dat hij helemaal geen terroristen kent. Hij wilde alleen maar moslim worden om zijn tante op de kast te krijgen, dus niet echt serieus, alleen maar omdat ze hem steeds aan zijn hoofd zeurde en tegen hem schreeuwde tot hij zijn zelfcontrole verloor om het zo maar eens te zeggen.

Dit was ook de reden waarom hij haar vermoord heeft. Omdat hij helemaal over de rooie was en dus niet zichzelf, zoals dat heet. Maar goed, deze Vreselijke Daad heeft hij dus inderdaad gedaan.

Maar nu denkt iedereen dus ook dat hij senator Ketchum wil vermoorden, en dat heeft hij ook wel gezegd, maar dat was niet serieus. En zelfs al was het serieus, dan kon het toch niet meer gebeuren omdat Dean niet langer Onder Ons is.

Ik heb hem doodgeslagen met een honkbalknuppel, al zweer ik dat het per ongeluk was en dus niet met opzet. Hij maakte me wakker met een geweer in zijn hand en ik schrok zo erg dat ik hem een mep met die knuppel gaf voordat ik erover na kon denken of dit wel nodig was. Hij was ook niet dood, trouwens. Maar de volgende dag wel, al dacht ik eerst nog dat hij sliep.

Maar toen kwam ik erachter dat hij dood was en heb ik hem hier in de achtertuin begraven, dus u kunt namens mij tegen senator Ketchum zeggen dat er geen gevaar is, want Dean is niet langer Onder Ons.

Ik zweer u dat ik het niet met opzet heb gedaan. En nu ik bekend heb, ben ik hoopvol dat u het me vergeeft, ook het liegen erover, wat ik gewoon wel moest want ik had geen keus. Ik weet zeker dat u dit begrijpt, dus daarom heb ik u dit geschreven, mijn beste mevrouw Condoleezza Rice.

Vol Hoogachting,
Odell Deefus

Ik nam de brief twee keer door om te zien of er fouten in stonden, maar hij was helemaal perfect, dus deed ik hem in een envelop en likte die dicht, en toen nog een lik voor de postzegel in de hoek, schuin boven de naam van Condi, Het Witte Huis, Washington D.C. De postcode wist ik niet, maar die hoefde er ook niet bij want iedereen weet waar Washington D.C. is, zeker bij de post waar ze niet achterlijk zijn. Ik zette de envelop rechtop op de schoorsteenmantel tussen het koperen indianenopperhoofd en de zeeschelpasbak die een souvenir was uit Florida. En toen ging ik er vanaf de bank naar zitten kijken, alsof het een beroemd schilderij was. Ik wilde hem eigenlijk meteen op de post doen, maar dat heeft geen zin want het is zondag en de brievenbus wordt maandag pas geleegd, dus ik zou hem na de begrafenis wel op de post doen.

Het was een hele opluchting om te weten dat ik eindelijk het goede had gedaan. Ik denk dat ik het voor een deel nog niet gedaan had omdat ik dan ondervraagd zou worden door Andy Webb, aan wie ik een hekel heb en hij heeft een hekel aan mij, wat dus een nare ervaring zou worden. Op deze manier was het Condi Rice die de waarheid hoorde, en zij is een zachtaardig iemand, ook al moet ze soms streng zijn tegen de leiders van landen die anders denken dan wij, maar ze is sowieso rechtvaardig en billijk, dus is het veel beter om het aan haar te vertellen dan aan Andy Webb. Condi zal de leiding van Homeland Security en de FBI en senator Ketchum uitnodigen voor koffie met cake, om ze uit te leggen dat ik Dean niet met opzet heb doodgeslagen, dus zand erover en die jongen hoeft niet de gevangenis in. Ik kon wel huilen van geluk omdat ik zo verstandig was geweest.

De keukentelefoon ging en het was Lorraine! Dus dit was echt een uitzonderlijke zondag, want er kwam geen eind aan al het positieve dat er gebeurde. Ze begint meteen volop te praten. 'De uitvaart is om elf uur, dus je moet al om negen uur bij die kledingverhuurzaak zijn. Kerwin Street 2389, in het centrum dus. Tux deLuxe heten ze, en ze hebben ook pakken in de grotere maten, dat staat in hun advertentie in de telefoongids. Ze doen alleen niet aan hemden, stropdassen en schoenen. Heb je die zelf?'

'Eh, nee, alleen een paar laarzen en sneakers.'

'Zijn die laarzen goed, ik bedoel, zijn het zwarte?'

'Ja.'

'En niet helemaal versleten?'

'Nee, ze zijn nog goed.'

'Oké, ga ze dan nu maar alvast poetsen. En als je morgenochtend dat pak hebt gehuurd, ga je meteen daarna naar Target voor een hemd en een stropdas. Zorg ervoor dat ze goed bij dat pak passen. Geen streepjes of patronen, en geen felle kleuren, oké?'

'Oké.'

'Heb je geld genoeg?'

'Ja.'

Ze zuchtte diep en zei: 'Wat zal ik blij zijn als dit allemaal achter de rug is, Odell. Niet alleen die begrafenis, ook dat gedoe rond Dean. Hij heeft je nog steeds niet gebeld, hè?'

'Nee.'

'Nou, mocht-ie dat toch nog doen, zeg hem dan dat hij zichzelf moet aangeven. Maar laat hem wel zijn mond houden over die pakjes op dinsdag. Daarmee werkt hij zichzelf alleen maar dieper in de nesten, en ik krijg er ook problemen door. Zorg dat hij dat goed begrijpt. Of weet je, als hij belt, zeg hem dan maar dat hij mij moet bellen, dan praat ik wel met hem. Ik zal trouwens toch wel de eerste zijn die hij belt. Hij zal toch eerder zijn zuster bellen dan jou, denk je ook niet?'

'Ja.'

'Ik wil dit allemaal zo snel mogelijk de wereld uit hebben, hoe dan ook. Het vreet aan me, dat eindeloze wachten en die onzekerheid of hij loslippig wordt over Donnie D. en zo. Je begrijpt toch wel dat dat voor jou ook slecht nieuws zou zijn, hè? Je zit er tot je nek in, dus als ik de boot inga, ga jij ook.'

'Ja.'

'Je klinkt alsof het je geen moer kan schelen, Odell. Dit is echt ernstig, hoor. Het is geen kinderspel wat we op dinsdag doen, en als Dean zijn mond voorbijpraat, gaan we zwaar voor schut, jij en ik. Wat mij betreft is hij zo ver heen met die terroristen dat we pas weer van hem horen als hij de koppen heeft gehaald, weet je, Terrorist Komt Om Bij Zelfmoordaanslag of zoiets.'

'Wil je dat hij zichzelf laat ontploffen?'

'Waarom niet? Het zou een mooie dood voor hem zijn. Hij zou gelukkig sterven, zoals al die godsdienstwaanzinnigen, en da's voor hem heel wat, want in zijn leven is hij geen dag gelukkig geweest. Wat ben je zwijgzaam, Odell.'

'Ja, ik heb zitten denken.'

Ze lachte. 'O ja? Waarover dan?'

'Over hoe ik de goede dingen moet doen.'

'De goede dingen? Maar daar hebben we het nu toch over? Wat je moet doen is Dean duidelijk maken dat hij zijn kop moet houden, zodat hij zijn zuster en zijn vriend niet de vernieling in helpt. Dat zou goed zijn, Odell, heel erg goed. Het probleem is alleen dat Dean nog nooit iets goeds heeft gedaan. Als er één ding is waar je níet op kunt rekenen, dan is het dat Dean iets goeds doet.'

'Ja.'

'Dus daarom wil ik dat jij goed begrijpt wat er op het spel staat, Odell. In je eigen belang, en dat van mij.'

'Ik begrijp het.'

'Ja, echt? Je klinkt zo kalm en onaangedaan dat ik er niet echt gerust op ben, Odell. Heb je bier zitten drinken?'

'Geen bier.'

'Iets anders dan?'

'Nee, ook niks anders.'

'Sjongejonge, wat een zelfbeheersing.'

'Ja.'

Ik luisterde een poosje naar haar ademhaling aan de andere kant van de lijn, en toen zei ze: 'Ik weet nou nooit wat ik aan jou heb, Odell. Je werkt me soms echt op mijn zenuwen, weet je dat? Soms lijk je me zo stom als een varken, maar dan denk ik weer dat die stomheid maar een spelletje van je is en dat je zo leep bent als ik weet niet wat.'

'Ik ben ook leep.'

'Nou, gelukkig dan maar. Goed je verstand blijven gebruiken, Odell, dan komt het allemaal prima voor elkaar.'

'Woon je in een huis of een appartement?'

'Waarom vraag je dat?'

'Vroeg ik me gewoon af. Je hebt me nog niet bij je thuis gevraagd, dus ik weet het niet.'

'Ik woon in een appartement. Veel te klein en veel te duur, maar dat duurt niet lang meer. Zodra de erfenis geregeld is, verhuis ik en neem ik de kamer van Bree. Ik hoop dat het er niet spookt.'

'Ik heb nog geen spoken gezien, hoor.'

'Dat zegt me niet zoveel, want daar moet je een gevoeligheid voor hebben die mannen meestal missen. Geesten zien is meer iets voor vrouwen, daarom zijn helderzienden ook meestal vrouwen en bijna nooit mannen.'

'O, dat wist ik niet.'

'Dan weet je het nu. Is er verder nog iets waarmee ik je kan helpen, vandaag?'

'Nee. Maar als je niks te doen hebt, zou ik bij je langs kunnen komen.'

'Ik ben veel te hard aan mijn rust toe, Odell. Ik zeg toch dat ik bloednerveus ben? Ga jij maar lekker verder met denken, oké?'

'Oké.'

Ze hing op, en ik ook. Lorraine is geen gemakkelijke tante, maar er zat vooruitgang in onze relatie, en het zou nog beter gaan als ze wat minder over Dean zou piekeren en meer aan mij zou denken. En daar had ik nu een belangrijke stap voor gezet met de brief aan Condi die op de schoorsteenmantel stond. Als dat probleem de wereld uit was, hoefde Lorraine zich geen zorgen meer te maken en hield ze tijd over om mij beter te leren kennen, en elkaar goed kennen is de sleutel voor elke relatie, dat is algemeen bekend.

Dus ik hoefde alleen nog maar geduld te hebben en te wachten tot Condi me zou ontlasten, wat ze meteen zou doen als ze de brief kreeg, dat stond vast. Met een beetje geluk en een snelle postbezorging was alles aan het eind van de week geregeld en kon ik met een zuiver geweten mijn sollicitatiegesprek voor de gevangenis met Cole Connors gaan voeren. Of nee, wacht eens even, ik kon ook nog Andy Webb voor de rechter slepen voor die mislukte ondervraging, met een kopie van de videoband als bewijsmateriaal, wat me een miljoen zou opleveren als schadevergoeding. Deed ik dat, dan had ik geen gevangenisbaan meer nodig en kon ik in stilte gaan leven met Lorraine, die dan ook geen drugs meer hoefde te smokkelen, dus het zwaard sneed aan twee kanten tegelijk. Stom van me, dat ik Larry Dayton glad vergeten was en geen moment meer aan hem gedacht had, niet aan hem en dus ook niet aan de rechtszaak die ik tegen Andy Webb kon aanspannen als ik dat wilde. Maar hier had ik de hele zondagmiddag nog voor, dus geen nood. En o ja, ik moest ook mijn laarzen nog poetsen.

Ik bleef nog een tijdje in de keuken zitten, en toen dat me verveelde, liep ik de trap op naar Deans kamer om te zien of daar misschien nog moslimboeken verstopt lagen, of iets anders, weet ik veel wat, gewoon een beetje rondsnuffelen om de tijd te doden, maar er lag niks, en omdat ik nu toch aan het rondsnuffelen was, snuffelde ik ook nog even door de kamer van Bree. Maar daar ligt alleen die oude bijbel vol ezelsoren die half uit elkaar hangt, en een boek dat *The Way of the Nun* heet en er ook uitziet alsof het al honderd keer is gelezen, wat maar weer bewijst hoe godsdienstig deze oude vrouw was.

Ik sloeg het open en begon te lezen op bladzij zesendertig, gewoon om even te zien waar het over ging, en ik merkte tot mijn verrassing dat nonnen behoorlijk wat bezigheden hebben, met elkaar en met heilige kaarsen en op een gegeven moment ook met een stel monniken die langskomen om samen te bidden, al werd er weinig over de Heer gezegd.

Ik nam het boek mee naar beneden en ging er een uurtje mee op de bank liggen om kennis op te doen over het kloosterlijke leven zoals dat beschreven werd door de schrijfster die Sister Volupta heette, wat waarschijnlijk niet haar echte naam was maar Latijn. En toen deed ik een dutje, en daarna las ik nog een stukje over hoe je de duivel uit je vagina moet verdrijven, waarbij veel meer komt kijken dan je op het eerste gezicht zou denken. Je had er een heel stel verdrijvers voor nodig, die er om de beurt stevig tegenaan moesten om het voor elkaar te krijgen. En toen deed ik weer een dutje en voor je het weet is de zondag voorbijgestroomd als een geluidloze rivier en het wordt al donker buiten en ik sterf van de honger na al dat gelees.

Voor vanavond nam ik burgers op het menu, met oosterse roer-bakgroenten en de rest van de kwarktaart van Sara Lee als toetje, en godallemachtig wat was het allemaal lekker. Dit was al met al een van de beste dagen van mijn leven geweest, ook al had ik hem niet met Lorraine doorgebracht zoals ik eigenlijk had gewild, dus hij was in wezen maar tweede keus, kun je nagaan hoe geslaagd hij was. Ik zette de tv aan en en een vrouwenstem zei: 'U kijkt naar Fox News, met straks na de reclame: is dit een terreurdaad... of gebrek aan zangtalent?' En het beeld wat ze erbij lieten zien was Dean die stond te zingen! Het duurde maar een seconde of twee en toen kwam de reclame al, maar mijn mond hing evengoed open van verbijstering, want ik wist wat dit was. Dit was de digitale filmopname die iemand in de Okeydokey Karaoke had gemaakt van het optreden van Dean, het filmpje waardoor ik Andy Webb op mijn nek had gekregen over het zaterdag-of-zondag-vraagstuk. Dat was nog maar gisteren geweest, en nu was het al op tv!

Zoals ik al eerder heb gemeld, ben ik niet echt een genie, maar ik had maar een paar tellen nodig om te begrijpen wat hier aan de hand was en wie er wat had gedaan, namelijk Larry Dayton. Hij had me verteld dat hij voor zijn eigen liefhebberij een digitale camera had, en dat hij die had aangeboden voor het filmen van mijn graafwerk gisterochtend, maar dat mocht niet van Andy Webb die vond dat het met de ouderwetse politievideocamera moest. Dus het was duidelijk dat Larry de vorige zaterdagavond in de karaokeclub was geweest en dat hij zijn camera op de zingende Dean had gericht, zonder op dat moment te weten dat hij iets aan het filmen was dat heel belangrijk zou worden omdat Dean heel beroemd zou worden. Hij was degene geweest die dit filmpje gisteren aan Andy Webb had laten zien, waarna hij in de middag bij me langs was gekomen om mij de video van de leugentest aan te bieden, en dat allebei vast om dezelfde reden, namelijk dat hij snel veel geld wilde hebben om zijn studie te kunnen afmaken zodat hij advocaat werd en niet langer agent hoefde te zijn.

Ik pakte het telefoonboek en zocht hem op. Ik gebruikte de keukentelefoon om hem te bellen, want het telefoonboek lag ook in de keuken en ik had mijn mobieltje op de schommelbank laten liggen nadat ik het aan Chet had laten zien.

De telefoon werd na de zevende keer overgaan opgenomen. 'Hallo?'

'Ja, is dit agent Dayton?'

'Spreekt u mee.'

'Dit is Odell Deefus.'

'Hé, Odell! Heb je al een advocaat?'

'Nee. Heb jij vorige week zaterdagavond een filmpje gemaakt in de Okeydokey Karaoke? Dus niet gisteravond maar die daarvoor.'

'Vrijdagavond, bedoel je?'

'Nee, ik bedoel de zaterdag van een week terug.'

'Ik begreep het wel, hoor, ik plaag je maar. Ja, ik film daar regelmatig. De klanten vinden het leuk om vereeuwigd te worden, zeker als ze een flink stuk in hun kraag hebben, en dat doe ik dan voor ze. Levert een heel aardig zakcentje op, kan ik je zeggen. Wil jij jezelf ook laten filmen? Volgens mij zou jij een puike Johnny Cash kunnen neerzetten. "I Walk the Line", bijvoorbeeld, lijkt dat je niet wat?'

'Heb jij Dean geflimd en het filmpje aan Fox News verkocht?'

'Waar baseer je dat vermoeden op?'

'Omdat je mij de band van de leugentest wilde verkopen.'

'Dus dat extrapoleer je dan maar gewoon?'

Ik wist niet wat dit betekende, dus gromde ik maar wat. 'Zou kunnen, ja.'

'Tja, ik ben weinig genegen om op zo'n ongegronde aantijging in te gaan.'

'Maar heb je het gedaan?'

'Internet is een prachtige uitvinding, vind je ook niet? Het maakt het leven zoveel sneller, of het nu om het versturen van digitale bestanden gaat of om het ontvangen van geld op je online-bankrekening. Eén druk op de knop en je saldo is aanzienlijk opgekrikt.'

'Dus, eh, jij hebt het gedaan.'

'Daar ga ik niet op in, Odell, noch op de hoogte van een eventuele vergoeding... Hé, wacht eens even, ik zie iets op tv.'

Ik weet wat hij ziet, want ik kan het horen op mijn eigen tv. Ik legde de hoorn op de keukentafel en rende de zitkamer in.

'Ons belangrijkste item voor dit uur, het opduiken van een wel zeer verrassende filmopname van Amerika's meest gezochte crimineel, Dean Lowry. Fox News kreeg dit materiaal een uur geleden toegestuurd door iemand uit het land. Wees gewaarschuwd, de volgende beelden zijn... misdadig.'

En daar is hij, Dean die inderdaad heel erg slecht 'Do You Know the Way to San Jose' staat te zingen. Hij heeft totaal geen stem en zingt zo verschrikkelijk dat ik me voor hem schaam, ook al is hij dood en buiten het bereik van de critici, om het zo maar eens te zeggen. Na een seconde of dertig hielden ze ermee op en kwam de knappe presentatrice in beeld, met een gezicht alsof ze pijn heeft. 'Lieve hemel,' zegt ze, 'dan lijken de tapes van Bin Laden opeens in aanmerking te komen voor een Emmy. Dean Lowry blijkt dus een driedubbel leven te leiden, niet alleen grasmaaier annex terrorist, maar ook nog karaoke-ster. Mocht u nog niet overtuigd zijn van zijn kunnen, zo gaat het verder...'

En daar was hij weer, zo slecht dat ik de mute-knop begon te zoeken, maar toen hielden ze er alweer mee op. 'Lowry, die verdacht wordt van de moord op zijn tante, wordt nog steeds gezocht door de autoriteiten, na zijn dreigement om een aanslag te plegen op het leven van senator Leighton Ketchum, presidentskandidaat voor de Republikeinse Partij. Dit zijn vooralsnog de enige bewegende beelden van de man, en wij vonden het onze plicht om ze in het algemeen belang te laten zien. Als u hem ziet, waarschuw dan de politie en benader hem niet zelf. De kans is groot dat hij het vuur op u opent, of erger nog, gaat zingen.'

En daarmee was het afgelopen en begon er een nieuw onderwerp. Ik liep weer naar de keuken, maar Larry Dayton had intussen opgehangen. Dus nu zou iedereen om Dean lachen in plaats van bang voor hem te zijn, wat eigenlijk misschien wel beter was. Als Condi mijn brief krijgt, zal iedereen begrijpen dat de karaokezanger echter is dan de terrorist, wat prettig zal zijn voor Lorraine, vooral omdat ze er niet bij hadden gezegd dat het gefilmd was in een homofielenbar. De telefoon ging, dus het was waarschijnlijk Larry om weer verder te praten en me te overtuigen dat ik een advocaat moest nemen voor de videozaak.

'Ja?'

'Odell, heb je het vroege journaal gezien?'

Zij is het, Lorraine, en ze klinkt heel overspannen en je kon wel raden waardoor.

'Over Dean, ja, dat heb ik gezien.'

'Hoe kan dát nou weer, godverdomme?'

'Eh, weet ik niet.'

Ik wist het dus wel, maar dat wilde ik haar niet laten weten, al weet ik niet precies waarom, misschien om mijn spanning met haar niet nog hoger te maken.

'Welke klootzak dóét nou zoiets?'

'Om geld te verdienen, denk ik, omdat Dean nu zo beroemd is.'

'Dat is dan knap walgelijk.'

'Vind ik ook.'

'Wat moet je voor iemand zijn om zoiets te flikken?'

'Een, eh, walgelijk iemand?'

'Dat is nog veel te mild uitgedrukt, Odell. Ik ga uitzoeken welke galbak dit gedaan heeft, en ik zal erachter komen ook.'

'Eh, hoe kom je daar dan achter?'

'Andy Webb. Hij heeft dat filmpje als eerste te zien gekregen, dus hij weet wie het gemaakt heeft. Als-ie me niet zegt wie, sleep ik hem voor de rechter. Hem en het hele politieapparaat! En als ik eenmaal weet wie het gefilmd heeft, krijgt híj een proces aan zijn broek voor schending van de privacy. Deans privacy!'

'Maar, eh… door dit filmpje lijkt Dean wel minder terroristisch, vind je ook niet? Het is toch beter als de mensen om hem lachen in plaats van bang voor hem te zijn?'

'Luister, Odell, van Bin Laden is bekend dat hij vroeger van disco hield, en dat heeft zijn reputatie ook niet zoveel goed gedaan. Dat Dean nu voor paal staat, maakt hem echt niet minder bedreigend, en dat weet iedereen.'

'Oké.'

'Weet je, Andy heeft dit expres laten uitlekken om mij te pakken. Ja, dat weet ik gewoon zeker.'

'Maar waarom dan?'

'Omdat… dat gaat je niet aan, Odell. Hij heeft jou om dezelfde reden aangepakt, omdat je een vriend van me bent. Hij is zo iemand die puur om persoonlijke redenen zijn macht misbruikt. Dit najaar wil hij zich verkiesbaar stellen als Sheriff, die machtsgeile gluiperd, maar daar zal ik een stokje voor steken. Ik ga hier zo'n ophef over maken dat hij niet meer mee kan doen. Jij zou hem ook moeten aanklagen, weet je, om dat belachelijke verhoor dat hij je wilde afnemen, zonder advocaat erbij, en zonder je vooraf te zeggen dat ze een leugendetector gingen gebruiken. Dan is hij helemáál de lul… Weet je wat, probeer een kopie te krijgen van de video die ze gemaakt hebben! Ze hebben alles toch gefilmd? Schakel een advocaat in en laat hem die band opeisen, dan kan Andy het verder wel schudden. We kunnen hem helemaal afmaken, Odell. Dat wil jij toch ook? Jij wilt hem toch ook laten boeten voor wat hij je heeft aangedaan? Je weet toch nog wel dat je in tranen die kamer uit kwam?'

'Ja.'

'Oké, luister, hier hebben we het morgen nog over, na de begrafenis. Dit wordt nog leuk, Odell. We maken hem af, jij en ik. Sheriff worden? Had-ie gedacht! Mooi niet dus, niet na wat hij nu weer heeft geflikt. Hij heeft Dean publiekelijk te schande gemaakt, puur uit kwaadwilligheid. Oké, de uitvaart is morgen om elf uur, niet vergeten. Dag.'

Ik liep naar de veranda en pakte mijn mobieltje op van de schommelbank en ging zitten en begon te schommelen. Er speelt nu wel héél veel tegelijk en het begint moeilijk te worden om het allemaal op orde te houden in mijn hoofd. Wat ik wil is simpelheid. Gewoon een simpel leven voor Lorraine en mezelf en onze kinderen, hier in dit huis dat uitstekend geschikt is voor het opvoeden van kinderen, omdat er totaal geen verkeer voor de deur is. Met een proces tegen Andy Webb kon ik dat misschien wel echt bereiken. Als Lorraine en ik het goed aanpakken, houden we daar minstens een miljoen aan over, en als we dan geen domme dingen doen, zoals het kopen van een paar gloednieuwe Lincoln Continentals of zo, dan kan het er echt van komen. Haar plan om een advocaat te nemen was vrijwel hetzelfde als het plan van Larry Dayton, dus moest het wel een goed plan zijn. En als ik die brief naar Condi Rice op de post had gedaan, hield niets me meer tegen om dit nieuwe leven met haar op te bouwen, met Lorraine bedoel ik. En dan te bedenken dat ik een week geleden zelf nog het plan had om bij het leger te gaan! Nee, dan was dit plan een heel stuk beter.

TWAALF

Toen ik op maandagochtend de stad inreed, voelde ik me prima. Ik had mijn klanten voor die ochtend al gebeld en gezegd dat ik mijn rooster om moest zetten vanwege de begrafenis van Bree, en iedereen was heel sympathiek geweest met opmerkingen dat ze met me meeleefden en zo, wat heel aardig was omdat we niet eens familie waren, Bree en ik, bedoel ik. Ik had mijn mobieltje in mijn zak en de brief aan Condi stond op het dashboard, zodat ik niet kon vergeten dat ik hem op de bus moest doen. Het beloofde al met al een Zeer Belangrijke Dag te worden.

Ik ging als eerste naar de Tux deLuxe, waar de meneer zei dat ik voor een uitvaart donkerblauw of grijs moest nemen, dus koos ik een grijs pak in mijn maat en betaalde ervoor, veertig dollar en om vijf uur terug, anders kwam er geld bij, plus reinigingskosten als die nodig mochten zijn. Daarna in één keer door naar Target voor het hemd en de stropdas, wat nu heel makkelijk kiezen was, wit voor het hemd en een grijze das voor bij het pak. Dus nu ben ik er helemaal klaar voor en ik reed naar het begrafenisbedrijf van Gallbladder en kwam er veel vroeger aan dan nodig was, Lorraines auto staat er nog niet eens, dus ik parkeerde en ging op mijn gemak zitten wachten, en terwijl ik zat te wachten begint mijn mobieltje 'Greensleeves' te spelen, dus ik klapte het open.

'Hallo?'

'Odell, hoe vergaat het je op deze ochtend?'

'Heel goed, Chet, dank je wel.'

'Ik dacht, ik bel je even om jou en juffrouw Lowry sterkte te wensen op deze moeilijke dag. Hoe houdt zij zich eronder?'

'Ook wel goed. Ze is alleen godver... ontzettend kwaad om wat er gisteravond op tv was.'

'Dat heb ik ook gezien, ja. Zoiets moet nu heel aangrijpend zijn voor haar.'

'Ze gaat er een rechtszaak voor aanspannen, zegt ze.'

'Tja, misschien bedenkt ze zich nog wel als de storm is gaan luwen. Ze is nu erg emotioneel, dus het is begrijpelijk dat ze aanstoot neemt, maar op den duur zal het waarschijnlijk weinig om het lijf blijken te hebben.'

'Misschien wel, ja.'

'Ben je nu bij haar, Odell?'

'Nee, ik zit nog te wachten voor het begrafenisbedrijf.'

'Aha, welnu, we gedenken jullie in onze gebeden, Bob Jerome en ik.'

'Dank je wel.'

'Vergeet niet je mobieltje in je truck achter te laten, zodat het niet kan overgaan tijdens de uitvaart. Da's altijd bijzonder pijnlijk, als dat gebeurt.'

'Oké.'

'Nogmaals veel sterkte, Odell, en tot ziens.'

'Tot ziens, Chet, en bedankt voor het bellen.'

'Graag gedaan.'

En precies op dat moment kwam Lorraine de parkeerplaats oprijden en ze zette haar auto op de plek naast de mijne. Ik legde het mobieltje neer en stapte uit om gedag te zeggen. Haar stemming was nog steeds niet goed. Dat kon ik zien aan haar strakke lippen en fronsende wenkbrauwen, die duidelijk maakten dat ze het tv-nieuws nog niet van zich af had gezet.

'Was dat het beste wat ze hadden?' zei ze, terwijl ze mijn pak bekeek.

'Weet ik niet,' zei ik, en dat was waar, ik wist het niet.

'Nou ja, het moet maar. Die das zou natuurlijk nooit dezelfde kleur als je pak mogen hebben. Grijs op grijs, dat haalt lekker op, maar goed, laat maar zitten.'

Ik voelde me net een drol toen ze dit zei, terwijl ik mezelf een minuut geleden nog tiptop het heertje had gevonden. Ik hield het er maar op dat het door haar verstoorde temperament kwam op deze emotionele dag met al die andere problemen er nog bij. Ze keek ondertussen naar mijn laarzen. 'Je zei dat die nog goed waren,' zegt ze.

Ik keek omlaag. 'Ik heb ze twee keer gepoetst,' zei ik, en dat was ook zo.

'Maar de punten zijn helemaal versleten.'

'Die heb ik met schoensmeer bedekt.'

Ze zuchtte weer eens een van haar diepe zuchten waar ik zo langzamerhand gewend aan raakte, en liep naar de ingang op hakjes die van *klakkerdeklak* gingen. Wat ik nog niet vermeld heb is dat ze een heel mooi damespakje aanhad, zoals je die ook wel ziet bij dure zakenvrouwen, lekker strak om haar middel zodat alles daarboven en eronder extra goed uitkwam als je begrijpt wat ik bedoel. Ik liep achter haar aan en vroeg me af of ik ooit nog eens iets zou zeggen of doen waardoor ze mijn ware ik zag en niet de domme sukkel die ze denkt dat ik ben, terwijl ik helemaal niet zo ben.

We gingen naar binnen en de dikke kerel met wie ze zaterdag had staan praten kwam met een treurig gezicht op ons af en begon dingen te zeggen waar ik niet naar luisterde, want ik was heel ergens anders met mijn hoofd. Ik dacht aan hoeveel beter alles zou worden, en heel anders dan nu, zo anders dat ik aan deze tijd terug zou denken en dan dacht ik: goh, dat was toen toch wel een heel andere tijd, en veel minder ook. De dikzak nam Lorraine mee in zijn kantoortje en ik ging op een pluchen stoel zitten, die zo zacht was dat het wel drijfzand leek, maar wel heel comfortabel en ik dommelde zelfs weg, tot ze weer naar buiten kwamen en Lorraine zei dat alles nu geregeld was en dat we naar het kerkhof konden.

Op de parkeerplaats zei ze dat ik met haar meereed, niet in de pick-up, dus liep ik naar de passagierskant van haar autootje, maar ze zegt: 'Nee, we gaan met de limo. Je denkt toch niet dat ik nu in dat kutautootje gezien wil worden?'

'Eh, nee, dat denk ik niet.'

'Mooi zo, goed gedacht dan.'

Ja ja, ze heeft echt een rothumeur. Vanachter het bedrijfspand komt een lange zwarte auto tevoorschijn, maar het is niet onze limo maar die van Bree, met langwerpige ramen zodat je haar kist kunt zien met alle bloemen erop, dus het is eigenlijk meer een lijkwagen dan een limo. Maar daarachter komt nog een zwarte auto en die heeft gewoon vier deuren, dus die is voor ons en we stappen in en rijden stilletjes weg. Tussen ons en de twee kerels voorin zit een glazen ruit zodat ze ons niet kunnen horen, waarschijnlijk vanwege de privacy voor de nabestaanden in rouw.

Tijdens de hele rit door de stad zei Lorraine geen woord, zo kwaad was ze over alles, ze keek alleen maar uit het raam. Ik stak een hand uit en pakte die van haar om haar te troosten, maar dat wilde ze niet en ze trok hem nijdig weg, waar ik danig de smoor over in krijg want het is vreselijk onbeleefd van haar, terwijl ik alleen maar sympathiek probeer te zijn op deze emotionele dag, want dat doe je als vriend. En ze merkt waarschijnlijk dat ik nu ook kwaad ben, want ze begint nu toch te praten: 'Er zal wel wat volk zijn zometeen, voornamelijk ouwe dametjes met wie ze naar de kerk ging. Wees maar aardig tegen ze, ook al praten ze over God, oké?'

'Oké.'

'Je bent een van de baardragers, en Cole Connors helpt ook dragen, dus zo kunnen jullie al even kennismaken voordat je vrijdag gaat solliciteren. Galbally zorgt voor de andere vier, want de vrienden van Bree zijn allemaal te oud.'

'Oké.'

'Het spijt me dat ik zo rot tegen je deed, maar ik ben op van de zenuwen. Ik neem aan dat de pers er ook op afkomt, dus dat maakt het er niet makkelijker op. Niks tegen ze zeggen, hoor, geen woord. Zeker niet nu ze Dean zo voor schut hebben gezet. Wees alleen maar groot en sterk, en als ik tegen je aan leun alsof ik elk moment tegen de vlakte kan gaan van verdriet, moet je me ondersteunen. Dat is het beeld dat ik vanavond op het nieuws wil zien.'

Ze zette een grote zonnebril op, waardoor ze eruitzag als een filmster die niet herkend wilde worden. Ik had mijn zonnebril in de pickup laten liggen, en het is een zonnige dag, dus dat was stom van me, maar er was niets meer aan te doen want we waren er al. De limo's reden door een hoge poort met veel ijzeren krulwerk en vervolgens over een pad met bomen aan weerszijden, naar een parkeerplaats die helemaal vol staat, en daar stopten ze.

We stapten uit en ik zag dat er een flinke toeloop was, compleet met cameramannen die meteen hun camera op ons richtten. De achterklep van de lijkwagen ging open en de kist gleed soepel naar buiten op van die rollertjes, waarna de twee kerels van de lijkwagen en de kerels van onze limo ieder een hoek pakten en hem op hun schouders namen. Lorraine gaf me een zetje om te gaan helpen, dus deed ik dat. Ik pakte een handgreep op het midden van de kist en zette er mijn schouder onder, en aan de andere kant deed iemand anders hetzelfde, dus dat moest Cole Connors zijn, maar ik kon hem nog niet zien met die kist tussen ons in.

En toen kwamen we in beweging. De twee voorste kerels wisten de weg, en dat was maar goed ook want ik moest me op de hoogte van de kist concentreren omdat ik langer was dan de anderen, dus moest ik me een beetje buigen, wat het lopen moeilijker maakte. Maar uit mijn ooghoeken zag ik nog wel dat de cameramannen ons filmden terwijl we tussen de grafstenen door liepen. De menigte volgde ons. Tientallen mensen waren het, en lang niet allemaal van de pers, ook gewone mensen die zachtjes liepen te roezemoezen, dus dat moesten de kerkelijke vrienden van Bree zijn die er alleen maar waren voor de laatste eer.

We kwamen bij een smalle diepe kuil, met een laag koperen hekje eromheen zodat niemand er per ongeluk in kon stappen, en een groot zeildoek op stokken om schaduw te bieden aan de rouwende mensen, blauw met wit gestreept en met rijen plastic stoeltjes eronder. We moesten de kist op een soort van mechaniek met canvas draagbanden zetten, waar hij moest blijven staan tot ze hem de grond in lieten zakken. Toen we hem hadden neergezet, zei de man tegenover me heel zachtjes: 'Hé, Odell, ik ben Cole.'

'Hé, Cole.'

Hij is helemaal niet kaal en dik zoals Lorraine hem beschreven heeft, alleen maar een beetje zwaar om zijn middel en met inhammen op zijn voorhoofd, en dus veel knapper dan ik had gedacht, dus Lorraine is niet zo sterk in het beschrijven van mensen.

'We moeten daar gaan zitten, Odell.'

Hij knikte naar de stoeltjes onder het zeildoek, dus liep ik daar met hem naartoe en we gingen naast Lorraine zitten, ik aan haar ene kant en hij aan de andere, dus ik was niet de enige die naast haar zat want hij zat ook naast haar, waar ik behoorlijk de smoor over inkreeg want zo had ze niet gezegd dat we zouden zitten. Ze houdt dus informatie voor me achter en dat bevalt me heel slecht, maar met al die camera's op ons gericht kan ik niks doen, zoals Cole Connors een ram op zijn neus geven omdat hij veel jonger en knapper is dan ze hem beschreven heeft, om een reden waar ik alleen maar naar raden kan. Maar één ding staat vast, hij is lang niet zo lang als ik, en op dat punt haalt hij me nooit meer in.

Er kwam een geestelijke bij de kist staan, die een verhaal begon over hoe het leven soms vol verdriet en zorgen is, met dingen uit de Bijbel erbij voor de juiste toon, maar ik luister er geen moment naar want ik zie tot mijn verrassing dat Andy Webb er ook is en heel boosaardig naar me kijkt, of naar Lorraine, moeilijk te zeggen want hij heeft een zonnebril op.

Ik keek opzij, voor Lorraine langs naar Cole Connors, maar hij keek niet naar me terug. Van de zijkant ziet hij er ook veel beter uit dan ik had gedacht, wat me het idee geeft dat hij meer voor Lorraine betekent dan ze bloot wil geven. Allemachtig, wat werd ik hier jaloers van. De geestelijke bleef maar preken over zus en zo en het enige wat ik denken kon was de vraag of ze meer om Cole gaf dan om mij, wat moeilijk te zeggen was omdat ze nog nooit goed duidelijk heeft gemaakt wat ze voor me voelt, maar zodra dit gedoe achter de rug is en we weer met zijn tweeën zijn, ga ik het haar vragen. Maar niet op een jaloerse manier, want dat maakt vrouwen alleen nog maar ontoegankelijker als ze weten dat je zulke gevoelens hebt, omdat ze het heerlijk vinden om je te zien kronkelen van ellende. Op de Kit Carson High School was dat me twee keer gebeurd, dat ik een meisje vroeg of ze verkering wilde en dat ze zei dat ze al met een ander ging, en ik bedoel niet twee keer met hetzelfde meisje maar het waren twee verschillende, ongeveer een jaar na elkaar. En beide keren was ik jaloers geworden op die andere gozers die ze leuker vonden dan mij, en beide keren had ik dat laten merken en was dat dikke pret voor ze geweest. Een van de twee was me zelfs Doofus gaan noemen in plaats van Deefus, om me te laten weten hoe achterlijk ze me vond. Jezus, wat had dát me kwaad gemaakt, maar wat doe je eraan? Dus deze keer zou ik mijn jaloezie sowieso verborgen houden, want dat hadden die twee levenslessen me wel geleerd.

De geestelijke hield eindelijk zijn mond en de kist begon te zakken, door middel van een elektrisch motortje dat verbonden is met dat ding met die draagbanden, dus hij verdween langzaam uit het zicht, en toen de bloemen die erop liggen, en toen zagen we niks meer, maar hij was nog steeds onderweg want dat motortje bleef snorren, maar toen stopte het en wist ik dat Bree op de bodem van de kuil was aangekomen. Twee van de begrafenismannen stapten naar voren en maakten de draagbanden los en trokken ze uit de kuil zodat ze niet mee begraven werden, en de geestelijke stapte op Lorraine af en gaf haar een schepje aan. Ze stond op en liep naar de kuil en boog zich naar de aardhoop ernaast, waar ze wat aarde vanaf schepte, dat ze in de kuil gooide. Het was maar een klein beetje aarde, maar ik hoorde het toch op de kist neerkomen, waar het zo te horen uiteenspatte. Het zag ernaar uit dat dit de hele dag zo door zou gaan, want het was maar een heel klein handschepje, meer iets voor je bloembedden of zo, dus hoe moest ze daar die hele kuil mee vol krijgen?

Ze draaide zich om en keek naar mij met een blik waar een soort van verwarring uit spreekt, en Cole fluistert: 'Opstaan, Odell, nu is het jouw beurt.' Nou, dat had iemand me dan weleens mogen vertellen, van tevoren dus en niet nu pas, maar ik stond toch maar op en nam het schepje van haar over en gooide ook wat aarde in de kuil, waarna de geestelijke bij me kwam staan en het schepje weer van me afpakte en opeens zie ik een hele lange rij mensen staan, tot helemaal onder het zeildoek, allemaal bejaarden die ook een schepje aarde op hun kerkelijke vriendin Bree wilden gooien. Sommigen waren helemaal betraand en anderen niet, maar ze wilden allemaal scheppen, tot een van die stramme ouwe dametjes bijna voorover viel bij het bukken en zowat in de kuil flikkerde, waarna de geestelijke het opscheppen van de aarde maar voor zijn rekening nam en alle volgende het gevulde schepje aangaf om ongelukken te voorkomen. Op een gegeven moment waren alle oudjes geweest en kwam Cole als laatste, wat me woedend maakte want ik durf te wedden dat hij nog nooit met Bree naar de kerk was geweest en nu mocht hij wel aarde op haar gooien alsof hij zo dik met haar bevriend is, en dat waarschijnlijk omdat Lorraine het wilde, waar ze natuurlijk het recht op heeft om dat te bepalen, maar dat had ze me dan wel even mogen vertellen.

Alles werd gefilmd, dus het was maar goed dat niemand een smak op de aardhoop of in de kuil had gemaakt, en de geestelijke gaf Lorraine nu een bos bloemen die ze ook nog in de kuil gooide als een soort afscheidsboeket, waarna de geestelijke nog wat zei en de voorstelling ten einde was. De menigte begon zich op te lossen en richting parkeerplaats te stromen, en Lorraine maakte een praatje met de geestelijke, dus ging ik aan de rand van de kuil staan om nog even naar haar kist te kijken. Ik neem aan dat je op zo'n moment mooie gedachten hoort te denken over leven en dood en de zin van alles en zo, maar het enige wat ik denken kon was hoe zonde het was dat zo'n prachtige kist van een paar duizend dollar nu in de grond zou wegrotten nadat hij maar één keer was bewonderd. En opeens merk ik dat er iemand naast me staat en het is Cole, die zijn zonnebril opzet en zegt: 'Doe het niet, Odell, je bent nog zo jong.'

'Hè?'

'Je ziet eruit alsof je in die kuil wilt springen om je ook maar te laten begraven.'

'Nee, hoor.'

'Nou, gelukkig dan maar, want we kunnen nog genoeg mensen gebruiken in de penitentiaire inrichting. Heeft Lorraine je al gezegd dat we vrijdag dat gesprek hebben?'

'Ja.'

'Kom maar om een uur of half elf.' Hij bekijkt me eens goed en zegt: 'Het zou me niks verbazen als we voor jou een uniform op maat moesten laten maken. Heb je ervaring met delinquenten?'

Ik wist niet wat hij daarmee bedoelde, dus keek ik hem alleen maar aan, en hij krijgt een grijns op zijn gezicht en zegt: 'Je hebt gelijk, dit is geen geschikt moment. Maar ik zie al wel dat je mooi streng kunt kijken. Niet onbelangrijk, hoor, zo'n gelaatsuitdrukking. Dat is vaak al het halve werk bij ons.' Ik bleef hem aankijken, had geen idee wat ik tegen hem moest zeggen, maar wilde hem het liefst beetgrijpen en in die kuil sodemieteren, en hij zegt: 'Oké, ik zie je vrijdag.'

'Oké.'

Hij liep weg en kwam Lorraine tegen die net naar mij op weg was en ze spraken nog wat met elkaar, maar ik kon niet verstaan wat ze zeiden. En dan komt ze naar mij toe en haakt haar arm in de mijne alsof ze ondersteuning nodig heeft. 'Kom, we gaan,' zegt ze. 'Langzaam lopen en treurig kijken, alsjeblieft.'

'Die kuil is nog niet dicht.'

'Dat doen ze als iedereen weg is.'

'O.'

'Kom op maar.'

Dus we lopen heel langzaam terug naar de limo en de lijkwagen, met de camera's op ons gericht, maar daar keek ik niet naar want het ziet er altijd heel achterlijk uit als mensen dat doen. Lorraine leunde op me alsof ze ging bezwijken onder haar verdriet, waarvan ik wist dat ze het helemaal niet had, maar het is voor de tv dus het moet er een beetje knap uitzien. Ik zag dat Andy Webb wegreed in zijn surveillance-auto, en toen stapten wij in onze limo en even later reden we door de poort op weg naar het begrafenisbedrijfspand en Lorraines humeur is helemaal opgefleurd.

'Nou, dat is prima gegaan volgens mij.'

'Ja.'

'Heb jij Andy Webb ook gezien? Pure intimidatie van die klootzak. Maar er staat hem een grote schok te wachten.'

'O ja?'

'Ja, als we hem voor de rechter slepen. Je weet toch nog wel dat we het daarover gehad hebben?'

'Ja.'

'Ik heb soms echt het idee dat jij helemaal in je eigen wereldje leeft, Odell.'

'Zou kunnen.'

'Nou, stap dan nu maar even over naar de echte wereld. Ik zag je met Cole praten, hoe ging dat?'

'Wel goed, denk ik.'

'Cole is echt een goeie vent. Jullie zullen het prima met elkaar kunnen vinden, denk ik. Als je voor hem tenminste niet zo lastig bent als voor mij.'

'Jij ziet er een stuk beter uit, dus dat zal wel niet.'

Het gebeurt niet vaak dat ik op zo'n spontane manier iets geestigs zeg, dus ze was er niet op voorbereid. Ze keek me aan en zegt: 'O, ik snap het,' en ze geeft me een stoot tegen mijn schouder en zegt: 'Bruta-le aap,' en ze lacht erbij, maar niet zo lang. Maar die stoot voelde prettig.

We zeiden een poosje niets meer, en toen zei ze: 'Ach, die arme

Bree…' en ze begint te huilen en snikt ook nog de naam van Dean, dus ik leg mijn arm over haar schouder en ze kruipt tegen me aan, snikkend en wel, en laat mijn arm de hele tijd om zich heen liggen, tot we bij het bedrijfspand komen, waar ze rechtop gaat zitten en weer helemaal zichzelf is, zo ben ik wel genoeg getroost, dank je wel.

Toen we waren uitgestapt zei ze dat ik even moest wachten terwijl zij naar binnen ging om nog even wat met die dikke kerel te bespreken, dus bleef ik op de parkeerplaats staan, en ik kreeg het gevoel dat er iets niet klopte. Ik keek naar haar autootje en ja hoor, er is iets niet in orde, al weet ik niet precies wat, maar toen wist ik het – de pick-up is weg! Die had vlak naast haar autootje gestaan toen we hier vertrokken, en nu is hij er niet meer! Hoe kan dát nou? Het is hier geen openbare weg met een parkeerverbod of zo, waardoor hij kan zijn weggesleept, dus waarom staat hij er niet meer? De grasmaaiers hadden in de laadbak gestaan en die waren nu dus ook weg, dus hoe kan ik nu aan het werk gaan? Ik liep naar de plek waar hij gestaan had en mijn hoofd duizelde helemaal, ik kan het gewoon niet geloven, iemand heeft mijn truck gejat en nu zullen mijn klanten behoorlijk kwaad zijn want ik kom niet bij ze maaien zoals we hadden afgesproken. Maar ik wist natuurlijk meteen wie het gedaan had.

Lorraine kwam weer naar buiten en liep naar me toe. 'Wat is er?' vraagt ze terwijl ze mijn gezicht bekijkt.

'De pick-up is weg…'

Ze keek naar de plek waar hij gestaan had en zei: 'Shit.'

'Ik weet wie het gedaan heeft.'

'O ja? Wie dan?'

'Andy Webb.'

'Dat kan niet, hij was op de begrafenis.'

'Dan heeft hij het een van zijn agenten laten doen.'

'Maar waarom zou hij?'

'Omdat we hem voor de rechter gaan slepen.'

'Dat weet hij nog niet eens, Odell. En het zou ook hartstikke stom zijn, en het is een gluiperd maar geen stommeling.'

'Maar wie heeft het dan gedaan?'

'Jezus, hoe moet ik dat nou weten? Ga het om te beginnen maar eens aangeven.'

Dus ik stak mijn hand in mijn zak om mijn mobieltje te pakken, maar verdomd dat was ook zo, dat lag in de pick-up. En de brief aan Condi Rice ook, dus een ongeluk kwam weer eens zelden alleen. 'Godverdomme!'

'Rustig maar, Odell. Ze vinden dat ding zo weer terug, met twee grasmaaiers achterin en Deans naam op... hé, wacht eens even, misschien is-ie gejat omdat Deans naam op de portieren staat. Door een souvenirjager of zo.'

'Maar daarom juist, ze weten toch dat ze niet in zo'n beroemde pick-up kunnen rondrijden zonder dat het opvalt? Ze hebben er niet eens wat aan.'

'Misschien halen ze er de portieren af en dumpen ze de rest.'

'Maar dat zou... achterlijk zijn!'

'Tja, het is een achterlijke wereld, Odell.' Ze keek op haar horloge. 'Ik moet zo langzamerhand naar mijn werk. Laat me je eerst even naar de Tux deLuxe brengen om dat pak in te leveren, dan breng ik je daarna nog even naar het politiebureau zodat je aangifte kunt doen.'

'Maar hoe moet ik mijn gazons nu maaien?'

'Vertel je klanten maar wat er gebeurd is, daar hebben ze vast wel begrip voor. Vroeg of laat maken we het allemaal een keer mee dat onze auto gejat wordt, Odell. Het is niks om over in paniek te raken.'

'Maar mijn rooster met alle telefoonnummers lag er ook in. En mijn kleren! Wat moet ik straks aan als ik dat pak heb teruggebracht?'

'Jezus, Odell, kalmeer een beetje. Dat lossen we wel op. Ik heb je nog nooit zo opgefokt gezien, en het zijn niet eens je eigen klanten of je eigen truck. Het is allemaal van Dean, hoor.'

'Nietwaar!'

'Zeg, hé, nu ophouden met die poppenkast. Ik heb vandaag al stress genoeg gehad, dus dimmen nu.'

Nou, dat viel niet mee, dimmen. Ik kon mijn gedachten nauwelijks bij elkaar houden met al die misdadigheid die ik op me af kreeg. Lorraine reed me naar de Target, waar ik een nieuw ruitjeshemd en jeans kocht, die ik aantrok in de Tux deLuxe toen ik daar mijn pak had ingeleverd, en vervolgens zette ze me voor het politiebureau af om het stelen van de pick-up te melden, waarna ze doorreed naar haar werk. Ik ging naar binnen en doe mijn verhaal tegen de man achter de balie, en terwijl ik dat doe, komt, je raadt het al, Andy Webb aangekuierd.

'Hé, daar hebben we Odell,' zegt hij met een grijns waar hij zijn oren mee kan opeten. 'Ik herken je amper zonder je nette pak.'

'Dat heb ik teruggebracht.'

'Heel verstandig, anders hadden we je van diefstal moeten betichten.'

'Hij komt zelf aangifte van diefstal doen,' zegt de man achter de balie. 'Ze hebben zijn truck gejat.'

'Wel asjemenou, wanneer is dát gebeurd?'

'Terwijl ik op de begrafenis was,' zeg ik, en ik kijk ondertussen scherp naar zijn gezicht voor een teken dat hij liegt als hij zegt dat hij verbaasd is, omdat hij heus wel weet hoe de vork aan de steel zit.

'Je méént het. Nou, da's hoogst merkwaardig, hoor, zo'n diefstal op klaarlichte dag van een pick-uptruck met twee grasmaaiers in de laadbak. Misschien was het ze alleen om die grasmaaiers te doen en zetten ze die truck ergens langs de weg. Het waren eersteklas maaiers, nietwaar?'

'Ja.'

'Hij weet het kenteken niet eens,' zegt de balieman op een toon alsof ik niet helemaal goed bij mijn hoofd ben.

'Dat is zo vreemd niet, hoor,' zegt Andy. 'Die truck is niet van hem maar van Dean Lowry. Geen nood, Odell, hij staat vast wel geregistreerd, dus dat kenteken achterhalen we in een wip. Wat zie je er netjes uit, trouwens. Heb je die spijkerbroek speciaal voor vandaag gestreken?'

'Nee, net gekocht, want mijn kleren lagen ook in de pick-up.'

'Allemachtig, dus het is nog kledingdiefstal ook,' zegt Andy naar de balieman terwijl hij zijn lachen nauwelijks in kan houden. 'Vergeet niet daar een aantekening van te maken.'

'Doe ik nu meteen,' zegt de balieman, en hij grijnst nu ook al, dus het is wel duidelijk dat ze me niet serieus wensen te nemen, wat me alleen nog maar kwader maakte, maar ik liet het niet zien, want dat plezier gun ik ze niet.

'Maak je geen zorgen, Odell,' zei Andy. 'We krijgen die truck heus wel weer terug, ooit.'

Ik zei niks meer, omdat ik geen woorden wilde gebruiken die me in aanraking met de wet konden brengen, maar ik gaf ze allebei een blik die kon doden om duidelijk te maken dat ik ze heus wel doorheb. Het gekke is dat het me eigenlijk wel kalmeerde om te weten dat de politie puur voor de intimidatie mijn pick-up had gejat, want daardoor had ik natuurlijk wel de zekerheid dat ik hem weer terugkreeg. Ze zouden snel genoeg bedenken dat het nu wel leuk is geweest en dat ze hem maar beter terug kunnen geven, met een rotsmoes dat ze hem langs de weg hebben zien staan of zo. En in de tussentijd zouden ze hem niet slopen of beschadigen, want zó lullig zijn ze nou ook weer niet.

'Ik zal je even een lift naar huis geven,' zei Andy met een schijnheilige glimlach alsof hij van geen intimidatie wist.

'Oké,' zei ik, want het was ondanks alles wel de snelste manier om thuis te komen.

We liepen naar zijn surveillancewagen en reden weg. 'Mooie begrafenis was dat,' zegt hij. 'Lorraine zag er prachtig uit, vind jij ook niet?'

'Ja.'

'Ze heeft er altijd al goed uitgezien in een mantelpak of uniform. Dat kan niet van iedere vrouw gezegd worden.'

Ik gaf geen antwoord, want ik ben niet in de stemming na zijn intimidatiediefstal.

'Zeg, Odell, heb jij gisteren het Fox News gezien?'

'Ja.'

'Dat was dus het filmpje uit de Okeydokey waar ik je over vertelde, waaruit bleek dat je niet helemaal de waarheid had verteld over je ontmoeting met Dean.'

'Ik heb toch al gezegd dat dat een vergissing was? En ondertussen heb ik dat ook al tegen de FBI gezegd, dus daar kun je me niet meer mee lastigvallen.'

'Wie wil er nu mensen lastigvallen? Ik niet, hoor. Of je moet me er een goede reden voor geven, zoals de smeerlap die dit bewijsmateriaal naar de pers heeft laten lekken. Die krijgt vreselijke last met me, neem dat maar van mij aan. Ik weet al wie het is, een ex-smeris. Althans iemand die binnenkort ex-smeris zal zijn. Je kunt geen mens meer vertrouwen tegenwoordig. Iedereen is tuk op geld, al moeten ze er hun vrienden en collega's voor belazeren en de eer van dit bureau te grabbel gooien. Maar hij krijgt zijn trekken thuis, hoor, reken maar.'

En jij krijgt jouw trekken ook thuis, zit ik te denken, maar ik zei het niet hardop want het moest een verrassing voor hem blijven als ik hem voor de rechter sleepte. Hij grinnikte even in zichzelf, alsof hij fantaseerde dat hij agent Larry Dayton in kokende olie dompelde, maar toen keek hij weer met een serieus gezicht naar mij en zei: 'Odell, als er dingen zijn die je me vertellen wilt, wat dan ook, dan kun je dat gerust doen, hoor. Alles blijft tussen jou, mij en het dashboard, dat verzeker ik je, en ik beloof je dat je nergens problemen mee krijgt. Als ik iets aan Homeland moet melden, doe ik dat strikt vertrouwelijk. Dan zeg ik dat het van een anonieme bron komt, dus je blijft altijd buiten schot, begrijp je?'

'Ik denk dat het souvenirjagers zijn.'

'Hè? Nee, ik bedoel niet die truck maar de échte zaak, die van Dean Lowry. Alles wat ik daarover aan Homeland meld, wordt hogelijk gewaardeerd. Het kan zelfs een beloning opleveren, en ik mag als wetsdienaar niets aannemen, dus alles zou voor jou zijn. Voor informatie die tot zijn aanhouding leidt, is nu honderdduizend dollar uitgeloofd, maar ik heb me laten vertellen dat dat bedrag wordt opgetrokken naar een half miljoen. Weet je waarom? Omdat senator Ketchum de ziekte in kreeg toen hij hoorde dat het maar zo weinig was. Hij vond het niet bij zijn status passen, die verwaande gek. Een ton leek hem meer iets voor een bankdirecteur of zoiets nederigs, niet voor de volgende president van de Verenigde Staten. Alles draait om prestige, daar in Washington. Aanzien en macht, iets anders telt niet. Wat moet het een vreselijke wereld zijn met al die corruptie en hielenlikkerij. Zou jij in Washington willen wonen, Odell?'

'Nee.'

'Ik ook niet, voor geen goud. Maar waar zou je dan wel willen wonen? Als ik een beloning van een half miljoen opstreek, zou ik naar Hawaï verkassen, dat lijkt me het einde. Waar zou jij voor kiezen?'

'Ook voor Hawaï.'

'Kijk, zie je, wij hebben meer gemeen dan je denkt. Misschien moet je toch nog eens grondig nadenken of je echt niks meer vertellen kan. Het is een smak geld, een half miljoen. Meer dan genoeg voor een nieuw leven daar tussen de palmbomen en de hoelameisjes. Lekker, hoor, die bruintjes. Heb jij het daar weleens mee gedaan?'

'Nee.'

'Ik ook niet, maar ik heb er wel over gehoord. Wat is jouw favoriete soort vrouw?'

'Condoleezza Rice.'

Hij lachte alsof ik een grap had gemaakt, wat ik nogal beledigend vond, en als Condi op de achterbank had gezeten, zou het voor haar nog veel beledigender zijn geweest, al zou het voor mij wel gunstig zijn geweest als ze op de achterbank zat, want dan had ze meteen geweten hoe hoog ik haar heb zitten, en was ze extra positief geweest bij het lezen van mijn brief, die ze voorlopig dus niet zal lezen omdat hij samen met de pick-up, mijn mobieltje en de grasmaaiers is gestolen… en terwijl ik dit zo denk, vraag ik me opeens af wat er gebeurt als de politie de envelop openmaakt voordat ze de pick-up teruggeven. Dat zou voor Andy Webb precies zijn wat hij nodig had om een goede indruk te maken op Homeland, en op het nieuws te komen, wat goed is voor zijn verkiezingscampagne als sheriff…

Shit!

Als ik Condi's naam niet had genoemd, hadden ze de envelop misschien met rust gelaten vanwege de privacy, maar nu ik gezegd had dat ze mijn favoriete vrouw was, zou Andy Webb nieuwsgierig zijn naar de inhoud. En als hij die las, gaf hij hem meteen door en kwam hij naar het huis om Dean op te graven en alle eer op te strijken, wat hij nog liever heeft dan het geld van de beloning, want dan stemt iedereen voor hem als sheriff. Het eerste wat ik straks moest doen als ik thuiskwam, was Dean opgraven en hem ergens anders verstoppen, waar hij moest blijven tot Condi mijn brief had gelezen, zodat zij de mededeling kon doen dat Dean achteraf beschouwd toch geen Islamitische Terreurdreiging is. Ik wilde voor geen goud dat Andy Webb die eer van haar inpikte!

'Zelf zou ik Oprah wel zien zitten,' zegt hij.

Ik deed er het zwijgen aan toe. Even later zegt hij: 'Denk je dat Lorraine in het huis gaat wonen, nu Bree dood is en Dean op de vlucht?'

'Misschien.'

'Best een mooi huis nog. Lekker ruim, en meer dan een kwast verf heeft het niet nodig. Maar jij zou er dan wel uit moeten trekken, hè?'

'Misschien.'

'Tenzij je een regeling met haar treft. Zouden jullie iets kunnen regelen, denk je?'

'Ik wil best huur betalen.'

Hij grinnikte als een briesend paard. 'Ja hoor, Odell, houd jij je maar lekker van de domme, maar vergeet niet wat ik je gezegd heb. Een half miljoen is fijn om te hebben. En zo denkt Lorraine er vast ook over. Als vrouwen ergens dol op zijn, dan is het een man met een flinke bankrekening. Het klinkt niet vrouwvriendelijk, maar waar is het wel. Geld maakt ze ontzettend gelukkig.'

'Niet alle vrouwen zijn zo.'

'Nou, misschien is er ergens een weduwe van zevenennegentig die niet zo is, maar daar houdt het wel mee op.'

'Ik wil alleen maar mijn pick-up terug.'

'Jóúw pick-up? Dat lijkt me een tikje aanmatigend, Odell, maar ik kan me voorstellen dat je zo denkt, hoor. Dean komt hier echt geen gras meer maaien, zoveel is zeker, en als Lorraine in dat huis gaat wonen, heeft ze vast iemand nodig om haar een beetje te troosten na alles wat er gebeurd is. Dat huis wordt helemaal van haar, want als Dean al niet als een dolle hond wordt afgeschoten, krijgt hij levenslang. Dus dat levert voor jou een idyllisch plaatje op, zeker met een half miljoen erbij. Al kun je natuurlijk ook op Hawaï gaan wonen, met zo'n lekkere bruine meid.'

'Ik wéét niks en ik heb niks gedáán!'

'Weet ik wel, weet ik wel, maar denk er toch maar over na.'

We zeiden niets meer tot hij de auto stilzette op het erf. Toen zei hij: 'Odell, dit gedoe is pas voorbij als Dean gepakt is of doodgeschoten, en tot die tijd kan het nog alle kanten op, dus blijf goed je eigen belang voor ogen houden, een beter advies kan ik je niet geven.'

'Dank je wel.'

'Graag gedaan.'

Ik stapte uit en hij reed weg. En toen zijn surveillancewagen uit het zicht was, pakte ik de schop en liep ermee naar de achtertuin. Dit werd nu de zesde keer dat die kutkuil werd uitgegraven, waarvan vier keer door mij, wat bij elkaar opgeteld zo'n beetje neerkwam op een put naar de hel, had ik het idee. Mijn grasmaaihandschoenen lagen in de pickup, dus groef ik met mijn blote handen, en toen die na een tijdje pijn begonnen te doen, haalde ik een paar dweilen uit de keuken en wikkelde die eromheen om te voorkomen dat ik blaren kreeg die een bezwarende bewijslast zouden vormen als Andy Webb de brief las en met gillende sirenes naar het huis kwam voor zijn publiciteitsstunt. Die kon hij dus mooi vergeten, want er kwam niks van in.

Ik groef als een machine en het duurde niet lang of ik kwam bij de plastic zakken waarin hij in de grond lag. En nu was het dus de vraag waar ik hem moest laten. Als mijn Monte Carlo het deed, had ik hem gewoon ergens naar een afgelegen plek kunnen rijden om hem onder een brug te verstoppen of zo, maar hij deed het niet, dus die gedachte had geen nut. Ik liep de schuur in om een verroeste oude kruiwagen te pakken, zodat ik Dean daarin kon leggen in plaats van hem te dragen, want hij zit wel goed verpakt maar de stank komt er nu dwars doorheen, dus als ik hem til, ga ik naar lijk stinken. Al te ver kon ik hem alleen niet verrijden, want de kruiwagen viel zowat uit elkaar van ouderdom, dus waar moest ik met hem naartoe?

Terwijl ik piekerend een rondje liep, viel mijn oog op een bosje populieren niet ver van de achtertuin. Dit leek me een hoopvolle plek, en toen ik er aankwam, ontdekte ik de droge bedding van wat in het voorjaar waarschijnlijk een riviertje was maar nu alleen maar een dorre bodem vanwege de zomerhitte. De oever was zo uitgesleten dat er onder de rand een holte was ontstaan, die me net groot genoeg leek voor Dean. Een ideale bergplaats van Moeder Natuur zelf. Ik liep terug, legde Dean in de kruiwagen en reed hem naar zijn nieuwe rustplaats, waar hij met een beetje duwen inderdaad in paste.

Toen ik boven hem op de rand ging staan, kon ik hem niet meer zien, maar vanaf de overkant zou hij natuurlijk wel zichtbaar zijn, dus begon ik op en neer te springen tot de oever het begaf. Ik ging zelf mee omlaag, smakte neer in de bedding en werd daar nog vuiler door dan ik al was van het graven, maar Dean was nu helemaal onzichtbaar en daar ging het me maar om. Zolang niemand zich afvroeg waarom de oever hier was ingezakt, is de opzet helemaal geslaagd.

Ik reed de lege kruiwagen terug naar de schuur en ging in de tuin voor de zoveelste keer het gat staan dichtgooien, waarna ik een douche nam en mijn nieuwe maar hartstikke vuile kleren in de wasmachine stopte om er de aarde uit te wassen die anders tegen me zou pleiten, zoals dat heet. Ziezo, als Andy Webb nu kwam om Dean op te graven, zou hij zwaar teleurgesteld worden. En als hij ondanks zijn teleurstelling met die brief begon te zwaaien en zei dat die van mij was en dat hij dat bewijzen kon met een handschriftonderzoek, dan zei ik gewoon dat ik het maar voor de grap had geschreven en dat er niks van waar was en bewijs het tegendeel maar eens, ha ha!

Het was ondertussen laat in de middag. Ik maakte eten klaar en schrokte het op omdat ik rammelde van de honger na mijn zoveelste gesleep met Dean, en al die tijd ging ik ervan uit dat ik elk moment sirenes kon horen, maar die bleven uit en na een tijdje kalmeerde ik en ging tv zitten kijken met een paar biertjes. Ze lieten nog steeds het Okeydokeyfilmpje zien, met grappige opmerkingen erbij, en hadden het amper nog over de klopjacht die op hem gehouden werd, dus het leek erop dat het verhaal uitging als een doofpot zoals dat heet, wat ik prima vond, want wat mij betrof verdween het zo snel mogelijk.

Ik hoopte dat Lorraine nog even belde, maar dat deed ze niet. Ik had graag agent Jim Ricker gebeld om hem te vragen of hij tegen Andy wilde zeggen dat hij mijn pick-up terug moest geven, maar dat kon niet omdat mijn mobieltje in de pick-up lag. Al met al had ik danig de smoor in over de stand van zaken, maar ik hield mezelf voor dat ik er alles aan gedaan had om voor een goede afloop te zorgen, en meer kan een mens niet doen. Dus na nog een paar biertjes, en een paar glazen met de Captain, werd ik vreedzaam genoeg om de slaap te laten komen.

Hallo, Odell.

Hallo, slaap.

DERTIEN

Mijn slaap werd gestoord door het rinkelen van de telefoon. Ik werkte me van de bank af, stommelde naar de keuken, nam op en mompelde iets schors in de hoorn dat op 'Hallo' moest lijken.

'Met wie spreek ik?' vroeg de stem aan de andere kant.

'Met Odell…'

'Weet je het zeker?'

Ik dacht er even over na. 'Ja.'

'Je klinkt vreemd, namelijk.'

Het is een mannenstem, en hij komt me bekend voor, maar vraag me niet wie dit is.

'Ik ben net wakker,' zeg ik. 'En wie ben jij?'

'Je denkt toch niet dat ik mijn naam ga noemen, hè? Veel te link met al die heisa om Dean.'

En nu viel het kwartje. 'Donnie?'

'Houd je kop, man, geen namen. Je wordt vast afgetapt.'

'Welnee.'

'Hoor je geen klikjes en kraakjes als je met mensen belt?'

'Nee.'

'Nou, dat wil nog niet zeggen dat ze je niet tappen. Dus ik bespreek geen zaken over de telefoon. We zullen ergens moeten afspreken.'

'Ik kan hier niet weg. Ze hebben mijn pick-up gestolen.'

'Is je pick-up gestolen?'

'Ik weet wie het gedaan heeft, maar niet wanneer hij hem teruggeeft.'

'Heb je helemaal geen vervoer?'

'Nee.'

Hij blijft een poosje stil. Om na te denken, waarschijnlijk. Ik hoorde hem een scheet laten, zo'n stiekeme pieperd. 'Oké,' zegt hij, 'ik kom niet naar je toe, want ze zullen het huis wel observeren voor het geval dat Dean terugkomt. Dus we doen het zo. Loop de weg maar op en dan verder in de richting van Callisto, dan rijd ik die kant ook op en stop ik wel als ik je zie. Oké?'

'Ik ben nogal moe nu. Je maakt me net wakker...'

'Hé! Het interesseert me geen reet hoe moe je bent! We hebben iets te bespreken, dus gaan we het bespreken, punt uit. We doen dit op mijn manier, anders zoek je maar een ander om zaken mee te doen, oké? Oké?'

'Oké.'

'Begin maar te lopen dan,' zegt hij, en toen hing hij op.

Tja, ik kon hem niet laten doodvallen, want dan kreeg ik problemen met Lorraine die morgenavond haar gebruikelijke dinsdagavondpakje verwachtte, dat ze op woensdag mee moest nemen naar de gevangenis, en problemen met Lorraine wilde ik niet. Dus begon ik inderdaad maar te lopen, met een tussenstop op de oprit omdat ik nodig pissen moest, waarna ik de weg opliep in de richting van de stad, zoals Donnie wilde, me afvragend of hij nu slim was of alleen maar laf.

Ik liep en liep en liep, snoof de avondlucht op en bewonderde de maan, nog steeds een beetje dronken van de biertjes en de rum. Na ruim een kwartier zie ik een paar koplampen aankomen. Het zijn de eerste koplampen die ik zie, want zoals ik al eerder heb gezegd is dit een onbelangrijke weg met weinig verkeer. Ik nam aan dat het Donnie was. De auto stopte langs de kant van de weg en de lampen gingen uit, en ik bleef doorlopen en zag al snel dat het inderdaad de groene Pontiac is. Achter de voorruit zag ik het vlammetje van een aansteker en vervolgens de gloeiende punt van een sigaret. Hij stapte uit en ging tegen de auto geleund staan wachten tot ik bij hem was.

'Stille weg,' zei hij toen ik hem bereikte.

'Ja.'

'Je zult me wel een schijterd vinden, maar ik ben alleen maar voorzichtig.'

'Oké.'

'Goed, ik heb je laten komen om een nieuwe opzet met je door te nemen. Ik peins er niet over om op de oude manier door te gaan, niet met alles wat er speelt. Die moord was tot daaraantoe, maar nu dat terrorisme er ook nog bijkomt, verdom ik het om op dinsdagavond naar dat huis te komen. Veel te riskant met al die diensten die jacht op hem maken en alles in de gaten houden, dus we gaan het anders aanpakken. Volg je me nog?'

'Ja.'

'Ik heb het met mijn mensen overlegd en daar is het volgende uitgekomen. Punt één, ik kom niet meer naar je toe, dus we moeten een andere plek afspreken voor de overdracht. En punt twee, omdat het voor ons veel riskanter is om zaken te doen met een vriend en de zuster van een terrorist waar iedereen achteraan zit, moeten we de prijs verhogen. Van nu af aan is het tweeënhalfduizend. Vijfhonderd erbij dus voor hetzelfde pakje, bij wijze van gevarengeld. O, en punt drie, het afleveren is nu op maandag in plaats van dinsdag, gewoon om te breken met de oude opzet. Te beginnen met vanavond.'

'Vanavond?'

'Ja, vanavond. Dus heb je die extra vijfhonderd bij je? Ik weet dat ik je ermee overval, maar zo hebben mijn partners en ik het besloten.'

'Ik heb helemaal niks bij me.'

'Niks?'

'Nee, je zou morgen toch pas komen?'

'Eh, ja, maar dat heb ik dus uitgelegd. Vanwege het risico is het voortaan op maandag. Ik weet dat Deans zuster over het geld gaat, dus bel haar maar even.'

'Ik heb geen mobieltje meer.'

Hij haalde zijn eigen mobieltje uit zijn zak en gaf het me aan. 'Gebruik deze dan maar.'

Ik moest even nadenken voor ik Lorraines nummer weer wist, maar toen wist ik het weer en toetste het in. Ze nam na één keer overgaan op en klonk heel boos. 'Ophouden met bellen, zeg ik!'

'Maar ik bel je nu pas voor het eerst.'

Even stilte, en toen: 'Ben jij het, Odell?'

'Ja, ik ben het.'

'Wat wil je?'

'Ik sta hier met Donnie, en ze hebben wat dingen veranderd.'

'Veranderd? Wat hebben ze veranderd?'

'De manier waarop het voortaan gaat.'

'Waarop wat gaat?'

'Je weet wel... het pakje.'

'Het pakje?'

Donnie graaide het mobieltje uit mijn hand en begon erin te schreeuwen. 'Geen namen. Vanaf nu is het op maandagavond, en niet meer bij het huis, en het is tweeënhalf in plaats van twee!' Lorraine schreeuwde zeker tegen hem terug want ze begonnen ruzie te maken. Ik liep naar de kant van de weg en piste nog maar eens. Ik had eigenlijk weer veel te veel bier op, maar ik heb de laatste tijd ook een hoop stress. Het geruzie ging door en ik was allang blij dat ik er niet tussen zat, maar uiteindelijk klapte Donnie zijn mobieltje dicht en zei: 'Teringwijf.' Ik liep weer naar hem toe.

'We doen het zo,' zei hij. 'We gaan nu naar haar toe en zij staat voor de deur te wachten met de tweeduizend die ze al voor morgen klaar had, en dan rijden we samen naar een geldautomaat voor de rest, en dan krijgen jullie je pakje. Stap in.'

Hij keerde zijn auto om en we reden naar Callisto. Hij zegt: 'Wat een teringwijf, die Lorraine. Het is altijd een secreet geweest, daarom werkte ik alleen met Dean. Dean was veel makkelijker in de omgang. Maar ja, zij is wel degene die het de bajes binnensmokkelt, dus je kunt niet om haar heen, hoe graag ik dat ook zou willen. Het is net stront die je maar niet van je schoenzool krijgt.' Hier moest hij zelf enorm om lachen.

Hij was nog nooit bij Lorraine thuis geweest en ik ook niet, dus stopte hij bij een avondsupermarkt met een benzinepomp en een stadsplattegrond, waar hij voor ging staan om haar adres op te zoeken. Toen hij weer was ingestapt, zei hij: 'Zo, dat zit in mijn hoofd en het gaat er nooit meer uit. Ik heb een fotografisch geheugen, moet je weten. Heel bijzonder is dat. Ik ben weleens uitgenodigd door een universiteit aan de oostkust, waar ze mijn hersens wilden onderzoeken. Kreeg ik een hele maand een kamer daar, en gratis maaltijden, zodat zij op hun gemak mijn hersengolven konden bekijken. Die van mij en nog een paar andere speciale mensen. Maar ik nokte na de tweede dag al af, want ik werd doodziek van dat constante gevraag terwijl er allemaal draadjes op je kop geplakt zaten. Bekijk het maar, zei ik, en ik maakte weer dat

ik wegkwam. Maar je houdt het niet voor mogelijk wat ik allemaal onthouden kan.'

'O.'

'Oké, even zien… de volgende links, dan drie blokken rechtdoor en
dan rechtsaf, en meteen weer links.'

Lorraine stond ons op te wachten op de stoep voor een apparte-
mentengebouw. Het leken me knusse appartementen, daarbinnen.
Donnie zette de auto stil en ze stapte in. 'Bij de volgende kruising
rechtsaf en dan steeds maar rechtdoor,' zei ze. Geen 'goeienavond' of
'hoe gaat het', niks. Zelfs geen 'hé, Odell'. Je kon zien dat ze zwaar uit
haar humeur was omdat ze dit er ook nog eens bij kreeg, terwijl ze al
zoveel had moeten doormaken, dus het was best begrijpelijk en ik nam
dus geen aanstoot, al was het een hard gelach dat ze me niet eens aankeek, niet één keer, tot we bij de bank kwamen en Donnie D. de auto
aan de stoeprand zette.

'Jullie gaan allebei mee,' zegt ze. 'Ik ga niet in mijn eentje bij een
geldautomaat staan op dit uur.'

Dus we stapten allemaal uit en liepen naar de automaat, waar Lorraine een tijdje knopjes indrukte terwijl Donnie en ik op de uitkijk
stonden voor dieven en straatrovers. De machine kwam met het geld
alsof hij een groene tong naar ons uitstak, Lorraine pakte het en we
stapten in en reden weer weg.

Donnie zei: 'Goed, ik zet jullie zolang af bij de bioscoop in het centrum, en dan haal ik het pakje ergens op en kom terug voor de uitwis-
seling, oké?'

'Mij best,' zegt Lorraine chagrijnig.

Hij stopte bij de parkeerplaats van de Metrolux en zegt dat hij met
een minuut of tien terug is, vijftien hooguit, en weg was hij. Lorraine
pakte een pakje sigaretten uit haar handtas en stak er een op.

'Ik wist niet dat je rookte.'

'Deed ik ook al een jaar niet meer, maar ik ben gewoon op van de
zenuwen nu. Wil jij er eentje?'

'Nee, dank je.'

Ze keek naar de bioscoop met zijn verlichte gevel.

'Ik ben al in geen eeuwen naar de film geweest.'

'Ik ook niet.'

'Ik zou niet eens weten wat er draait, momenteel, of wie er nu de grote sterren zijn. Ik was altijd dol op films, maar door al die ellende zegt het me niks meer.'

'Wie belde er steeds?'

'Hè?'

'Wie dacht je dat ik was toen ik je belde?'

'Dat gaat je niks aan, Odell.'

'Je klonk nogal kwaad, dus ik vroeg het me af.'

'Nou, houd daar nu dan maar mee op en bemoei je met je eigen zaken. Wat een lul, die Donnie, en die zogenaamde partners van hem. Het is gewoon afzetterij, misbruik maken van de situatie, dat snap jij toch ook wel, hè? Maar ik kan het me niet veroorloven om met ze te breken, want het valt niet mee om zo'n pijplijn op te zetten en alles marcheert verder prima. In mijn eentje krijg ik zoiets nooit van de grond. Dit is allemaal door Dean opgezet, en Dean zijn we kwijt. We mogen al van geluk spreken dat we jou als plaatsvervanger hebben. Maar afzetterij blijft het.'

'Was het Cole?'

'Wát? Nee, het was niet Cole, nee. Waarom zou ik tegen Cole tekeergaan? Cole is een vriend van me.'

'Wie was het dan?'

Ze tikte as van haar sigaret en blies rook naar me toe, die ik maar negeerde om de sfeer niet te verzieken, want ik wil geen ruzie maar informatie.

'Waarom zou ik jou mijn privéleven aan je neus hangen, Odell? Zeg eens, waarom denk je dat?'

'Omdat we... partners zijn?'

'Partners in de misdaad bedoel je dan toch.'

'Eh, ja.'

'Dat heeft natuurlijk geen moer met... Ach, misschien ook wel, we gaan toch ook een rechtszaak tegen hem beginnen.'

'Andy Webb?'

'Ja, het was Andy. Ik was zo stom geweest om hem op te bellen en hem de waarheid te zeggen, misschien had ik wel een slokje te veel op. Maar goed, ik had hem verteld wat ik van hem vond, vooral na dat rotgeintje met de truck, wat hij trouwens ontkende, echt keihard ontkende.'

'En geloof je hem?'

'Ja, eerlijk gezegd wel. Maar toen had ik al gezegd dat we een advocaat gaan inhuren om hem terug te pakken, voor de truck en dat idiote verhoor.'

'Heb je hem verteld dat we hem voor de rechter gaan slepen?'

'Dat zeg ik je toch net? Ja, dat heb ik hem verteld. Zoveel zal het niet uitmaken, trouwens. De verrassing is er natuurlijk wel af, dus hij zal zelf ook al wel een advocaat in de arm nemen, maar hij gaat voor de bijl, geloof me. Maar goed, daarna bleef hij terugbellen om me verrot te schelden, die lul.'

'Dat hoort een hoofd van politie niet te doen,' zei ik.

Ze blies nog wat rook uit en zegt: 'Odell, ik denk soms echt dat jij nog maar net uit je ei bent gekropen. Níémand doet ooit wat hij hoort te doen. De politici niet die hun zakken vullen met smeergeld, de televisiedominees niet die op de ene hoer na de andere kruipen, de politie niet, en ik ook niet. Dus ja, ik vond dat gescheld wel lastig, maar ondersteboven was ik er nou ook weer niet van. Dat ben je alleen als je net uit je ei komt gekropen en geen flauw idee hebt hoe de wereld in elkaar steekt.'

'Maar, eh, waarom ging hij zo lang door met schelden?'

'Dat is persoonlijk,' zegt ze. 'Andy en ik kennen elkaar al heel lang, en als je elkaar al heel lang kent, krijg je weleens mot. Is niks bijzonders, oké?'

'Maar als het niet over de rechtszaak ging, waar ging het dan over?'

'Ik zeg toch net dat dat persoonlijk is? Dat wil dus zeggen dat het iets tussen hem en mij is. Iets wat jou niet aangaat, gesnopen?'

'Oké.'

Ze zegt: 'Andy heeft de gewoonte om iedereen als verdachte te behandelen, alsof je ik weet niet wat hebt gedaan, zodat hij de baas over je kan spelen.'

'Je hebt niks verkeerds gedaan, Lorraine.'

'Wát? Jezus, Odell, als gevangenbewaarder drugs binnensmokkelen, vind jij dat niks verkeerds? Denk je soms dat Donnie een heilige is? En Dean? Wat wij doen is wel degelijk verkeerd, hoor. Maar het is een oneerlijke wereld waarin alles om geld draait, en als je een béétje prettig wilt leven, zul je hier en daar een centje mee moeten pikken. Zo gaat het in dit leven, Odell. En als Cole je komende vrijdag aanneemt, doe je net zo hard mee.'

'Is Cole er ook in betrokken?'

Ze gooide haar sigaret weg. 'Je weet al veel te veel, wacht nou maar af. Misschien neemt hij je niet eens aan als hij merkt hoe kinderlijk je tegen de dingen aankijkt. Het wordt hoog tijd dat je volwassen wordt, Odell, en niet meer zo raar doet. Hebben ze je weleens gezegd dat je soms heel raar doet?'

'Een paar keer, ja.'

'Nou, dat zeiden ze dus niet voor niets. Ophouden met raar doen en een beetje bij de les blijven.'

Ik vond dit erg hard klinken van de vrouw voor wie ik zoveel gevoelens had, en dan vooral die beschuldiging dat ik uit een ei was gekropen. Heel kleinerend. Ze moest eens weten hoeveel moeite ik gedaan had met Dean, hoe vaak ik hem al had opgegraven en met hem had gesleept om hem dan weer hier en dan weer daar te verstoppen, zonder dat iemand het in de gaten had gekregen. Als ze dat wist, zou ze wel anders over me denken en onder de indruk zijn en ophouden met die beledigingen over raar en kinderlijk. Je moet behoorlijk slim zijn en sterk op eigen benen staan om te doen wat ik allemaal gedaan heb zonder betrapt te worden. Doe me dat maar eens na, dan piep je wel anders met je ei. En trouwens, als ze denkt dat ik zo dom ben als een kuikentje, dan krabt ze nog wel achter haar oor als Condoleezza de politie bij me weghaalt omdat zij weet hoe de vork aan de steel zit met de dood van Dean. Ja, dat wordt nog een hele verrassing voor Lorraine, hoe ik haar broer heb doodgeslagen en al die tijd verstopt heb zonder dit aan iemand te verklappen, wat de meesten zouden hebben gedaan om hun hart te luchten. Als Lorraine voor het stille, sterke type valt, dat nooit in paniek raakt en precies weet wat hij doen moet, dan zal ze moeten toegeven dat ik van dit type ben, en zeker geen klein vogeltje.

'Kijk, ik weet ook wel dat je geen sufferd bent, Odell,' zegt Lorraine. 'Maar die indruk wek je soms, oké? Doe nou eens normaal en laat me je ware aard zien, oké?'

'Oké.'

'Ik ben ook niet kwaad op jou maar op mezelf. Ik had Andy natuurlijk nooit op moeten bellen. Nu weet hij wat hem te wachten staat.

Oerstom van me. Maar ik had een paar biertjes op en ik verloor mijn geduld en belde hem thuis. Heeft-ie vreselijk de pest aan, als-ie thuis gebeld wordt, vooral als het een vrouw is die belt. Zijn vrouw neemt altijd op, en die reageert altijd heel achterdochtig als vrouwen naar hem vragen. Dat heeft-ie me weleens verteld. Dus dat was een uitglijer van me, dat ik hem thuis belde. Dat heeft hem extra nijdig gemaakt, want behalve een rechtszaak heeft hij nu ook het gedram van zijn vrouw aan zijn hoofd, over wie dat mens is dat voor hem belde. Kijk, daarom zou ik dus nooit getrouwd willen zijn. Al dat gelazer, al die argwaan.'

'Zo gaat het niet altijd.'

'Natuurlijk wel. Konden jouw ouders het soms goed met elkaar vinden?'

'Eh, nee.'

'Zie je wel? Huwelijken zijn een ramp.'

Ze pakte nog een sigaret en stak er de vlam in, alsof ze iets met haar handen moet doen om te voorkomen dat ze haar haren uittrekt. Ik had haar nog nooit zo zenuwachtig gezien. In haar normale doen was ze heel zeker en deelde ze bevelen uit alsof ze precies wist wat er moest gebeuren en dat iedereen maar beter kon luisteren, maar vanavond was ze heel iemand anders en moest ze zich vastklampen aan een Marlboro.

Ik zei tegen haar: 'Hoe zou je het vinden als je erachter kwam dat Dean helemaal niet op de vlucht is zoals iedereen denkt?'

'Dat zou geweldig zijn, maar hij is dus wel op de vlucht. Kijk, dat bedoel ik nou met raar doen, Odell. Wat is dat nou weer voor opmerking?'

'Nee, ik bedoel als hij dood zou zijn in plaats van op de vlucht.'

'Tja, dat zou heel wat anders zijn. Dan kwam er in ieder geval een einde aan die onzin op tv, dat filmpje uit de Okeydokey waarmee ze hem steeds belachelijk maken, als een soort van blooper. Dan hielden ze tenminste wel op met lachen, als hij dood was. Maar dat is hij dus niet.'

'Maar als hij het nou wél was?'

'Je kunt het gewoon niet laten, hè, Odell? Je moet me het bloed onder mijn nagels vandaan halen. Dean is mijn broer, oké, en ik wil niet dat je zo over hem praat. Straks brengt het nog ongeluk, verdomme. Ik ben toch al elke keer bang als ik de tv aanzet dat ze hem hebben neergeknald ergens… Hou op met die onzin, alsjeblieft.'

'Maar wat je dus zegt, is dat het een opluchting voor je zou zijn als je hoorde dat hij dood was.'

'Nee, dat zeg ik dus níét! Jezus, ik moet er niet aan denken. Ik hoop dat hij de grens met Mexico overkomt en een nieuw leven begint in Zuid-Amerika of zo. Zelfs als dat betekenen zou dat ik hem nooit meer zag.'

'Dus je wilt niet horen dat hij dood is.'

'Hè, hè, hij heeft het eindelijk door. Nee, Odell, dat wil ik niet te horen krijgen. Dank je voor je steun en je opbeurende opmerkingen. Die kan ik prima gebruiken nu.'

'Oké.'

'Laten we maar niks meer zeggen en wachten tot die lul terugkomt.'

'Goed.'

Dus dat deden we. Ze rookte nog drie sigaretten tot Donnie weer aan kwam rijden en zijn auto bij ons stilzette. Hij stapte niet uit, liet zijn motor draaien en stak door het open raam een pakje naar ons toe. Het was net zo'n pakje als de eerste keer, net zo groot en net zo ingepakt. Lorraine haalde het geld uit haar handtas en ze wisselden uit.

'Geef je me nog wel even een lift?' zegt ze tegen hem.

'Stap maar in.'

We stapten in op de achterbank en Donnie reed direct naar haar huis, stopte en liet de motor draaien terwijl ze uitstapte. Ik schoof achter haar aan naar buiten, maar ze zegt tegen Donnie dat hij mij ook thuis moet brengen.

'Zeg, ik ben geen taxi, hoor.'

'Je hebt hem hiernaartoe gebracht, dus je brengt hem ook maar weer terug.'

Ik was al halverwege de deur uit en ze duwde me weer terug en gooide hem dicht.

'Rijden met die handel,' zegt ze tegen Donnie, en hij zucht vol irritatie maar zet de Pontiac toch maar weer in zijn versnelling en weg waren we.

'Wat een secreet,' zegt Donnie. 'Ik snap niet hoe je het uithoudt, man.'

'Lorraine is oké, maar ze heeft veel stress op dit moment.'

'Schei toch uit. We hebben allemáál stress, maar jij en ik kunnen toch ook normaal blijven doen? Teringwijf. Maar zeg eens, wie heeft je truck gejat?'

'Weet ik niet.'

'En je zei dat je het wist.'

'Ja, maar nu niet meer.'

'Het is Deans truck. Misschien is-ie zelf wel naar Callisto gekomen om zijn eigen bezit op te eisen.'

'Dat denk ik niet.'

'Nee, zo stom zal-ie ook wel niet zijn, om hier rond te gaan rijden in een truck met zijn eigen naam op de portieren. Hebben ze die maaimachines ook gejat?'

'Alles.'

'Dit land is één grote dievenbende, tot het Witte Huis aan toe. Daarom heeft het ook geen zin om eerlijk je geld te verdienen, want ze pikken het je toch maar af en dat noemen ze dan belasting. Waarom moet ik braaf zijn als al die topmannen hun werknemers en aandeelhouders bestelen? De politie perst je af en advocaten lichten je op, het is allemaal gajes. Dan is dealen iets heel anders, als je het goed bekijkt. Als dealer biedt je mensen tenminste iets waar ze echt behoefte aan hebben, tegen een redelijke winst, net genoeg om jezelf en je gezin te onderhouden en verder geen gelul en valse beloften. Ik ga 's avonds met een gerust hart slapen, omdat ik niemand heb belazerd, weet je, alleen maar in een behoefte heb voorzien. Als je iets slechts doet, heb je dat gevoel niet, toch?'

'Nee.'

'Precies, en ik heb het dus wél. Neuk je haar?'

'Nee.'

'Maar je zou wel willen, hè? Het mag dan een kreng zijn, maar dat lijf van haar, daar is niks verkeerds aan. Waarom niet, als ik vragen mag, heeft ze iemand anders?'

'Nee.'

'Nou, neuk haar dan, man. Zonde van dat lekkere lijf. Serieus, neuk je haar echt niet?'

'Nee.'

Hij schudde zijn hoofd en zuchtte alsof dit iets was waar hij met zijn verstand niet bij kon. Hij zegt: 'Je bent een vreemde vogel, Odell. Er is iets aan jou wat me gewoon een raadsel is. Je lijkt me typisch zo iemand die allerlei geheimen heeft.'

'Geheimen?'

'Geheimen, ja. Van die diepe, duistere geheimen die aan je knagen en knagen en knagen tot je helemaal uitgehold bent.'

'Uitgehold.'

'Ja. Als ik jou was, zou ik ze maar met iemand delen, Odell. Tenzij je liever uitgehold wordt, natuurlijk.'

'Ik heb geen geheimen.'

'Weet je het zeker? Ik kan mensen over het algemeen vrij goed lezen, en volgens mij heb jij allerlei geheimen.'

'Dan lees je mij toch echt verkeerd, hoor.'

Hij grinnikte een beetje en keek me van opzij aan, wat je niet zou moeten doen als je een auto bestuurt, dan kun je je ogen maar beter op de weg houden. We kwamen aan de rand van de stad, waar de verlichting ophield en het donker ervoor in de plaats kwam. Donnie zette zijn radio aan en er denderde muziek over ons heen, dus het gesprek zat erop. Hij reed de hoofdweg af, de zijweg op die langs het huis van Dean ging, en hij ging wat langzamer rijden omdat dit een onverharde weg was die dus niet zo gladjes reed. Er kwam een auto van de andere kant, die volop zijn koplampen aan had staan, heel verblindend, en Donnie vloekte en knipperde met zijn eigen koplampen, maar die andere bestuurder liet die van hem gewoon in de hoogste stand staan, wat heel onverantwoordelijk was, maar toen stoof hij ons voorbij en reden we alleen nog maar door het stof dat hij had opgejaagd. 'Klootzak!' riep Donnie boven de muziek uit. Een minuut of tien later temperde hij vaart en zette zijn radio af.

'Oké, dit is ongeveer de plek waar ik je oppikte, dus ik zet je hier weer af ook. Ik verdom het om dichter bij dat huis van Dean te komen.'

Ik stapte uit en hij keerde om en weg was hij, wat ik niet erg vond als ik eerlijk moet zijn, want hij is niet iemand bij wie ik me op mijn gemak voel. Ik begon te lopen en probeerde over alles na te denken wat ergebeurd was, over hoe het nou allemaal zat en wat ik ervan moest denken, wat niet meeviel, vooral niet omdat mijn brief aan Condi weg is en ik niet weet wie hem heeft. Misschien had ik hem toch maar beter niet kunnen schrijven, maar ik had me nu eenmaal rot gevoeld en het schrijven ervan had me opgebeurd, dus ik kon het mezelf niet kwalijk nemen, al wist ik dus niet meer of ik er nog wel blij mee was dat ik het gedaan had.

Het was aangenaam om onder het maanlicht langs de weg te lopen, losjes met mijn armen zwaaiend en een deuntje fluitend, wat ik eigenlijk niet kan, maar er is toch niemand die het hoort. Al met al zou ik me behoorlijk prettig hebben gevoeld als die hele nasleep van Dean geen prop had gevormd in dat wat ik mijn Geluksventiel noem. Dit is iets wat ieder mens in zich heeft en dat er soms zomaar voor zorgt dat er een stroom geluk door je heen gaat. Ik heb natuurlijk ook zo'n ventiel, want ik ben niet anders dan andere mensen, en het is een prettig iets om te hebben, maar je kunt het alleen niet zelf open- of dichtdraaien, het werkt op zijn eigen houtje, en erg onregelmatig.

Op een gegeven moment werd in de verte het huis zichtbaar, omdat ik binnen het licht had laten branden en op de veranda ook, dus ging ik minder hard lopen om de wandeling nog even te rekken, misschien moest ik wat vaker avondwandelingen maken. Maar uiteindelijk kwam ik bij de oprit. En bleef als een stok stilstaan. Want op een meter of twintig voor me zag ik het zwarte silhouet van een geparkeerde auto. Mijn eerste gedachte was dat het een observatiewagen van de FBI was, of een andere dienst die stiekem het huis in de gaten hield, zoals Donnie had gezegd. Maar nee, dit is geen personenwagen of een busje, het is iets groters. Ik liep er voorzichtig op af, en het was de pickuptruck van Dean!

Toen ik dichterbij kwam, zag ik dat er niemand in zat. De cabine was leeg en de maaiers staan gewoon in de laadbak zoals het hoort. De motorkap was nog warm, dus hij was er nog maar net neergezet. Door de mannen van Andy Webb, omdat Lorraine hem gebeld had en hem eens even flink de waarheid had gezegd, dat was volkomen duidelijk want het kon gewoon niet anders. Ze hadden hem niet helemaal naar het huis gereden omdat er licht brandde waardoor het leek alsof ik thuis was, dus hadden ze hem stiekem met de koplampen uit een eindje de oprit opgereden, waarna ze ervandoor waren gegaan in een auto die met ze was meegereden. En dat was natuurlijk de auto geweest die met veel te felle lichten van de andere kant was gekomen toen Donnie me een lift gaf.

Ik had de autosleutels thuis laten liggen, maar de cabinedeur zat niet op slot, dus klom ik naar binnen en knipte het lampje van de achteruitkijkspiegel aan om een kijkje te nemen. De cabine zag er nog precies zo uit als altijd, behalve dat de draden van de ontsteking onder het dashboard vandaan hingen, vanwege hun illegale manier van starten. Die schade was geen ramp, maar erg was wel dat de brief weg was, en mijn mooie mobieltje. Ik graaide door de snackbakjes en snoepwikkels en colabekers met deksels en rietjes op de vloer, maar vond er geen van beide voorwerpen tussen, dus die waren nog steeds gestolen, ondanks dat de Dodge terug was. Ik kon aan de kilometerteller zien dat ze er niet zoveel mee gereden hadden, waarschijnlijk alleen maar naar de politiegarage om hem daar zolang te stallen tot ze hem terug zouden geven. Het werkrooster lag er gelukkig nog wel in, zodat ik morgen mijn klanten kon opbellen om ze uit te leggen wat er was gebeurd, dus dat was goed nieuws, maar over mijn mobieltje was ik woedend.

Ik stapte uit en liep naar het huis om de autosleutels te halen en dacht ondertussen na. Als Andy Webb nu dus toch mijn brief heeft, en daar ziet het wel naar uit, reken dan maar dat hij de kuil dan weer komt uitgraven, waar ik Dean al wel weer uit heb gehaald, maar zorgelijk blijft het. Toen ik de veranda bereikte, hoorde ik dat de telefoon in de keuken begon te rinkelen, dus maakte ik pijlsnel de voordeur open en rende ernaartoe omdat het waarschijnlijk Lorraine was die haar excuses wilde aanbieden omdat ze zo chagrijnig was geweest, en ze zegt misschien wel dat ik de volgende keer bij haar mag blijven slapen en niet met Donnie mee hoef. Of anders is het Andy Webb die zoiets zegt als: je hebt je pick-up terug, maar de volgende keer houden we hem.

Ik holde de keuken binnen en nam op. 'Hallo?'

'Odell? Met Chet Marchand spreek je.'

'O... dag Chet.'

'Het spijt me dat ik je zo laat nog stoor, Odell, maar ik probeer je al de hele dag te bereiken. Heb je de ringtone van je mobieltje soms uitgeschakeld?'

'Nee, het is gestolen.'

'Gestolen?'

'Tegelijk met mijn pick-up, ja... nou ja, die van Dean dan. Ze hebben hem net teruggebracht.'

'De truck met je grasmaaiers bedoel je?'

'Ja, die is vanochtend gestolen toen ik op die begrafenis was, maar ze hebben hem net weer heelhuids teruggebracht. Alleen hebben ze mijn mobieltje gehouden.'

'O, nee toch, je mooie nieuwe toestel...'

'Ja, dat hebben ze gepikt. Ik heb er net als eerste naar gezocht, maar het is echt weg.'

'Wat verschrikkelijk. We worden door dieven omringd tegenwoordig.'

Dit had ik nog geen twintig minuten geleden ook al van Donnie D. gehoord, maar dat kon ik natuurlijk niet aan iemand als Chet Marchand vertellen, voor wie het verdrietig zou zijn om te horen dat ik niet alleen geen christen was maar ook nog eens met drugdealers omging.

'De reden waarom ik je bel, Odell, is dat ik op de terugweg naar Topeka een idee kreeg dat ik aan dominee Jerome heb voorgelegd. Moet je luisteren, hoe zou je het vinden om naar Topeka te komen voor de 4 juli-viering van Preacher Bob?'

'4 juli?'

'Juist. Dit is een belangrijke periode voor ons land, met de verkiezingen van volgend jaar voor de boeg. Het is nu meer dan ooit nodig om standvastig te blijven en niet ten prooi te vallen aan twijfels en moedeloosheid. Dat zou gelijkstaan aan een nederlaag. Bob maakt zich ongerust over de sfeer die momenteel in ons land heerst, en het lijkt hem belangrijk om de vierde juli dit jaar groots te vieren, met een speciale manifestatie om iedereen een hart onder de riem te steken en het politieke bewustzijn te stimuleren. En raad eens wie onze hoofdgast wordt, Odell. Hij gaat een speech houden die de mensen weer geestdrift zal inboezemen. Een grootse, inspirerende redevoering.'

'Eh, de president?'

'Bijna goed, ha ha. Wat dacht je van de vólgende president?'

'Senator Ketchum?'

'Precies. En we willen dat jij ook komt, Odell.'

'O… nou, ik weet niet. Ik ben niet zo sterk in redevoeringen, Chet. Zelfs niet als een ander hem zou schrijven, denk ik.'

'Ah, maar dan begrijp je me verkeerd. Mijn fout, Odell, neem me niet kwalijk. We willen jou geen speech laten houden, daar hebben we de senator voor, en Bob zal zelf natuurlijk ook spreken. Nee, we willen jou als gast, als een heel speciale gast. Niet in de zaal maar achter de coulissen, zogezegd. Zodat je kennis kunt maken met de senator en Preacher Bob zelf. En wees niet bang voor publiciteit. We begrijpen zeer wel hoe zwaar het je moet vallen om geassocieerd te worden met Dean Lowry, dus we zullen erop toezien dat je een geheime gast blijft. Geen camera's, geen persmuskieten, dat beloof ik je. En nu denk je natuurlijk, waarom doet Preacher Bob dit allemaal voor mij, nietwaar?'

'Eh, ja.'

'Welnu, dat doet hij omdat hij nu eenmaal zo is. Preacher Bob houdt van mensen, zo simpel is het.'

'O.'

'Toe, zeg me dat je komt, Odell. Dat zou ik geweldig vinden. Het is geen poging om je te bekeren, laat ik dat benadrukken. Het is gewoon een uitnodiging aan iemand die ik graag als mijn vriend zou beschouwen, niet meer en niet minder.'

'Nou, eh… oké, graag dan.'

'De toeloop wordt immens. Het zal plaatsvinden in de openlucht en we hebben er het grootste park van Topeka voor afgehuurd. Er komt een enorm podium, en gratis eten voor alle aanwezigen. We verwachten meer dan tienduizend mensen.'

'Wauw, da's inderdaad veel.'

'Groots wordt het, en heel bijzonder. Je zult er geen spijt van krijgen. En begrijp ik het goed, is je truck inmiddels terugbezorgd?'

'Ja, hij staat op de oprit.'

'Mooi, dan is je vervoer geregeld. Onnodig te zeggen dat wij je de benzine terugbetalen, Odell. Een pick-uptruck moet schrikbarend duur in het gebruik zijn nu de opec-landen ons wurgprijzen opleggen aan de benzinepomp. Maar aan de andere kant, hoe groter, hoe veiliger. We zouden allemaal in grote Amerikaanse auto's en trucks moeten rijden, maar steeds meer mensen wenden zich tot importmerken.

Ik vind dat een betreurenswaardige, om niet te zeggen onvaderlands-lievende tendens, waar ik me vreselijk over kan opwinden. Maar dit terzijde, Odell. Nu je zo bereidwillig bent om onze gast te zijn, lijkt het me voor de hand te liggen dat wij, Preacher Bob en ik, de kosten voor een nieuwe mobiele telefoon voor onze rekening nemen. Kortom, je krijgt van ons een nieuwe.'

'Nou, dat is… dat vind ik heel erg aardig, Chet, dank je wel.'

'Geen dank, Odell. Ik verheug me op ons weerzien, de vierde juli. Zorg ervoor dat ze in de tussentijd niet opnieuw je truck stelen, oké?'

'Oké.'

'Dan wens ik je nog een prettige avond.'

'Oké.'

'Tot ziens, Odell.'

'Tot ziens, Chet.'

We hingen op en ik schudde mijn hoofd van verbaasdheid en ver-rassing. Ik werd een gast bij een grote show met Preacher Bob en se-nator Ketchum en god zal weten wie nog meer. Geweldig! En wat er ook geweldig aan was: als Andy Webb nu met mijn brief komt zwaai-en en roept dat ik Dean heb vermoord, kan ik hem zeggen dat ik vrien-den heb in Hoge Sferen zoals dat heet, dat ik op een voet van vertrou-wen sta met Preacher Bob en Senator Ketchum. Het kan toch raar lopen: door het gesprek dat ik op zondag met Chet had gehad, was ik op het idee gekomen om een brief te schrijven waardoor ik in de knoei kom, en nu was het opnieuw een gesprek met Chet dat me uit die knoei zal helpen, dus de cirkel is volmaakt.

Het bleef natuurlijk jammer dat ik die brief had geschreven, voor-al ook omdat ik niet wist waar hij nu was. Maar wie weet, misschien lag hij toch nog wel in de cabine van de pick-up, tussen alle rommel op de vloer, want ik had alleen maar dat kleine lichtje van de achter-uitkijkspiegel gehad om bij te zoeken. En wie weet, misschien lag mijn mobieltje er toch ook nog wel tussen. Misschien moest ik opnieuw gaan zoeken met een zaklantaarn, nog eens heel goed kijken zodat ik niet meer hoefde te piekeren. Maar wacht eens, het kon makkelijker. Ik stond nog naast de telefoon aan de keukenmuur en bedacht me op-eens dat ik gewoon het nummer van mijn mobieltje moest bellen, want als het dan nog ergens in de cabine lag, hoefde ik alleen maar op het geluid van mijn ringtone af te gaan. Ja, dit was een uitstekend idee, dus dacht ik even heel hard na, herinnerde me het nummer en belde het op.

Ik hoorde hem één keer overgaan, waarna er opeens een onzichtbare hand kwam die me oppakte en tegen de keukenmuur smeet, zo hard dat de muur zich niet staande kon houden en wegvloog, met mij ertegenaan, en ook de koelkast vloog door de lucht en de andere keukenapparaten en wat gebeurde er in godsnaam, was ik in slaap gevallen en droomde ik dit? De muur temperde vaart maar de koelkast niet dus die vloog me voorbij en ik merkte dat ik niks hoorde. Het was een dove droom. En alles vertraagde. En nu droomde ik dat het hele huis uit elkaar lag en door de lucht vloog. Kijk, daar buitelde de grootvadersklok, heel langzaam en statig. Met de slinger ernaast. En de wijzerplaat kwam ook los, en alle veertjes en radertjes. De schommelbank van de veranda zeilde langs, met de kussens als plompe vogels eromheen. Ik wilde er een grijpen, maar kon me niet bewegen, zoals je dat vaak niet kunt als je droomt, en de kussens vlogen me voorbij en ik begon zelf te dalen, op de keukenmuur die ronddraait onder de maan, aha de maan, dus ik droom nu kennelijk dat ik buiten vlieg, rond en rond, want daarboven maakt de maan stille cirkels.

En toen werd alles pikzwart.

VEERTIEN

In de krant staat weleens iets over mensen die wakker worden en dan allemaal buitenaardse wezens om hun bed heen zien staan, die er heel raar uitzien en telepathisch communiceren, en op tv zijn daar ook weleens programma's over. Hier moest ik aan denken toen ik zelf wakker werd, want het leek mij nu ook te overkomen, of anders had iemand me drugs gegeven waardoor ik dacht dat het me overkwam, dat ik omringd werd door buitenaardse wezens die me bevelen gaven die ik niet begreep. Alleen was dit niet mijn kamer, niet die van Dean bedoel ik, en dus ook niet mijn bed. Een van de lange dunne buitenaardse wezens was vermomd als een verpleegster, in wit en blauw, en een andere heeft zo'n ding om zijn nek dat ze gebruiken om een chip in je neus aan te brengen, waarmee ze je altijd kunnen opsporen, waar je je ook verstopt, en het gemene is dat dit ding om zijn nek net een stethoscoop lijkt, zodat je niets in de gaten hebt en geen verzet biedt als ze die chip in je neus gaan stoppen.

'Hoort u mij?' zegt hij.

Hij leek bijna menselijk, maar ik weet dat ze menselijke maskers dragen om hun hagedissengezicht te verbergen, dus hij hoefde niet te denken dat ik zomaar mee ging werken aan zijn ondervraging en die chip in mijn neus. Of was dit weer een nieuwe droom? Zo ja, dan was het een rare droom, want het doet pijn. Mijn rechterhand doet pijn en mijn hoofd ook, en mijn schouder, en een van mijn knieën. Ik voel dat ik een verband om mijn hoofd heb, en mijn hand is ook verbonden, en hij klopt.

'Meneer Deefus, kunt u mij horen?'

'Eh...'

'Kunt u zeggen hoeveel vingers ik opsteek?'

Ha, hiermee verraadt hij zichzelf, want hij vergeet er twee weg te moffelen dus ik zie ze alle zeven, het volledige aantal vingers van een buitenaardsewezenshand. Zo zie je maar, ze hebben dan wel een technologische voorsprong op ons, maar in wezen maken ze dezelfde stomme fouten. Maar goed, nu weet ik dus zeker dat dit geen ziekenhuiskamer is maar een ruimte in een ufo, dus zal ik het spel meespelen om tijd te winnen.

'Vijf...' zei ik met een kraakstem, en daar was hij zo te zien blij om.

'Goed zo. Weet u wat er met u gebeurd is?'

'Ik zag de maan...'

Dit antwoord maakte hem minder blij. Hij boog zich naar me toe en zijn masker rekte zich uit tot een cartoongezicht. 'Er was een explosie,' zegt hij. 'Het huis is volledig verwoest. U mag van geluk spreken dat u nog leeft.'

Dit bracht me opnieuw aan het twijfelen. Is de propaantank op het erf misschien ontploft en zijn dit toch echte mensen in een echt ziekenhuis? Zo ja, dan was die droom van de maan en de keukenmuur ook geen droom geweest. Die propaantank had er inderdaad nogal aftands uitgezien. De mensen van het propaanbedrijf horen je wel te waarschuwen als zo'n tank niet goed meer is, maar misschien hadden ze dat ook wel gedaan en had Dean zich er niks van aangetrokken.

'Het was een bom,' zegt de dokter, want ik zie definitief nu dat het echt een dokter is, en de verpleegster is een echte verpleegster, en die twee kerels aan het voeteinde zien eruit als politie in burger. Ik wist dat ik dit woord kende, bom, maar de betekenis wou niet duidelijk worden. Het klonk als iets dat mooi volrond was, bommmm, net als een propaantank eigenlijk, maar het moest iets anders zijn.

'Een autobom,' zegt de dokter, 'of beter gezegd: een truckbom.'

Een truck. Dit deed me aan Deans pick-up denken, de ouwe Dodge met de maaiers in de laadbak, maar maaiers konden niet ontploffen, toch?

'Is hij aanspreekbaar?' vroeg een van de mannen in maatpak aan de dokter.

De dokter keek me scherp in mijn ogen, alsof hij er iets in zocht. 'Kunt u deze heren te woord staan, meneer Deefus?'

'Ja.'

De twee mannen liepen om het bed naar me toe en de dokter en verpleegster liepen de kamer uit. 'Niet te lang,' zei de dokter over zijn schouder.

Ze staan nu vlak bij me. 'Hoe gaat het, meneer Deefus?' vraagt de ene zonder bril. 'Wij zijn agenten Kraus en Deedle, we hebben u vorige week een paar vragen gesteld, weet u nog wel?' Zie je wel, het zijn inderdaad politiemannen, nou ja, van de FBI dan. Nu wist ik het weer.

'Ja.'

Ze trokken ieder een plastic stoel naar zich toe en gingen zitten.

'Heeft u erge pijn, meneer Deefus?'

'Ja.'

'Nou, we zullen het zo kort mogelijk houden. We hebben wat vragen die opheldering behoeven. Klopt het dat de truck gestolen was?'

'Ja, eh, gisteren.'

Ze verwisselden een blik en Deedle zei: 'Eergisteren zult u bedoelen. Het is vandaag woensdag.'

'Woensdag...'

'Tja, je hebt een behoorlijk zware klap gehad, Odell. Mag ik je Odell noemen?'

'Ja.'

'En je kreeg hem maandagavond laat terug?'

'Ze hebben hem op de oprit neergezet.'

'"Ze", zeg je. Weet je dan wie het waren?'

'De mannen van Chief Webb, denk ik. Maar het was niet echt diefstal, meer om te pesten. Is de propaantank ontploft?'

'Nee, de truck. We hebben een van de portieren zowat een kilometer verderop teruggevonden, met de tekst "Dean Lowry Lawnmowing" erop. Het was een truckbom, Odell.'

'Truckbom...'

'Hoe laat hebben ze hem teruggebracht?'

'Ik... weet ik niet.' Ik wilde niets loslaten wat naar de drugdealersrit met Donnie en Lorraine kon voeren. 'Ik zag hem opeens op de oprit staan... na tienen was het al.'

'En wat gebeurde er toen?'

'Ik... ging naar binnen om de autosleutels te pakken, zodat ik hem naar de schuur kon rijden.'

'En deed je dat?'

'Nee, ik… ik wilde weten of mijn mobieltje er nog in lag, dus belde ik het vanuit het huis om het te laten overgaan, dan kon ik het makkelijker vinden.'

Kraus knikte alsof hij dit nuttige informatie vond. 'Je mobieltje had in de truck gelegen toen die gestolen werd?'

'Ja. En ik hoopte dat het er nog in lag, tussen de rommel op de vloer.'

'Dus belde je je eigen mobiele nummer en toen ontplofte de truck. Zo gaat het meestal bij dit soort aanslagen. Ze gebruiken een mobieltje om de detonator te activeren. En wat gebeurde er toen?'

'Weet ik niet meer. Ik zag de koelkast voorbijvliegen, en de schommelbank, als een droom.'

'En wat denk je, Odell, zou dit het werk van Dean Lowry kunnen zijn?'

'Dean? Nee, die is… die zou nooit zijn eigen pick-up opblazen.'

'Het was geen amateurwerk, Odell. Naar de schade te oordelen was de hele carrosserie volgestopt met explosieven. Kun je je verder nog iets herinneren?'

'Nee, behalve dat het heel stil was. Daarom dacht ik dat ik droomde. Is het huis beschadigd?'

'Compleet weggevaagd. Het is een wonder dat je nog leeft en niet eens zwaargewond bent. De reddingsploeg vond je een heel eind achter het huis bij een groepje populieren. Die bomen hadden geen blaadje meer aan hun takken, ondanks dat het huis ze voor de explosie had afgeschermd, dus je kunt wel nagaan wat het voor een knal is geweest. Het onderzoek loopt nog, maar alles wijst erop dat dit een bom was om een groot gebouw of een huizenblok te verwoesten.'

Deedle vroeg: 'Waarom denk je dat het Chief Webb was?'

'Eh… omdat hij een hekel aan me heeft.'

'Een hekel, tja, dat lijkt me niet echt een reden om iemands truck in een bom te veranderen. Waarom heeft hij een hekel aan je?'

'Hij… ik had me vergist in zaterdag en zondag, als de dag waarop ik Dean ontmoette, en nu denkt hij dat ik lieg. Ik heb hem uitgelegd dat we heel erg dronken zijn geworden, Dean en ik, en dat ik me daarom had vergist.'

'Dat heb je ons inderdaad ook verteld, Odell. Maar lijkt het je niet wat vergezocht dat het hoofd van politie om zoiets je truck zou stelen en vol zou stoppen met explosieven? Daar is vast een andere reden voor geweest, denk je ook niet?'

'Misschien...' was alles wat ik zeggen kon. Maar wat ik dacht was: inderdaad, het is waarschijnlijk niet Andy geweest. Maar wie dan wel? Wie kon mij zo haten dat hij me van de aardbodem wil vagen? Het sloeg gewoon nergens op. En Lorraine zou wel woest zijn over het huis, al leek tante Bree me typisch een vrouw die alles goed verzekerd had, dus dat viel hopelijk nog mee. Tenminste, als de polis ook terroristen dekte. Sommige verzekeringen dekken zulke rampen alleen als je er speciaal om vraagt, en doe je dat niet, dan krijg je mooi niks, pech gehad. Dus was Bree wel verzekerd geweest tegen bomaanslagen? Niet vergeten dat ik dat aan Lorraine vroeg.

'Is ze al naar me komen kijken?'

'Wie, Odell?'

'Lorraine.'

'Nee,' zegt Deedle. 'Je ligt in afzondering.'

'Eh... wat?'

'Niemand mag je zien, behalve wij. Maar er is haar verteld dat je niks ernstigs mankeert.'

'Maak je daar maar geen zorgen over, Odell,' zegt Kraus. 'Waar het nu om gaat is dat we aan de weet komen wie die truck in één grote bom heeft veranderd. Dat is wel even iets anders dan olie verversen, dus wij vermoeden dat er een team achter zit. Om zo'n klus in een uurtje of tien, twaalf te klaren, heb je drie tot vier man nodig.'

'De grote vraag,' zegt Deedle, 'is of jij wel echt hun doelwit was. Heb jij vijanden, Odell?'

'Nee.'

'Helemaal niemand? Denk eens goed na. Heb je het de laatste tijd met niemand aan de stok gehad?'

'Alleen met Chief Webb.'

'Vergeet Webb nu maar. Wij weten dat hij er niks mee te maken heeft. Denk nog eens goed na.'

'Oké,' zei ik, en ik dacht na tot ik er koppijn van kreeg, maar er kwam niks.

'Heb je ruzie gehad met Dean?'

'Nee, we konden het prima vinden. Ik heb hem maar een paar dagen gekend voor hij wegging, dus er was niet eens tijd om ruzie te krijgen. Hij heeft dit niet gedaan.'

'Maar de terroristen met wie hij een cel vormt, die misschien wel,' zegt Kraus met een gezichtuitdrukking alsof hij denkt dat ik iets achterhoudt.

'Tja, dat zou ik niet weten. Ik heb nog nooit een terrorist ontmoet.'

'Ze zien er net zo uit als jij en ik, Odell. Misschien ken je er wel een van wie je niet eens weet dat hij terrorist is. Dat zou geen schande zijn. Ze zorgen er heel goed voor dat ze niet opvallen. Daar zijn het meesters in, en dat maakt ze juist zo gevaarlijk.'

'O, nou, dan misschien wel, maar ik zou niet weten wie.'

Ze keken me aan alsof ik ze teleurgesteld had, maar ik kan ze gewoon niks over die bom vertellen, want ik weet niks. Ik weet niks en ik heb niks gedaan.

'Ik wil Lorraine even zien.'

'Zou dat je geheugen opfrissen, als je haar even sprak?'

'Misschien wel, ja.'

'Heb je iets met haar, Odell?'

'Ze is mijn verloofde... binnenkort.'

'Asjemenou.' Deedle keek naar Kraus. 'De zuster van een terrorist, die iets met een van zijn slachtoffers heeft. Het lijkt wel een filmscenario.'

'Als ik jullie was, zou ik maar een agent nemen,' zei Kraus met een lachje.

'Jullie zijn toch agenten?' zeg ik. Ze keken me een hele poos aan, en toen elkaar, en Kraus zegt: 'We weten het van die drugs, Odell.'

'Drugs?'

'De telefoon van je vriendinnetje is de hele week afgetapt, voor het geval dat haar broer zou bellen. We weten precies waar jullie maandagavond waren. Jij, je vriendin en Donald Hubert Youngman, alias Donnie Darko.'

'Hè?'

Deedle haalde een foto uit zijn binnenzak en gaf hem aan en ja, daar stonden we met zijn drieën bij de geldautomaat. 'Deze foto is genomen op Fifteenth Street. Die verborgen camera's worden steeds beter.'

'Haarscherp,' zegt Kraus. 'Keihard bewijs voor een op handen zijnde drugstransactie, Odell, en jij staat erbij, in het midden nog wel.'

'Ehh…'

'We weten alles van Lorraines bijverdienste, Odell. Hoe ze drugs naar binnen smokkelt in de staatsgevangenis, en haar relatie met de vent die ze daar verder verdeelt.'

'Relatie?'

'Jazeker,' zegt Deedle, 'een seksrelatie nog wel.'

'Dat gebeurt wel vaker als twee mensen nauw samenwerken,' zegt Kraus. 'Ze leren elkaar steeds beter kennen, lunchen samen, drinken koffie, maken een wipje, bedenken een manier om samen een zakcentje te verdienen, en voor je het weet zijn ze in zaken. En het eindigt bijna altijd met celstraffen van tien tot vijftien jaar.'

'Een relatie, met wie?'

'Wou je nou werkelijk beweren dat je dat niet weet, Odell? Ze is je verloofde nog wel. Heeft ze je dan nooit verteld dat ze met haar baas wipt?'

'Cole?'

'Precies. Als haar superieur zal hij wel langer achter de tralies gaan dan zij, vermoed ik. Wat zie je pips, Odell.'

'Ik heb niks gedaan…'

'Tuurlijk niet, dat blijkt toch ook uit de foto? Je bent zomaar een omstander, dat is duidelijk te zien. Je staat daar stomtoevallig laat op de avond bij een flappentap waar je vriendin geld trekt voor een drugsdeal. Zonder dollen, Odell, dit ziet er niet best uit. Dit plaatje kan je een hele serie aanklachten op gaan leveren, samenzwering tot het plegen van een misdrijf, drugssmokkel, medeplichtigheid, noem maar op.'

'Drie tot vijf jaar als je een rechter met een slecht humeur treft,' zegt Deedle. 'Misschien kunnen jullie elkaar door de tralies kushandjes toeblazen.'

Kraus gaf de foto weer aan Deedle en boog zich naar me toe. 'Maar als je meewerkt, kunnen we ervoor zorgen dat niemand dit te zien krijgt. We willen de grote vissen en jij bent maar een spierinkje, dat weten we heus wel. Maar je hebt de schijn natuurlijk wel tegen met al

244

die criminele contacten. Je hebt je in één week tijd met de ene boef na de andere ingelaten, te beginnen met Dean. Dus je bent óf zelf ook een boef, óf de grootste pechvogel die ik ooit heb meegemaakt.'

'Ik ben een pechvogel,' zei ik.

'Dat lijkt mij eerlijk gezegd ook,' zegt Deedle.

Ik wist niet meer wat ik denken moest. Lorraine blijkt met Cole Connors te wippen terwijl ik net gezegd had dat ze mijn verloofde was. Die twee hadden gelijk, het zag er slecht uit, alsof ik een of andere idioot ben die verblind is door de liefde, zoals dat heet. 'Ik heb geen geluk in de liefde,' zei ik tegen ze.

'En in de rest ook niet, Odell,' zegt Deedle.

'En het kan nog veel erger worden,' zegt Kraus.

Ze keken opeens heel streng naar me, alsof ik een slecht schoolrapport had laten zien. Ik had dringend iemand nodig die het voor me opnam, maar wie zou dat willen? En opeens wist ik wie.

'Ik wil met agent Ricker spreken.'

'Pardon?'

'Agent Jim Ricker van Homeland Security.'

'En waar zou jij die agent van kennen?'

'Hij heeft me een paar keer gebeld. En ik heb hem ook een keer gebeld.'

'Daar hebben wij geen gegevens van, Odell. We hebben jouw telefoon ook afgetapt en die naam staat niet op onze lijst.'

'Nou, dan hebben jullie niet goed opgelet. Hij belde me kort nadat ik dat mobieltje had gekregen, en toen zei hij dat hij agent Jim Ricker was en dat ik hem alles moest vertellen wat er gebeurde.'

'Je hebt het nu over dat nieuwe mobieltje, dat je in de truck had laten liggen?'

'Ja.'

'En deze agent, deze Jim Ricker, heeft mobiele gesprekken met je gevoerd?'

'Twee of drie keer, ja.'

Kraus knikte naar Deedle, die opstond en naar het raam liep waar de luxaflex omlaag was, en dicht tegen de felle zon. Hij pakte zijn mobieltje en belde met iemand terwijl Kraus me aankeek alsof mijn rapportcijfers intussen nog lager waren geworden. 'Kijk, Odell,' zei hij, 'toen je je vorige week registreerde bij je mobiele provider, werd dat meteen aan ons doorgegeven omdat je onze bijzondere aandacht hebt, zoals we dat noemen. Dus je mobiele gesprekken zijn net zo intensief gevolgd als die vanuit het huis van Lowry. En ik kan je nu al zeggen dat er geen gesprekken met ene Jim Ricker bij ons bekend zijn. Dus zijn die er ook niet geweest, anders hadden we dat geweten. Dat is ons werk, namelijk.'

'Nou... hij heeft me gebeld, dat lieg ik echt niet. Sluit me maar aan op een leugendetector. Hij heet agent Jim Ricker. Hij belt af en toe om te zeggen dat hij me in de gaten houdt met de satelliet.'

'Met de satelliet.'

'Ja, met de satelliet. Of nee, een heleboel satellieten achter elkaar, die allemaal op me letten.'

'Als beschermengelen, Odell, bedoel je dat?'

'Ja, zoiets.'

Deedle komt weer naar het bed en zegt: 'Ik heb met Homeland Security gebeld, Odell, en zij kennen geen Jim Ricker, laat staan dat er een Jim Ricker voor ze werkt.'

'Wel waar. Ik heb een keer of drie met hem gesproken.'

Kraus zegt tegen Deedle: 'Odell vertelt me net dat Jim Ricker over hem waakt met spionagesatellieten. Een heleboel, hè, Odell?'

'Ja, zo heeft hij het verteld.'

'En dat terwijl we niet één gesprek met hem hebben getapt. Wij hebben de beste apparatuur ter wereld, Odell. Het nieuwste van het nieuwste op afluistergebied.'

'Nou, het werkt toch niet goed genoeg,' zei ik nijdig, want ik kreeg de smoor in over hun ongelovigheid.

'Wat is zijn nummer?' vraagt Kraus.

'Eh, ben ik vergeten. Ik had het in mijn mobieltje opgeslagen, maar dat heb ik nu niet meer.'

'Als jouw mobiel met dat nummer verbonden is geweest, zou het op onze lijst moeten staan.'

'Ik bén ermee verbonden geweest.... Geef me maar een test met de leugendetector,' zei ik, maar toen bedacht ik dat ze me dan ook konden vragen of ik weet waar Dean is, dus misschien toch maar liever niet. 'Maar dan mag je me alleen die vraag stellen, geen andere.'

'Dan lijkt het me niet de moeite waard, Odell. En trouwens, we hebben gehoord dat je al een test hebt ondergaan en toen in tranen uitbarstte. Dat willen we je niet opnieuw aandoen voor één enkel vraagje. Vooral niet omdat we het antwoord toch al kennen.'

'O ja?'

'Natuurlijk, Odell. Je probeert ons in de maling te nemen, en daar houden we niet zo van.'

'Ik lieg niet! Hij heeft me echt gebeld... Misschien heeft hij zo'n... zo'n apparaat waardoor je niet kunt horen wat hij zegt.'

'Een scrambler bedoel je?'

'Ja, die bedoel ik. Zoiets zal hij wel hebben.'

'Odell, wij hebben onbegrensde technische mogelijkheden om telefoonverkeer te onderscheppen. Wij kunnen elk gesprek afluisteren, wanneer we maar willen, waar ook ter wereld. Jij hebt geen gesprekken met ene Jim Ricker gehad, noch mobiel noch op je vaste aansluiting. Je bent gebeld door Donnie D., Chief Webb, Lorraine Lowry en Chet Marchand, en door niemand anders. Met Chet Marchand zijn we in contact getreden, en hij vertelde ons dat hij hier met Dean kwam praten over diens bekering tot de islam. En hij kwam terug toen hij begreep dat jij je voor Dean had uitgegeven, en bij dat gesprek kreeg hij medelijden met je, omdat hij denkt dat je geestelijk onvolwaardig bent, Odell. Daarom heeft hij je een mobieltje gegeven, zodat je je klantenkring als grasmaaier kon uitbreiden. Als iémand een beschermengel voor jou is, dan is het Chet Marchand. Met instemming van zijn baas, dominee Robert Jerome. Die twee mannen helpen je omdat ze dat hun plicht als christen achten. Wij weten dat de heer Marchand je heeft uitgenodigd voor een grote 4 juli-bijeenkomst in Topeka, en zo'n uitnodiging krijgt niet iedereen.'

En nu begreep ik het opeens! Het werd me duidelijk alsof er een lichtknop in me werd omgedraaid. 'Ik ben lokaas...' zei ik.

'Pardon?'

'Dat heeft Jim Ricker tegen me gezegd, dat ik lokaas ben om Dean te vangen... Daarom willen ze mij op dat feest in Topeka, omdat senator Ketchum daar ook komt voor een speech... en Dean wil hem vermoorden... denken jullie soms dat ik Dean daarbij wil helpen of zo?'

Kraus keek nu niet streng meer maar kwaad. 'Niemand heeft jou verteld dat je lokaas bent. Dean kijkt wel uit om met jou samen te werken, zo achterlijk is hij niet. Gek is-ie waarschijnlijk wel, maar niet achterlijk. Jim Ricker heeft jou niks verteld, want Jim Ricker bestaat niet. Je bent geen jongetje van zes meer, Odell, het wordt hoog tijd dat je je denkbeeldige vriendjes opgeeft.'

'Hij is niet denkbeeldig. Hij heeft een dochtertje. Ze is negen en ze heeft dezelfde ringtone als die ik had uitgekozen, Greensleeves.'

'Greensleeves?'

Ik begon het voor ze te fluiten, maar ze keken elkaar aan op een manier die maar weer eens bewees dat ik niet fluiten kan.

'Oké, Odell, luister goed. Jouw vriendje Jim zou ongelooflijk geavanceerde apparatuur moeten hebben om buiten het bereik van onze scanners te blijven. Hij heeft je niks over een dochtertje verteld, anders zou dat in onze verslagen staan. Deze man bestaat niet, punt uit.'

'Hij hééft ook goeie apparatuur. Hoe had hij anders kunnen horen wat voor ringtone ik heb?'

'Dat zou inderdaad wel het allerlaatste snufje zijn,' zei Deedle. 'En wij kennen de laatste snufjes, Odell. Wij zijn doorgaans de uitvinders van de laatste snufjes, en wat jij daar beschrijft, komt vooralsnog alleen in Bondfilms voor. Probeer ons nou niks wijs te maken over apparatuur. Daar weten we alles van, heus.'

'Vinden jullie dingen uit?'

'Wijzelf niet, nee. Dat doet de National Security Agency voor ons, de beste techneuten die er zijn. Wat zij nog niet bedacht hebben, bestaat gewoon niet, dus hou nu maar op met dat geouwehoer.'

'Ik was niet aan het ouwehoeren.'

'Dat was je wel,' zei Kraus, 'en het is nu afgelopen. Je houdt iets voor ons achter en we willen weten wat. Niemand komt zomaar door autopech met een terrorist in aanraking, met wie hij binnen een dag zo goed bevriend raakt dat hij zijn bedrijfje mag voortzetten terwijl de terrorist eropuit gaat om vooraanstaande politici te vermoorden. In de echte wereld gebeurt dat niet, Odell, dus vertel ons nou maar wat er wél is gebeurd. Je zit tot je nek in de stront, jongen, en dat lijk je nog steeds niet te beseffen.'

'Ik zit niet in de stront.'

Ze bekeken me als twee juryleden bij een hondenshow, en dan was ik een hond die zojuist over hun schoenen had gepist, dus mijn blauwe lint kon ik wel vergeten. Ik was zwaar op mijn wiek getrapt omdat ze het gewoon verdomden om me te geloven, terwijl ik nog niks had gezegd wat niet waar was. Ze geloven me gewoon niet, dat kun je aan hun gezicht zien, dus wat moet ik nu? En ik ben niet de enige die in de knoei zit, want ze hebben dat handeltje van Lorraine ontdekt, en dat zal haar wel haar baan gaan kosten. Over Cole Connors en Donnie D. zat ik niet in want die twee interesseerden me niet, maar bij Lorraine lag ik er nu waarschijnlijk uit, al had ik er nooit echt bij haar in gelegen omdat ze al die tijd met Cole had liggen wippen...

Dit laatste gaf me een erg slecht gevoel. Ik was verliefd geworden op een vrouw die daar helemaal niet geschikt voor was. Voor de zoveelste keer. Waarom ben ik toch zo? En deze keer was het erger dan ooit, want nu zou iedereen aan de weet komen hoe stom ik was geweest in alles wat er was voorgevallen. Het enige geheim dat ik nog over heb is het feit dat Dean dood is, en de plek waar ik hem verstopt heb, en daar moest ik me ook nog zorgen over maken, want de ontploffing had me helemaal naar het populierenbosje geslingerd, dus moesten de politie en de reddingswerkers daar druk in de weer zijn geweest. Precies op de plek waar ik Dean had weggemoffeld. Maar dat was alweer twee dagen geleden en Kraus en Deedle wekken niet de indruk dat ze weten waar Dean is, dus het is vast niemand opgevallen dat de oever van het droge riviertje op één bepaalde plek is ingezakt. Ja, die kaart had ik waarschijnlijk nog wel achter de hand.

Kraus' mobieltje ging af in zijn binnenzak. Hij heeft een heel gewone ringtone, niks bijzonders voor zo'n belangrijke agent. Hij nam op, luisterde, klapte het toestel weer dicht en zei tegen Deedle: 'Loop even naar de balie beneden, er komt een fax voor ons aan. Strikt vertrouwelijk.'

'Doe ik,' zegt Deedle, en hij stond op en liep weg.

Kraus keek me een poosje aan en zei: 'Ik wacht, Odell.'

'Hij komt zo terug, denk ik.'

'Ik wacht op jóú. Tot je iets vertelt waar ik wat aan heb.'

'Ik zou niet weten wat ik vertellen moest. En jullie geloven me toch niet, dus waarom zou ik?'

'Dat is niet de goede houding, Odell. Met zo'n houding zak je alleen nog maar dieper in de stront. Agent Deedle en ik kwamen hier als vrienden, maar je behandelt ons als vijanden met die leugens van je. Ik kan persoonlijk wel begrijpen dat je je met die lui hebt ingelaten omdat je verliefd bent op Lorraine, maar voor de wet is dat geen excuus. Je lijkt me geen opzettelijke wetsovertreder, dus ik wil je best het voordeel van de twijfel geven. Maar dan moet je ons wel iets vertellen waar we wat mee kunnen. Waarom doe je dat nou niet?'

Ik wilde ook wel wat zeggen, maar het enige wat ik te bieden had was een bekentenis van moord. Zondag had ik daar nog de neiging toe gehad, na mijn gesprek met Chet, toen ik me rot voelde omdat ik geen deugdzaam mens was. Daarom had ik die brief aan Condi geschreven. Maar nu dacht ik er heel anders over en wilde ik het niemand aan zijn neus hangen en was ik allang blij dat ik die brief niet op de bus had gedaan. Hij was hopelijk met de rest van de pick-up ontploft, dus ik was veilig zolang ik mijn lippen op elkaar hield. Ik was nu al betrokken bij drugs en wilde niet ook nog eens een moordenaar en lijkenverstopper zijn. Dat zou mijn situatie geen goed doen. En ik vroeg me af: waarom had Jim Ricker tegen me gelogen?

'Heb je me iets te zeggen?' zei Kraus nog maar eens.

Nou, dat had ik dus niet, dus ik vouwde mijn armen over mijn borst, wat verdomd pijnlijk was voor mijn verbonden hand, maar ik hield ze toch gevouwen als demonstratie van het feit dat ik niks te zeggen had. En zo bleef het tot agent Deedle weer binnenkwam met een vel papier dat hij aan Kraus liet zien, die het tweemaal las en mij vervolgens vlijmscherp aankeek.

'Odell, schrijf jij weleens brieven?'

'Nee.'

'Da's raar, want ik heb hier een brief met jouw naam eronder.'

'Geen idee hoe dat kan.'

Hij liet het me het papier zien. Het was een faxkopie van mijn brief aan Condi.

'Dit heb ik niet geschreven.'

'Hoe kun je dat nou zeggen, je hebt het nog niet eens gelezen.'

Ik deed net of ik het las en gaf het weer terug.

'Dit heb ik niet geschreven.'

'Echt niet? Dat valt makkelijk na te gaan, hoor. We laten je iets opschrijven en leggen het voor aan een grafoloog.'

Ik stak mijn verbonden hand omhoog. 'Dat zal niet gaan.'

'Dat heelt wel weer, Odell. En in de tussentijd ga jij nergens heen.'

'Waarom zou ik zo'n brief aan Condoleezza Rice schrijven? Dan moet je wel stapelgek zijn.'

'Zeg dat wel. Wat verwachtte je ervan, antwoord per kerende post?'

'Nee.'

'Of met een paar weken?'

'Ook niet. Ik verwachtte niks want ik heb dit niet geschreven.'

Kraus keek me aan met een teleurgestelde zucht. Hij zegt: 'Odell, toen je hier werd binnengebracht, hebben ze je kleren kapotgeknipt om je te kunnen onderzoeken, en toen hebben wij een kijkje in je portemonnee genomen. Dat hoort bij ons werk. En raad eens wat we vonden. Tja, dat hoef jij niet te raden, hè? Dat weet je best. Je weet best dat je een foto van Condoleezza Rice in je portemonnee had zitten. Heel merkwaardig. Ik denk niet dat er veel mensen zijn met een foto van onze minister van Buitenlandse Zaken in hun portemonnee. Waarom interesseert ze jou zo, Odell? Is ze een doelwit voor een moordaanslag? Of ben je een beetje verkikkerd op haar?'

'Weet ik veel hoe die foto daar kwam. Misschien hebben jullie hem er zelf wel ingestopt.'

'Dus je beschuldigt ons van valsheid in geschrifte?'

Ik zei niks meer. Kraus vouwde de fax op, stak hem in zijn binnenzak en zei: 'Op de plek waar het huis stond zijn nog steeds forensische experts aan het werk. Die zullen we dat zogenaamde graf nog maar eens laten uitgraven. Dat zou wel gewiekst zijn, moet ik zeggen, om hem daarin te stoppen nadat er al twee uitgravingen zijn geweest. Misschien ben je toch wel slimmer dan je eruitziet, Odell.'

'Welnee.'

Ze stonden allebei op. Kraus zegt: 'Overdenk alles nog maar eens. Goed nadenken over wat het beste voor je is. Het gaat nu niet meer alleen om drugs maar ook om moord. Want moord is het, al was het slachtoffer een terrorist.'

Ik vroeg: 'Waar komt die brief vandaan?'

'Van ons hoofdkwartier in Washington.'

'Nee, hoe zijn ze eraan gekomen, bedoel ik.'

'Dat is vertrouwelijk, Odell. Kijk, als je nou toegaf dat jij hem hebt geschreven, kon ik misschien een toelichting geven, maar nu niet. Ik zal je één ding verklappen, om je te helpen bij je overpeinzingen. De informant die ons deze brief heeft toegespeeld, zegt hem gevonden te hebben in de cabine van een Dodge pick-uptruck, met twee grasmaaiers in de laadbak. Hij is uit op de beloning voor het vinden van Dean Lowry, die informant. Denk maar goed na.'

En weg waren ze. Het zag er inderdaad niet goed voor me uit, dat moest ik toegeven. Wat ik niet begreep was dat de pick-updieven met die brief naar de FBI waren gegaan. Zo gaven ze toch toe dat ze dieven en bommenmakers waren? Het was echt veel te verwarrend allemaal. En dat met die pijn in mijn hoofd en mijn hand.

De verpleegster kwam vragen of ik iets wilde. Nou, een helikopter zou niet gek zijn, maar ik weet niet hoe je daarmee vliegen moet, dus vroeg ik maar limonade. Ze zei dat ze dat niet hadden, maar ze zou appelsap komen brengen, waar ik niet van hou, maar ik wilde haar niet kwetsen, dus bedankte ik haar en weg was ze.

Iemand die in een film uit het ziekenhuis wil ontsnappen, hoeft alleen maar zijn kleren uit de kast te halen en weg te wandelen, dus probeerde ik dit ook. Maar er hingen geen kleren in de kast want die hadden ze stukgeknipt, en toen ik in mijn ziekenhemd de deur op een kier opende en de gang in gluurde, zat er een politieman op een stoel. 'Vergeet het maar,' zegt hij, dus ging ik maar weer in bed liggen en dronk daar mijn appelsap toen dat werd gebracht. Zoals ik al zei hou ik dus niet van appelsap, maar als het vloeibare zonneschijn was geweest, zou het nog naar pis hebben gesmaakt, zo slecht was mijn situatie op dit moment.

Ik viel in slaap. Je zou denken dat een hele dinsdag doorslapen genoeg was voor een mens, maar nee dus. Ik werd wakker door het open- en dichtgaan van de deur, en daar zat opeens Lorraine naast mijn bed, met een donker gezicht vol bezorgdheid, wat ook niet zo gek was want ik had maar net een explosie overleefd.

'Luister, klootzak,' zegt ze, 'wees niet zo'n gore egoïst en vertel ze de waarheid.'

Dit was dus niet wat ik verwacht had dat ik zou horen, en het schoot me lelijk in mijn verkeerde keelgat zoals dat heet. Ze keek me aan alsof ik haar iets vreselijks had aangedaan, en dat was niet zo, ik had *niks* gedaan.

'Nou?' zegt ze ongeduldig.

'Eh...'

'Odell, ik zit diep in de problemen. Ze hebben mijn telefoon afgetapt, terwijl ik met Cole over je weet wel overlegde.'

'Mijn sollicitatie?' Ze had me bedrogen, maar dit vond ik toch wel sympathiek.

Ze rolde met haar ogen. 'Nee, lul, de drugs. Het staat allemaal op band, ze hebben het me laten horen, er staat Cole en mij een zware douw te wachten. En dat allemaal omdat jij gedaan hebt wat je hebt gedaan, Odell, anders zou ik nooit zijn afgeluisterd. Dus je bent het me verplicht.'

'Wat heb ik dan gedaan?'

'Jezus... oké, ze hebben me net die brief laten lezen, de brief die je aan Condi Rice hebt geschreven, waarin staat dat je Dean hebt vermoord en in de tuin hebt begraven. Is dat waar?'

'Nee.'

Dit zei ik omdat ik voor eens en altijd een besluit nam. Van nu af aan zei ik niets meer zonder advocaat erbij. Ik ben geen leugenaar van nature, maar ik zit nu echt op hete kolen zoals dat heet.

'Odell, ik heb die brief zelf gelezen. Er staat duidelijk in dat je hem vermoord hebt.'

'Het is een vervalsing in geschrifte, zodat ze mij de schuld kunnen geven.'

Ze haalde diep adem en zuchtte ook diep en zei: 'Nu moet je even goed naar me luisteren, debiel die je bent. Door wat jij gedaan hebt, hangt Cole en mij nu een celstraf boven het hoofd. Die FBI-agenten hebben me toegezegd dat ze er verder geen werk van maken als zij krijgen waar ze achteraan zitten, die terroristen dus. Dan laten ze Cole en mij lopen. Volgens hen weet jij iets dat je niet wilt loslaten, dus vertel ze dat dan. Je wilt toch niet dat Cole en ik de gevangenis ingaan?'

'Ik weet niks en ik heb niks gedaan.'

'Godverdomme, Odell, kun je nou niet één keer rekening met een ander houden? Wat heb ik al niet voor jou gedaan? Ik heb je aan een vaste baan geholpen, met uitstekende vooruitzichten, ik heb je het geld voor het grasmaaien laten houden, ik heb je gratis in mijn huis laten wonen... het huis dat nu totaal vernield is. Wat heb je in godsnaam uitgevreten om iemand zover te krijgen dat hij een bomaanslag op je pleegt?'

'Weet ik niet.'

'Weet-ie niet... Je verbergt iets, Odell. Je hangt wel de onnozelaar uit, maar daar tuin ik niet meer in. Ik weet nu dat er een andere kant aan jou is, een terroristenkant, en de FBI weet het ook. Je móét ze vertellen wat ze willen weten. Ze zijn de tuin nu aan het omspitten, en als ze Dean vinden, weten ze zeker dat je hem vermoord hebt... Hoe kom je in jezusnaam op het idee om dat in een brief te zetten? Ik weet nu dat je niet dom bent, dus waarom heb je dat gedaan, waar was je op uit?'

Ze ging steeds harder tekeer en dat vond ik heel treurig. Mijn aanhankelijkheid lekte weg als stoom uit een lekke boiler. Als stoom verdwenen ze, al die mooie gevoelens van liefde en samen een leven opbouwen, zeker nu ik de waarheid over haar en Cole wist. Maar ik had me een week lang geweldig gevoeld met al die liefdesstoom in mijn binnenste, dus nu het als een vochtige scheet uit me wegliep, voelde ik me leeg en verloren, wat geen goed gevoel was.

'Nou, zeg dan wat!'

'Ik weet niks en ik heb niks gedaan.'

'Jezus, wat ben jij een egoïst,' zei ze met haar ogen tot spleetjes geknepen. 'Een egoïst en een gluiperd. Dat is dus je dank voor alles wat we je gegeven hebben. Ik kan het gewoon niet geloven, Odell. Vertel nou gewoon wat ze van je willen horen, dat is het beste voor ons allemaal... Zie je dan niet wat je aanricht? Odell?'

'Ik zal erover nadenken,' zei ik. Wat kon ik anders zeggen? Ze hield niet van me en had dat ook nooit gedaan. Het had allemaal tussen mijn oren gezeten zoals dat heet, en was een week lang geweldig geweest, maar nu was het voorbij. Mijn geest is nu kil en verlaten, als een grot met ijspegels. Natuurlijk, ik kon het inderdaad beter voor haar maken door mezelf weg te cijferen en te vertellen waar Dean lag, maar de waarheid is dat ik haar wilde straffen omdat ze me zo verliefd had laten worden, met een pijl door mijn hart, zonder ook maar een greintje voor mij te voelen, want dat zag ik nu duidelijk in.

'Erover nadenken? Da's niet genoeg, Odell.'

'Ik wil hier weg.'

'Méén je dat nou? Goh, daar kijk ik van op.'

'Je moet me helpen om hier weg te komen.'

'O ja? Hoe dan?'

'Weet ik niet. Als jij me helpt, teken ik een verklaring over waar Dean ligt.'

Dit kwam toch nog hard aan, zag ik. Ze keek naar me en zei: 'Dus hij is echt dood?'

'Daar geef ik geen antwoord op zonder een advocaat erbij.'

'Wat ben jij een... Je hebt geen hart, Odell.'

'Wel waar.'

'Nee, als je een hart had, zou je een zuster nooit in het ongewisse laten over haar broer.'

Daar had ze misschien wel een punt, ook al hield ik niet meer van haar, dus gaf ik haar een klein beetje informatie, net genoeg om haar gretig te houden. 'Hij is niet gestikt door het begraven.'

'Wat moet dat nou weer betekenen? Dat hij al dood was voor je hem begroef?'

'Daar doe ik geen mededeling over. Het was een ongeluk, maar het spijt me heel erg.'

'Spijt, daar koop ik niks voor, Odell. Wat kan ik ze vertellen?'

'Vertel ze maar... dat ik erover nadenk. En in de tussentijd wil ik dat je me hier weghaalt.'

'Dat is een belachelijke eis, Odell. Er zit een gewapende smeris in de gang en die gasten van de FBI hangen hier ook nog steeds rond. Cole en ik gaan misschien voor jaren de lik in omdat jij zo nodig van de daken moest roepen dat Dean een terrorist is. Als je gewoon je kop had gehouden, was er niks gebeurd. Dan was hij gewoon een vermiste geweest, een van de duizenden in dit land, maar dankzij jou liggen we nu allemaal met onze kop op het hakblok. In godsnaam, Odell... doe wat je hóórt te doen...'

Ze was echt van streek nu, met tranen en alles erbij, zonder komedie, wat me toch wel weer een spijtig gevoel gaf en de behoefte om haar de waarheid te vertellen zodat ze die kon doorgeven aan Kraus en Deedle. Maar mijn zwijgzaamheid won het, dus het was eigenlijk wel waar wat ze allemaal van me zeiden, dat ik iemand was die dingen achterhield.

'Lorraine?'

'Wat!'

'Je hoeft niet tegen me te schreeuwen, hoor.'

'Maak me dan ook niet zo kwaad, Odell.'

'Sorry. Kijk je weleens naar csi?'

'Wat heeft dat er nou weer mee te maken?'

'Zeg nou even, kijk je daar weleens naar?'

'Ja, maar niet elke week. En?'

'Is het waar wat daarin gebeurt, dat ze dode mensen onderzoeken en dan overal achter kunnen komen, hoe het gebeurd is en zo? Kunnen ze dat echt?'

'Ik denk het wel, ja. En?'

'Dus als ze het team van csi hiernaartoe halen om een dood iemand te onderzoeken, gesteld even dat hier zo iemand is, kunnen ze dan precies zien hoe hij is doodgegaan?'

'Waarschijnlijk wel. Wil je dat soms, dat ze Dean onderzoeken? Heb je hem vermoord, Odell? Zo ja, dan vergeef ik het je, hij vroeg zijn hele leven al om moeilijkheden… maar het is nu heel belangrijk om de waarheid te vertellen, zodat andere mensen niet de dupe worden. Het gaat niet alleen om jou, Odell, je bent niet de enige die in de problemen zit. Wil je dat ik die fbi'ers om een csi-team ga vragen, zodat die kunnen nagaan hoe Dean is gestorven?'

'Je hoort mij niet zeggen dat het Dean is.'

'Is dat wat je wilt, Odell?'

'Ik, eh… oké.'

Daar, het was eruit, ik had gezegd wat ik niet had durven zeggen. Maar de mensen van csi zouden zien dat ik echt niet hard geslagen had met die honkbalknuppel, en dat hij dus per ongeluk was doodgegaan. Hun speciale technieken zouden het doodslag of misschien nog wel minder maken in plaats van moord, en ik had een blanco strafblad, en het speet me heel erg, en ik had eerlijk de waarheid verteld, dus het werd waarschijnlijk niet de doodstraf maar iets lichters, wat een pak van mijn schouders was, dat wil ik best toegeven.

'Ik zal het doorgeven, Odell, maar ze zullen willen weten waar Dean is. Ligt hij nu wel of niet in dat graf in de tuin?'
'Nee, bij de populieren waar die droge bedding loopt. Als ze daar gaan kijken, zien ze vanzelf de plek wel waar de oever is ingezakt. Daar heb ik de grond op hem aangestampt.'
Ze keek me een hele tijd aan met een uitdrukking die ik niet kon uitleggen. Misschien was het ongeloof, misschien was het haat, ik had geen idee. En toen zei ze, heel langzaam: 'Wanneer is het gebeurd?'
'Maandagnacht. Hij kwam de trap af en hurkte bij me neer en fluisterde dat hij een inbreker hoorde of zo...'
'Dat heb je me verteld, van dat gefluister. En wat gebeurde er toen?'
'Nou, hij had een jachtgeweer in zijn hand... en ik had die kuil in de tuin al gezien en ik dacht dat die voor mij was... en ik zie dat jachtgeweer, dus ik denk... hij komt me vermoorden. Achteraf begrijp ik ook wel dat hij me dan niet eerst wakker had gemaakt, dat hij me gewoon in mijn slaap zou hebben doodgeschoten... maar dat drong op dat moment niet tot me door, dus gaf ik hem... toen heb ik hem een klap met die knuppel gegeven, om mijn vege huid te redden zoals dat heet...'
'Met een knuppel? Een honkbalknuppel?'
'Ja, die had ik naast de bank liggen voor mijn veiligheid. Vanwege die kuil.'
Ze sloeg haar blik neer en bleef een tijdje doodstil zitten, waarna ze opstond en weer met die vreemde uitdrukking naar me keek, en ik dacht dat ze nu ging zeggen dat ze me niks kwalijk nam, want ze begreep dat ik het niet met boze opzet had gedaan en ze kon zich wel voorstellen dat ik zo gereageerd had, dus zand erover. Maar wat ze zei was: 'Vuile, achterlijke rotschoft, ik hoop dat je nooit meer vrijkomt.'
En toen liep ze de kamer uit en bleef ik achter in grote verwarring over deze laatste woorden.
Even later kwamen Kraus en Deedle binnen met zo'n draagbaar uitklapcomputertje. Ik moest alles weer opnieuw vertellen, hoe ik Dean per ongeluk had doodgeslagen en waar hij begraven ligt enzovoort. Deedle typte alles in terwijl ik sprak, heel snel met zijn vingers, waarna er een papier uit het ding schoof en Kraus me een pen gaf om het te ondertekenen, wat ik deed, al viel het niet mee met mijn pijnlijke

hand. Hij zegt: 'Heel verstandig van je, Odell, om het allemaal eerlijk op te biechten.'

'Ja, ik voel me ook veel beter nu.'

'Mooi zo. We zullen ons forensische team bij die populieren laten zoeken. Ze hebben een uurtje geleden al vastgesteld dat het graf in de achtertuin leeg was.'

'Hebben jullie de csi-mensen al gebeld? Als die zijn schedel bekijken, zien ze dat ik hem niet hard geslagen heb. Misschien had hij een ziekte waardoor hij een heel dun schedeltje had of zo.'

'Komt in orde, Odell.'

'Maar het worden niet de mensen van de tv, hè? Het worden andere.'

'Klopt, Odell. Onze tv-mensen zijn vandaag met andere dingen bezig.'

'Ja, ik had al niet gedacht dat zij het zouden worden. Eh, kunnen jullie tegen de zuster zeggen dat ik nu heel erge honger heb?'

'Doen we.'

En weg waren ze. Ik voelde me goed na al dat bekennen en ondertekenen, en ook heel hongerig zoals ik al zei. En mijn hoofd en mijn hand deden ook niet zoveel pijn meer, wat volgens mij een teken is dat bekentenissen niet alleen maar goed zijn voor je ziel maar ook voor je lichaam. Na een poosje kwam de verpleegster vragen waar ik trek in had, en ik zei: 'Een Whopper', maar die hadden ze niet, maar ze zou haar best voor me doen. En na weer een poosje kwam ze binnen met een warme maaltijd met rundvlees, aardappelen en maïs. Ik at alles op en had nog wel een gaatje voor een tweede portie, maar toen ze het blad kwam weghalen, zei ze dat ik nu op het gewone avondeten moest wachten, wat nog een paar uur zou duren dus ze hoopte dat ik daarop kon wachten, wat ik bevestigend beantwoordde en toen ging ze weer weg, waarna ik naar de wc ging, die achter een deur zat in mijn eigen kamer, niet ergens in de gang of zo, dus dat was wel prettig.

Een halfuur later of zo kwamen Kraus en Deedle opeens weer binnen, met gezichten als een onweersbui. Kraus zegt: 'Odell, sta je nog steeds achter de verklaring die je daarstraks hebt afgegeven?'

'Eh, ja.'

'Weet je het zeker? Denk goed na.'

'Ik weet het zeker.'

'Want we zijn een kijkje gaan nemen, langs de oever bij de populieren. En daar ligt hij niet.'

'Hè?'

'Dean ligt daar niet, Odell.'

'Maar... daar heb ik hem verstopt...'

'Nou, daar is hij dus niet te vinden. Dus wat heb je daarop te zeggen?'

'Ik...'

Wat kon ik zeggen? Er wás niks te zeggen. Het was alsof het bed onder me verdween en ik door de lege ruimte zeilde. Dean was daar niet meer? Hoe kon dat nou?

'Je hebt ons weer teleurgesteld, Odell. Net nu we dachten dat je eindelijk meewerkte, heb je wéér onze tijd verspild. Geeft dat je soms een kick, om ons voor niks aan het werk te zetten?'

'Ik... daar had ik hem echt verstopt, eerlijk waar! Iemand moet hem hebben weggehaald.'

'O ja? En wie zou dat kunnen zijn?'

Ik dacht keihard na. Er kwam maar één naam bij me op.

'Agent Jim Ricker,' zei ik, maar ze keken me aan alsof ze dit niet geloofden.

VIJFTIEN

Je kunt je voorstellen hoe groot de onrust in mijn hoofd was toen de avond viel. Toen het eten werd gebracht, at ik daar geen hap meer van, zo uit mijn stuk was ik omdat Dean niet meer op zijn plek lag. Hoe kón dat nou? Ik overdacht het van alle kanten, maar zag nergens een verklaring en kreeg alleen maar weer last van mijn hoofd, dus toen de verpleegster me een plastic bekertje tegen de pijn kwam brengen, dronk ik dat ondanks de vieze smaak leeg.

Er stond een tv in de kamer, dus zette ik het nieuws aan en daar was het huis, helemaal met de grond gelijk door de Dodgebom, dus het is inderdaad een wonder dat ik nog leef. Ze hadden een camera in een helikopter om te laten zien hoe het er van boven uitzag, en de krater in de oprit leek wel het gat dat je krijgt als er een meteoor inslaat. Er wás gewoon geen oprit meer, alleen nog maar een gat tussen de weg en de plek waar het huis had gestaan maar waar nu niets meer was, alsof alles was opgezogen door een tornado, elke plank en elke dakpan, waarna het allemaal weer was uitgespogen. Het was een mooi en gezellig huis geweest en het verdiende dit niet. De schuur was ook weg en mijn Monte Carlo lag een eind verderop als een dode tor op zijn rug, met zijn wielen in de lucht.

Dus ik had nu Drie Grote Vragen. Wie had de pick-up in een bom veranderd en waarom? Wie is Jim Ricker en waarom laat hij niks van zich horen zodat hij duidelijkheid kan bieden? En wie heeft er verdomme het lijk van Dean weggehaald? Plus nog wat andere vragen die iets minder groot waren, zoals wie mijn brief had gevonden en voor geld had ingeleverd. En waarom was Lorraine niet eerlijk geweest over haar verhouding met Cole Connors? En waarom was haar verhouding met Andy Webb zo slecht dat ze elkaar maandagavond hadden uitgescholden door de telefoon? Ik had op geen van deze vragen een antwoord, en de pijnstiller maakte dat ik niet helder kon nadenken en dus ook geen feiten op een rij kon zetten voor een aanwijzing. Maar één ding wist ik wel, en dat was dat ze gelijk hadden en dat ik diep in de stront zat.

Ik kon mijn aandacht niet echt bij de tv houden en keek slechts tussen neus en lippen, zo beroerd en verward was ik. Toen ik naar de wc wilde, vergiste ik me in de deur, stapte bijna de gang in en zag dat er een nieuwe politieman op de stoel zat, maar deze zat te slapen, dus kwam de gedachte bij me boven om langs hem heen te glippen, maar ja, ik had geen kleren en geen geld en geen auto om mee weg te rijden, dus deed ik de deur maar weer dicht en trok de goede open, die van de wc dus, met een treurig en hulpeloos gevoel.

Toen ik weer in bed lag, viel ik in slaap. En ik weet niet hoe lang ik sliep, maar op een gegeven moment werd ik wakker doordat er iemand binnenkomt. Ik doe mijn ogen open en er staat een verpleegster met een rolstoel naast mijn bed.

'Sta op,' zegt ze, en haar stem verraadt haar meteen, ondanks dat het donker is in de kamer. Het is Lorraine. Maar waarom heeft ze een verpleegstersuniform aan? 'Sta op, Odell,' fluistert ze, 'we hebben geen uren de tijd.' Ik was zo verrast dat ik geen vink kon verroeren, en ze siste: 'Kom godverdomme dat bed uit!'

Ik kwam eruit en ze duwde me in de rolstoel. 'Stilzitten en je kop houden,' zegt ze, en ze draait de rolstoel om en duwt hem naar de deur. Ze helpt me ontsnappen! Ze had vreselijke dingen tegen me gezegd, maar nu had ze zich bedacht en hielp ze me weg te komen! Dus mijn hart ging meteen weer open voor haar, wat een heerlijk gevoel was na de nare manier waarop het was dichtgegaan. Maar ze nam wel een enorm risico op zich, want zo'n verkleedpartij als verpleegster was niet niks, en hoe zat het met de politieman die in de gang zat?

Nou, om dat laatste hoefde ik me geen zorgen te maken, want de politieman die nu de wacht hield was Larry Dayton, die blijkbaar nog steeds niet ontslagen was na zijn illegale kopie van de ondervragings-video en zijn verkoop van de Okeydokey-dvd aan Fox News. Hij gaf me zelfs een knipoog terwijl Lorraine me langs hem heen de gang in-reed, dus dit was geen actie van Lorraine alleen maar een complot van twee personen om me uit handen van de FBI te krijgen, waar ik eerlijk gezegd niet eens meer van opkijk, want wat ik allemaal meemaak heeft allang het karakter van een *Mission Impossible*-film.

Ze reed me naar de liften en drukte op een knop. Het was al midden in de nacht, dus liep er verder niemand rond en ook de lift was leeg toen die openging, dus dat had ze verdomd slim uitgedacht, eerlijk is eerlijk. Ze duwde me naar binnen en drukte op de Begane Grond en de deur zoefde weer dicht en we zonken naar beneden.

'Lorraine...'

Ik kon amper een woord over mijn lippen brengen, zo duf was ik van de medicijnen.

'Kop dicht en luisteren. Ik doe dit om Andy Webb terug te pakken. Als dit lukt, moet hij uitleggen waarom er een agent voor je deur zat die allang ontslagen had moeten worden. Dan staat-ie zwaar voor lul en dat is dan mijn wraak voor iets wat er lang geleden tussen hem en mij is voorgevallen.'

'Eh...'

'Houd je kop. Je hebt me daar al eerder naar gevraagd, dus nu zal ik het je vertellen. Andy en ik hebben het ooit een tijdje gedaan terwijl ik volgens de wet nog te jong was voor seks. We waren vaak stomdronken en ik heb de foto's nog die we van onszelf namen, dus hij kan me niks maken als hij erachter komt dat ik hem dit geflikt heb. Als die foto's bekend worden, maakt hij helemáál geen kans meer bij die sheriffverkiezing. Hij heeft me nu lang genoeg dwarsgezeten, die gluiperd. Heb je hier íéts van begrepen, Odell?'

'Eh, ja...'

'Larry Dayton wil dit hele verhaal aan Hollywood verkopen, met hemzelf als een van de sleutelfiguren. Hij wil dat Ashton Kutcher hem speelt, wat mij nogal hoog gegrepen lijkt, maar dat moet-ie zelf maar weten. Ik kon zijn hulp in elk geval goed gebruiken. Zit je onder de dope?'

'Ja...'

'Geeft niet. We hebben nog iemand die Andy's bloed wel drinken kan. Die staat op de parkeerplaats te wachten om je te chaufferen, dus blijf maar rustig zitten, alles komt goed.'

We kwamen op de begane grond en de liftdeur suisde open. De receptie was vlakbij, maar er zat niemand achter de balie, niets dan lege gangen met glimmend geboende vloeren waar de rolstoelwielen overheen piepten terwijl Lorraine me naar een nooduitgang reed om me stiekem naar buiten te krijgen, en voor ik het wist waren we in de frisse nachtlucht onder de sprankelende sterren. Ze duwde me haastig over een pad met bosjes aan weerszijden.

Lorraine zegt: 'Je zult je wel afvragen waarom ik dit doe. Nou, het antwoord is dat ik je niet wil zien opdraaien voor wat Dean heeft gedaan. Ik weet heus wel dat Dean niet goed bij zijn hoofd was, en ik wil het niet op mijn geweten hebben dat jij de bak indraait omdat je per toeval met hem te maken hebt gekregen. Hij is me gewoon geen kwaad geweten waard. Het spijt me dat ik vanavond zo tegen je tekeerging, maar ik was volkomen over mijn toeren van alles. Je verdient het niet om de dupe te worden van wat Dean allemaal misdaan heeft, dus zodra je hier weg bent, wil ik dat je zo snel mogelijk ergens heen gaat waar je je veilig voelt. Zoek mensen op die je vertrouwen kunt en duik een flinke poos bij ze onder, een beter advies kan ik je niet geven. Ik weet dat je op me gesteld bent, en als alles anders was gelopen, wie weet, dan hadden we misschien naar elkaar toe kunnen groeien. Maar dat zit er nu niet meer in, Odell, niet na alle ellende die Dean heeft aangericht. Wij zullen nooit een stel worden en dat moeten we onder ogen zien en doorgaan met ons leven. Voor jou is nu het belangrijkst dat je ervandoor gaat en de mensen opzoekt op wie je kunt rekenen, mensen die net zo denken als jij. Daar moet je nu heen. Volg je wat ik zeg of ben je te versuft?'

'Mmm...'

Ze reed me naar het einde van het pad en daarna het parkeerterrein over, waar een grote witte personenauto staat te wachten, met een vent die de bestuurdersdeur openduwt. Ik wist dat ik hem weleens eerder had gezien, maar had geen idee meer wie hij was.

'Nog problemen gehad?' vraagt hij.

'Appeltje eitje,' zegt Lorraine, en ze helpt me de rolstoel uit en de auto in. 'Odell,' zegt ze, 'dit is rechercheur Vine. Je hebt hem ontmoet toen ze Bree kwamen weghalen met de ambulance van de lijkschouwer, weet je nog wel?'

'O ja...'

'Rechercheur Vine wil Andy opvolgen als ze hem de laan hebben uitgestuurd. Dat is zijn reden om mee te doen, begrijp je?'

'Ja.'

Het was fantastisch hoe deze drie mensen hun koppen bij elkaar hadden gestoken om Andy Webb een loer te draaien met mijn ontsnapping. Ongelooflijk gewoon. Ik werd doorspoeld van dankbaarheid voor wat ze voor me deden. Ze zeggen vaak dat je in tijden van nood je vrienden leert kennen, en ik wist nu dat dit waar was, want Lorraine, Larry en rechercheur Vine namen grote gevaren voor lief om mij te helpen. Ik was vrij!

'Hou je haaks,' zegt Lorraine, en ze loopt weg met de rolstoel voor ik haar bedanken kan en Vine start de motor, en wat maakt zo'n auto een heerlijk geluid als je merkt dat alles volgens plan loopt en er een eind komt aan je onrechtvaardige opsluiting.

'Doe je gordel om, Odell,' zegt Vine terwijl we het parkeerterrein afrijden en de weg opdraaien. Ik frommelde de gordel op zijn plek en zag op het dashboardklokje dat het 2:37 was, dus ze hebben dit heel slim uitgedokterd op een tijd waarop alle mensen slapen. Hoe hebben ze dit zo snel kunnen regelen? Ik was zeer onder de indruk van hoe gladjes alles verliep, en er leek niks meer mis te kunnen gaan.

Vine keek me van opzij aan en houdt zijn hand naar me op, met drie kleine pilletjes. 'Twee cafeïnetabletten en een peppil, om je uit de roes van die pijnstiller te halen. Hier, neem deze maar om ze weg te spoelen.' Hij geeft me een plastic knijpfles met Gatorade aan. Ik stopte de pilletjes in mijn mond en had geen problemen met innemen, behalve dat er wat Gatorade over mijn kin liep.

'Op de achterbank heb ik wat kleren en een paar sneakers voor je, alles in jouw maat. Ik rij je nu eerst even ergens naartoe en dan kun je je daar omkleden. Dit gaat lukken, Odell. Nog even en je bent vrij man.'

'Ja.'

'Ik kan niet wachten tot ik Andy's gezicht zie als dit uitkomt. Het is gebeurd met hem, en dat danken we voor een belangrijk deel aan jou. Het hele bureau is je dankbaar, Odell. Je hebt geen idee hoe slecht de sfeer is sinds we hem als Chief hebben. Maar goed, die tijd is nu bijna voorbij, en daar heb jij een voorname rol in gespeeld.'

'Eh... ja?'

Ik doezelde even weg door alle opwinding, maar werd weer wakker toen Vine de auto stilzette. Hij reikte naar de achterbank en gooide wat kleren in mijn schoot. 'Trek dat ziekenhuishemd maar uit en deze spullen aan. Kijk, zie je dat witte autootje daar? Dat is de Honda van een vriendin van mijn nichtje. Ze doet hem nooit op slot, die tuthola, en legt de sleuteltjes onder de vloermat omdat ze bang is dat ze ze anders verliest. Niet zo goochem van haar, maar ons komt het nu wel van pas. Dit wordt jouw vluchtwagen, Odell. Nee, eerst dat hemd uit voor je die kleren aantrekt.'

Ik deed wat hij zei en wurmde het ziekenhuishemd van me af, en hij ging door met praten. 'Ik geef je vijfhonderd dollar mee om je op weg te helpen. Ik weet wel niet waar je heen wilt, maar dat moet genoeg zijn. Die vriendin van mijn nichtje is deze hele week met haar ouders naar de oostkust om een college voor het komende schooljaar uit te zoeken, dus de Honda wordt voorlopig niet als gestolen opgegeven. Alle tijd om te komen waar je zijn wilt. Neem je de interstate? Odell?'

'Mmmm...'

'Zal ik je helpen met dat shirt?'

'Ja.'

Hij hielp me mijn arm in de tweede mouw te krijgen. Ik moest mijn kont optillen om de broek omhoog te krijgen, maar dat lukte me gelukkig zelf, alleen voelde het wel raar om een broek zonder onderbroek aan te hebben. Ik wist zonder ongelukken de rits dicht te krijgen en trok de sneakers aan, zonder sokken, en was klaar om te gaan. Hij zegt dat ik het verband van mijn hoofd moet halen, anders val ik te veel op, dus deed ik dit, met zijn hulp, en nu ben ik echt klaar om te gaan.

'Het geld zit al in je broekzak, Odell. Doe niks wat de aandacht van de politie kan trekken, oké? Geen rare fratsen op de weg, en niet te hard rijden. Als ik jou was, zou ik direct naar de mensen gaan die je verder kunnen helpen, wie dat ook mogen zijn. Verspil geen tijd, des te groter is je kans op succes.' Hij stak zijn hand uit. 'Het beste, Odell.'

'Dank je wel... en bedank Lorraine ook van me. Ze liep te snel weg, daarnet.'

'Zal ik doen. Nou, wegwezen dan maar, voor ze je missen in het ziekenhuis.'

Ik stapte uit en stak de straat over naar de witte Honda, waarvan de deur inderdaad niet op slot was, heel zorgeloos van dat meisje. En toen liep ik weer terug naar de auto van Vine. 'Waar zei je ook weer dat de sleuteltjes lagen?'

'Onder de vloermat, Odell. Succes!'

Ik liep terug en het klopte, want ze lagen precies waar hij zei dat ze lagen. Ik propte mezelf achter het stuur en schoof de stoel zo ver mogelijk naar achteren en frommelde het sleuteltje in het contact. De motor kwam op gang en klonk goed, en weg was ik. Volgens de meter zit de tank helemaal vol, dus dat is een extra meevaller omdat ik nu nergens hoef te tanken en steeds maar door kan gaan, als het Duracellkonijntje.

Maar ja, waar moest ik heen?

Wat zou een goed adres zijn om naartoe te gaan? Het eerste wat bij me opkwam was teruggaan naar Yoder, Wyoming. Maar wat moest ik daar? Mijn vader zou willen dat ik voor hem door het stof kroop, dat wist ik zeker, dus vergeet het maar, ik wilde hem nooit meer zien of horen. Op dit moment wist ik niet eens door welk gedeelte van Callisto ik reed, laat staan waar ik in godsnaam naartoe moest, maar toen zag ik een bord met een pijl naar de 1-70, dus volgde ik dat maar en reed even later de stad uit, de interstate op, naar het westen. Waarom het westen en niet het oosten? Om niet helemaal op onvertrouwd terrein te komen, want ik was nooit oostelijker geweest dan Callisto. Manhattan lag verder naar het oosten, maar het leek me geen goed plan om terug te gaan naar mijn oude plan en me bij het leger aan te melden, wat waarschijnlijk problemen gaf nu mijn gezicht op tv zou komen met een politiebericht erbij.

Mijn hersens kwamen weer een beetje tot leven door de pillen die ik van Vine had gehad. Mijn innerlijk begon te gonzen en te zoemen in plaats van te willen slapen, en terwijl ik met een gangetje van zo'n honderdvijftig per uur over de weg suisde, dacht ik na over hoe Lorraine en Larry en rechercheur Vine hun complot hadden opgezet om mij te redden. Ik dacht over de verschillende redenen die ze alle drie zeiden te hebben, al hadden ze het niet alle drie zelf gezegd omdat Lorraine voor Larry Dayton had gesproken, maar dat was een detail en wat ze gezegd had leek me wel iets wat ik kon volgen. En Vine zou de baan van Andy Webb krijgen als die ontslagen werd na mijn vernederende ontsnapping, dus dat was helemaal een begrijpelijke reden. Mijn volgende gedachte was dat Lorraine toch wel érg op en neer was gegaan in haar mening over mij, of beter gezegd: eerst helemaal neer en toen weer een heel eind op, en ik vroeg me af hoe ze bij al die omwentelingen de tijd had kunnen vinden om haar kop bij die van Larry en Vine te steken. Langer dan een uur of vijf, zes hadden ze er niet over gedaan. En hoe had ze geweten dat Larry en Vine geschikte personen waren om te benaderen? Dat was toch behoorlijk riskant, twee smerissen om hulp vragen voor je plan om een zware verdachte te helpen ontsnappen.

De vraag hoe ze dat allemaal in zo korte tijd voor elkaar had gekregen, bleef door mijn hoofd draaien als een hond die zijn eigen staart achtervolgt en hem steeds maar niet te pakken krijgt. Ik probeerde aan andere dingen te denken, zoals waar ik heen moest, maar de vraag over Lorraine tolde steeds weer naar de voorgrond. Ik kreeg dorst, en spijt dat ik de fles Gatorade in de auto van Vine had laten liggen. Hij was wel érg goed voorbereid geweest op zijn taak als bevrijder, compleet met kleren en opkrikpillen en de auto van de vriendin van zijn nichtje met de deur open en de sleuteltjes onder de mat. En het ziekenhuis was wel érg leeg geweest, zelfs voor een ziekenhuis in de nacht, zonder één enkel iemand die Lorraine en mij gezien had. En hoe was ze trouwens aan dat verpleegstersuniform gekomen? Ja, nu ik er zo over dacht, was het allemaal wel érg als een tv-serie gegaan, zonder het kleinste struikelblokje.

Als een tv-serie, zo was het gegaan. Tv-series hebben een script dat van tevoren van begin tot eind op papier wordt gezet, en dan repeteren ze het, en dan doen ze het nog eens met camera's erbij. Deze ontsnapping is een tv-serie... het zweet brak me uit en mijn hart ging van *bonkebonkebonk* terwijl die gedachte door mijn hoofd bleef gaan, tot de hond eindelijk zijn staart te pakken kreeg en erachter kwam hoe die smaakte. Hij smaakte naar staart, wat een heel andere smaak was dan de hond gedacht had. Het was me in één klap duidelijk dat dit niet was wat het leek. Lorraine, Larry en Vine hadden een script geschreven om mij voor de gek te houden. Of nee, het was waarschijnlijk een idee van Kraus en Deedle geweest, die Lorraine voor hun wagen hadden gespannen omdat ze wisten dat ik een zwak voor haar had, en zij zou wel gezegd hebben dat ik het best voor de gek viel te houden door gebruik te maken van mijn hekel aan Andy Webb, die toen ook bij het plan was betrokken en waarschijnlijk het voorstel had gedaan om Larry Dayton erin te betrekken, omdat hij me verteld had dat Larry moest gaan uitkijken naar een andere baan. En toen hadden ze Vine er ook nog bijgehaald met dat fabelverhaal over de opvolging van Andy's baan. Dus al met al zat er geen greintje waarheid in die hele ontsnapping. Het was gewoon een script, en ze hadden het op me losgelaten terwijl mijn hoofd vol zat met het pijnstillende middel, zodat ik niet kon zien hoe idioot het eigenlijk was. Maar hoe konden ze nu denken dat ik het zou blijven geloven als het middel was uitgewerkt? Dachten ze soms dat ik achterlijk was of zo?

Tja, kijk, daar had je het. Dat was de gedachte die de doorslag gaf voor mijn theorie, hoe naar het ook is om onder ogen te zien hoe de mensen over je denken. Ze dachten inderdaad dat ik achterlijk was. Ze dachten stuk voor stuk dat ik stom genoeg ben om een script te geloven dat je anders alleen maar op tv ziet. Een ziekenhuisontsnapping die zo uit *Mission Impossible* kon komen, en een auto die niemand zou missen, met een volle tank. En niet te vergeten die opmerkingen van Lorraine en Vine, niet één keer maar wel tien keer, dat ik meteen naar de mensen moest gaan waar ik bij hoorde. Ze wilden dus dat ik ze naar mijn 'vrienden' zou leiden, mijn terroristenvrienden met Dean als hoofdman. Want ze gingen er natuurlijk nog steeds van uit dat Dean nog leefde, omdat hij niet op de plek lag die ik in mijn brief aan Condi had beschreven, en ook niet op de plek die ik bekend had in het ziekenhuis. Ze gingen ervan uit dat die bekentenissen allemaal bluf van me waren, om tijd te winnen voor het plannen van een ontsnapping. Dus dachten ze, nou, dan hélpen we hem ontsnappen, met een idioot tv-script dat hij toch niet doorheeft omdat hij daar veel te stom voor is met zijn achterlijke kop…

Maar ik had het dus wel door. En of ik het doorhad! Geloof het of niet, maar ik begon te huilen nu ik wist hoe dom ze me vonden. Het valt niet mee om toe te geven, maar het is waar, ik moest ervan huilen, zo diep raakte het me. En het ergste was: ik moest toegeven dat ze gelijk hadden, ik bén dom. Een grote stommeling ben ik, zoals ik mijn onopzettelijke doodslag van Dean heb verdoezeld, en daarna deed als of ik hem was, en me vervolgens in die drugshandel met Lorraine liet lokken, omdat ik haar leuk vond en dacht dat ze mij ook leuk vond, wat achteraf nog wel mijn stomste vergissing is, want ze heeft me van meet af aan een achterlijke sukkel gevonden. Hoe stom was het wel niet om die brief aan Condi Rice te schrijven, en mijn pick-up te laten jatten door mensen van wie ik nog steeds niet weet wie het zijn, waarna ik hem terugkreeg als een reuzenbom. En hoe stom moet je ten slotte zijn om niet onmiddellijk door te hebben dat ze je laten ontsnappen als een rat die door een doolhofje mag rennen terwijl zij toekijken hoe hij door al die gangetjes holt en krabbelt en snuffelt, op zoek naar de kaas waarvan zij denken dat het een terroristische cel is.

Ze kijken toe, geen twijfel mogelijk. Ze hebben vast een opsporingszendertje in de Honda gestopt en volgen me nu over de i-70 in een FBI-wagen met een scherm erin dat *blip blip blip* doet terwijl het witte stipje aangeeft waar ik rijd. Of anders in een helikopter. Of nog veel hoger met satellieten van het soort waar Jim Ricker grapjes over maakte. Jim Ricker... Misschien is Jim Ricker wel de echte terrorist in het geheel, al weet ik dat niet zeker, omdat ik een grote stommeling ben die nooit in Callisto had moeten blijven hangen maar gewoon naar Manhattan had moeten gaan om zich aan te melden bij het leger zoals ik van plan was. Maar ja, het is anders gelopen. Toen ik die autopech kreeg, heb ik op de verkeerde deur geklopt en ben ik in Iets Groots terechtgekomen waarvan ik nog steeds niet weet hoe groot het eigenlijk is, met al die mensen achter me aan die me in de maling hebben genomen. Maar één ding is zeker, zij weten ook niet hoe het zit, dus ik ben niet de enige, wat een gedachte was die me een beetje opbeurde, en ik hield op met huilen en nam me voor dat ik als een normale volwassen kerel ging denken, wat ook wel de hoogste tijd werd dat ik dat eens ging doen.

Dus oké, ik word gevolgd met een zendertje. Terwijl ik nergens naar op weg ben. In films is de held er zo achter waar ze dat zendertje hebben verstopt, waarna hij het in de auto van iemand anders stopt, die er in omgekeerde richting mee wegrijdt, dus dan gaan de slechteriken mooi de verkeerde kant op met hun witte stipje. Maar ik was geen filmheld, misschien zat mijn zendertje ergens stiekem in een van de wielen, of op een andere plek waar ik het nooit kon vinden, zelfs al haalde ik de Honda helemaal uit elkaar, want die dingen zijn heel klein.

De pep en cafeïne waren ondertussen volop aan het werk en mijn hersens knetterden van de dingen die ik misschien kon doen om mezelf uit de knoei te krijgen, maar alles wat naar boven borrelde, spatte meteen uit elkaar omdat het zo stom en onhaalbaar was. En honger had ik ondertussen ook weer, omdat ik te erg van streek was geweest voor het avondeten, door de verrassing dat Dean niet meer bij de populieren onder de oever lag. Dus nu sterf ik ook nog eens van de honger, maar dit is tenminste een probleem waar je wat aan doen kunt bij het eerstvolgende tankstation annex wegrestaurant, dat volgens een bord nog maar een klein eindje rijden was: 'Brubaker's All-Niter, We Never Close.'

Ik draaide van de weg af en zette de Honda tussen de andere auto's op de parkeerplaats, een behoorlijk aantal ondanks dit late uur, en aan de andere kant stonden een stuk of tien trucks, van die grote achttienwielers met grommende diesels waarvan de chauffeurs zaten te bunkeren of een douche namen, want dat kun je volgens een lichtreclame ook bij Brubaker's, maar mij ging het nu alleen maar om eten.

Ik liep naar binnen, waar de felle verlichting pijn deed aan mijn ogen, maar dat wende snel. Ik vond een box waar ik in mijn eentje kon zitten, tussen wandjes van oranje plastic, en er kwam een serveerster naar me toe die er ondanks de nacht vrolijk en kwiek uitzag. Ik bestelde een dubbele cheeseburger met frietjes en een grote Coke, plus koffie om mijn geest aan de gang te houden bij het bedenken van een uitweg. Als ik mezelf wil redden, zal ik met een plan moeten komen dat echt slim is, en het was nog maar de vraag of ik slim kon denken, al was ik wel op de gedachte gekomen dat ik een rat in een doolhof was met een zendertje. Eén ding wist ik in elk geval zeker: ik zou nooit meer huilen omdat ik zo dom was, want dit is tenslotte mijn schuld niet, zo ben ik nu eenmaal geboren, dus ik kan er niks aan doen, en zo dom als zij denken dat ik ben, ben ik nou ook weer niet, dus kop op, van nu af aan ging ik alle slimheid gebruiken die ik in me had.

Het eten werd gebracht en ik viel aan alsof ik uitgehongerd was, en dat was ik ook. Na mijn laatste slok Coke ging ik naar de wc en bestelde nog een grote koffie met een dekseltje om mee te nemen, waarna ik naar de Honda liep en me afvroeg of ik naar het westen moest blijven rijden of misschien beter naar het noorden kon gaan, al maakte het weinig verschil omdat ik geen flauw idee had waar ik heen moest.

Dus ik loop zo met de autosleuteltjes in mijn hand te peinzen en ik zie opeens een jongen bij de uitgang van de parkeerplaats staan, met een stuk karton in zijn hand waar in het licht van de uitgangslamp in grote letters 'Denver' op stond. Hij was hooguit een jaar of achttien, en mijn nieuwe slimheid bracht me op een idee.

'Hallo,' zeg ik tegen hem.

'Hallo.'

'Wil jij naar Denver? Daar kan ik voor zorgen.'

'O, te gek.' Hij keek heel verrast en blij, want hij had waarschijnlijk geen lift meer verwacht op dit late uur. Zijn kleren waren nogal versleten en smoezelig, wat de meeste mensen niet in hun auto zouden willen, maar het was mijn auto niet.

'Kom maar mee,' zeg ik, en we lopen naar de Honda. 'Het punt is alleen dat je zelf zal moeten rijden, kun je dat?'

'Geen probleem, ik ben een prima chauffeur.'

'Mag ik voor de zekerheid toch even je rijbewijs zien?'

Hij diepte het uit zijn broekzak en liet het me zien. 'Wendell Richard Aymes geb. dat. 23-06-89'.

'Oké,' zeg ik, 'het zit zo. Deze auto is niet van mij maar van een vriendin, Feenie Myers.' Ik gebruikte Feenies naam omdat het moeilijk is om zomaar even een echt klinkende naam uit je duim te zuigen, en anders was het Susan Smith of zo geworden, wat te vaag is om geloofwaardig te zijn. 'Feenie studeert in Durango, dus ik geef je het adres van haar ouders in Denver, oké? Eh, Newton Drive 1286. Dat is dus in Denver.'

'Weet ik, ik kom zelf uit Denver.'

'Goed zo. Kijk, Feenie verwacht deze auto morgen terug, maar ik heb net een serveerster van Brubaker's leren kennen, en zij wil dat ik een nachtje blijf, weet je wel. Echt een lekker wijf, man, maar ik heb dus beloofd dat die auto morgen terug is, en ik heb er een hekel aan om mijn belofte te verbreken, dus eh...'

'Dus je rijdt zelf niet mee?'

'Precies. Ik neem morgen wel een lift, of misschien wel overmorgen, als je begrijpt wat ik bedoel, en dan heeft Feenie toch op tijd haar auto terug.'

'En dat vertrouw je mij toe?'

'Tuurlijk. Kijk, als je hem jat of in de prak rijdt of zo, dan heb ik je naam en het nummer van je rijbewijs. Heb je even een pen voor me?' Hij groef in zijn rugzak en haalde er een pen en papier uit, waar ik de gegevens van zijn rijbewijs op overschreef, en voor hem het namaakadres van Feenies ouders. En ik geef hem honderd dollar voor de moeite, plus de autosleuteltjes. Wendell wist niet wat hij meemaakte en hij trok een gezicht alsof hij een spelletjesprogramma had gewonnen.

'Jezus, man, hartstikke bedankt. Ik rij echt heel goed, hoor, ik lever hem puntgaaf af. Succes met die serveerster!'

'Dank je. Maar denk erom, niet te hard rijden en zo, oké? Want de Highway Patrol gelooft natuurlijk nooit dat ik je zomaar die auto heb afgestaan, dus dan zitten we allebei in de knoei.'

'Ik zal heel netjes rijden, dat beloof ik. Nogmaals bedankt, man, zoiets heb ik nog nooit meegemaakt.'

'Graag gedaan.'

Hij stapte in, startte de motor en reed door de uitgang met een zwaai uit het raampje de oprit op naar de interstate en weg was hij, dwars door Kansas en Colorado met *blip blip blip* de hele FBI achter zich aan. Het voelde heerlijk hoe ik hen in de maling had genomen met de slimme intelligentie waarvan zij nog helemaal niet weten dat ik die nu heb, en ik bedacht ook meteen maar even mijn volgende stap, namelijk naar de parkeerplaats voor de trucks lopen en daar wachten tot er een chauffeur naar buiten kwam.

Nog geen tien minuten later, ik had net mijn koffie op, kwam er al een trucker aan, met een baard tot halverwege zijn middel en een dikke pens over zijn riem en een grote cowboyhoed met veren erop. Ik ging staan om mezelf te laten opvallen, maar zodra hij op praatafstand was, zei hij: 'Ik doe geen lifters, sorry.'

'Oké,' zei ik, want wat kon ik anders zeggen?

Hij struinde me voorbij op zijn hooggehakte cowboylaarzen, naar een reusachtige truck van ik weet niet hoeveel ton en oranje van kleur, al kon dat ook komen door de natriumlampen om het parkeerterrein.

Hij maakt de deur open en zet zijn laars op de eerste trede, kijkt om en zegt: 'Nou, vooruit, kom maar.'

Ik holde snel naar de andere deur en klom als een bergbeklimmer naar binnen, waar ik terechtkwam in een grote stoel met armleuningen. De trucker zat een heel eind van me af aan de andere kant van de cabine, maakte het zich gemakkelijk en gooide hem in zijn één en we rolden over het asfalt naar de uitgang, waar hij voorzichtig doorheen ging en bijschakelde en nog eens bijschakelde, met van die hele ervaren bewegingen waar je aan kunt zien dat hij weet wat hij doet, en even later reden we naar het oosten, terug in de richting van Callisto, wat me wel een beetje nerveus maakte, maar daar stond tegenover dat dit wel het laatste was wat ze zouden verwachten, dus is het misschien juist wel het beste. Als het een beetje meezat, liet hij me meerijden naar St. Louis, wat zo ongeveer het verste was wat ik me op dit moment kon voorstellen en hopelijk kreeg ik tegen zonsopgang een idee voor de volgende fase van mijn plan.

'Waar ben je naar op weg?' vraagt de trucker.

'Naar huis,' zeg ik. 'Saint Louis. En daarna ga ik bij het leger.'

'Waarom?'

'Die hebben hartstikke hard mensen nodig. Ze geven zelfs een bonus, heb ik gehoord.'

'Groot bedrag?'

'Groot genoeg voor mij.'

'Uit welk deel van St. Louis kom je?'

Ik dacht pijlsnel na. 'East St. Louis.'

'Goddomme, dan snap ik waarom je bij het leger wilt. Wat een gribus is dat.'

'Ja.'

'Drugs, huiselijk geweld, misdaad, groepsverkrachtingen, je kunt het zo erg niet bedenken of ze hebben het daar.'

'Ja.'

'Ze zouden er eigenlijk een bom op moeten gooien.'

'Dat zou misschien wel helpen, ja.'

Hij lachte en zei dat hij Gene heette. Ik vertelde hem dat ik Wendell was. Het rolde zomaar van mijn tong, een leugentje op wielen. Het kon me niet eens schelen dat ik loog, dus dit was waarschijnlijk mijn

Nieuwe Ik aan het werk. Waarheid of leugen, mij een zorg, het enige wat me interesseerde was wegkomen.

'Gevaarlijk werk, het leger.'

'Ja, maar het zal toch gedaan moeten worden.'

'Mijn dochter zit dagelijks in het vliegtuig met een pistool onder haar oksel.'

'Is ze een kaapster?'

Hij grinnikte. 'Ze zit er om kapers tegen te houden. Federal Air Marshall. Die terroristen houden geen rekening met een gewapende vrouw, dus dat is in haar voordeel. Ze verdient er een vermogen mee, maar ik maak me elke dag zorgen. Ook over mijn zoon. Die werkt voor een particulier beveiligingsbedrijf in Irak. Slaapt met een machinepistool onder zijn kussen. Maar ook een prima salaris.'

'Het is een slechte wereld tegenwoordig.'

'Zeg dat wel. Heb je het gehoord van die bomaanslag hier verderop? Een explosie die groot genoeg was voor een huizenblok.'

'Daar heb ik over gehoord, ja.'

'De dader zal zichzelf er wel bij opgeblazen hebben. Doen ze vaker, die terroristen. Zouden ze altijd moeten doen.'

'Ja.'

'Er valt toch niet met die gasten te praten. Ze denken dat ze het voor Allah doen. Wat moet je dan nog zeggen tegen zo'n gek?'

'Niks.'

'Die vallen echt niet op andere gedachten te brengen, hoor. Gewoon een voor een afmaken, zeg ik, tot het ophoudt en we weer normaal kunnen gaan doen met zijn allen.'

'Ja.'

'Amerikanen zullen zoiets nooit doen, bommen planten, of een vliegtuig in een kantoortoren laten crashen. Dat is typisch iets voor moslims. Stapelgek, die lui.'

'Ja.'

'Het was net buiten Callisto, waar we zometeen langs rijden. Ze hebben de leider van die bende nog steeds niet te pakken, die Dean Lowry. Een Amerikaan, godbetert. Als ze hem vinden, moeten ze hem gelijk een kogel door zijn kop jagen. Niks geen rechtszaak. Daar betaal ik geen belasting voor. Hadden ze ook met Saddam moeten doen. Iedereen weet dat ze schuldig zijn, dus wat heeft zo'n proces voor zin? Geen tijd aan verspillen, gelijk afmaken die klootzak.'

'Dus jij stemt op senator Ketchum, als ik je zo hoor.'

'Normaal gesproken praat ik nooit over politiek. Kan ze niet uit-staan, dat schorem. Maar die Ketchum bevalt me wel. Al die anderen ouwehoeren alleen maar, zonder er een woord van te menen. En maar zwetsen en maar om de hete brij heen draaien, en dan de vn erbij ha-len zodat die ook weer kunnen vergaderen. Rot op. Als iemand op mij schiet, schiet ik terug, klaar uit. Geen gelul over waarom-ie het doet en wat-ie wil. Ketchum zal dat terroristentuig aanpakken. Die schopt ze gewoon weer de woestijn in, waar ze thuishoren. Weet je wat ik denk als ik sta te tanken? Dat ik maar de helft zou betalen als die terroris-ten er niet waren. Breek me de bek niet open. Ik heb kromgelegen om mijn dochter te laten studeren, en nu verdient ze haar geld door met een pistool in een vliegtuig te zitten. Wachten tot een of andere maf-kees met een mes begint te zwaaien en gilt dat-ie iedereen afmaakt om-dat Allah dat wil. Maar afijn, je weet waar ik het over heb, anders zou je niet bij het leger willen.'

'Ja.'

'Als ik twintig jaar jonger was, zou ik me ook aanmelden, geloof me. Ik gun je die bonus, hoor, maar zoiets zou niet nodig moeten zijn. De jongelui zouden in de rij moeten staan om zich in te schrijven en de wereld een beetje beter te maken. Ik zeg je heel eerlijk, een jaar of vijf geleden dacht ik nog heel anders, maar het is een andere wereld nu. Zijn je ouders het ermee eens?'

'Ja.'

'Goeie mensen.'

'Eh, ja. Vooral mijn vader. Hij wilde dat ik footballprof werd, maar toen ik zei dat ik liever bij het leger ging, was hij trots.'

'En zo hoort het ook. Ik ben ook trots op mijn kinderen. Hun moe-der is er jaren geleden vandoor gegaan.'

Ik probeerde iets te bedenken dat ik daarover zeggen kon, maar er wilde niks komen en Gene zag eruit alsof hij eigenlijk wel genoeg had gepraat. Hij had alleen maar wat dingen kwijt gewild, en nu weer lek-ker rijden. De tijd vergleed en voor ik het wist was er een bord met 'Afslag Callisto'.

'Er ligt daar een gozer in het ziekenhuis,' zei Gene, 'die bij die explosie gewond is geraakt. Ze denken nu dat hij er zelf ook bij hoort, bij die terroristen. Die is nog niet jarig, hoor. Die persen ze uit als een citroen, net zolang tot hij praat.'

'Misschien was hij er gewoon per toeval.'

'Ja, en misschien kan ik mijn hond wel op deze truck leren rijden. Neem nou maar van mij aan dat ze de waarheid er bij hem uitkrijgen, linksom of rechtsom. Maar dat zullen ze dan wel stilhouden, want ze gaan de rest van die bende niet wijzer maken. Die zitten vast alweer een nieuwe bom in elkaar te knutselen. Weten niet van ophouden, dat tuig.'

Terwijl ik dit zo hoorde, drong het tot me door dat het onmogelijk zou zijn om te bewijzen dat ik niks met terroristen te maken had, en dat Dean er ook niks mee te maken had gehad en alleen maar drugs smokkelde en niks met bommen deed, en zeker niet voor een godsdienst. Kraus en Deedle geloofden me niet, en Lorraine had me ook niet meer geloofd en had zelfs meegewerkt aan mijn namaakontsnapping, om terroristen te vangen die helemaal niet bestonden. Alleen... als er geen terroristen waren, wie had mijn pick-up dan in een bom veranderd? Het kon geen vijandige drugsbende zijn, want die vochten hun oorlogen heel onopvallend met pistolen uit, niet met een bom die wereldwijd de aandacht trok. Dus tja, ergens klopt er toch iets niet, en ik kan me eerlijk gezegd wel voorstellen dat ze bij de FBI aan een terroristische activiteit in Kansas denken. En misschien is die er ook wel. Maar vraag mij niet waar en waarom. Ik was gewoon iemand die op het verkeerde moment en de verkeerde plek autopech had gekregen, alleen was er nu geen sterveling meer die dat geloofde, dus daar had ik weinig aan.

Gene bleef naar het oosten rijden en een paar uur later zagen we recht voor ons uit de zon opkomen in een hemel die helemaal roze werd.

'Mooi, hè?' zegt hij. 'Gaat nooit vervelen. Net als zonsondergang. Mooiere dingen zijn er niet.'

De dag brak aan alsof ik in een reusachtige bioscoop zat in plaats van een truck. Dinsdag was begonnen, en ik vroeg me af waar ik naar kijken zou als vrijdag begon.

Het bleek dat Gene niet tot St. Louis ging maar zijn vracht moest lossen in Kansas City, dus daar zette hij me af. Ik bedankte hem en hij wenste mij het beste en ik wandelde weg met de vraag wat ik nu moest doen. Het liep al tegen de middag, dus ik rammelde van de honger. Ik lunchte in een Denny's en kocht daarna sokken en ondergoed in een Wal-Mart, zodat ik in de wc van een pompstation mijn kleding op orde kon maken, waardoor ik me een stuk aangenamer voelde, al had ik nog steeds geen idee wat ik doen moest. Zelfs als ik weer een lift wist te krijgen en in St. Louis terechtkwam, wat dan? Wat kan ik anders dan even van mijn vrijheid genieten tot ze me in mijn kraag grijpen, wat ze uiteindelijk natuurlijk toch zouden doen, al had ik ze nu op een dood spoor naar Denver gezet. Als ze dat eenmaal doorhebben, zetten ze mijn foto op het nieuws en waarschuwen ze iedereen voor de terrorist van ruim één-negentig die de bom in Callisto heeft georganiseerd, wat een gore leugen is, maar dat kan ze niet schelen want ze zijn met huid en haar op me uit, en als ze me hebben, verspillen ze geen tijd meer met namaakontsnappingen of zulke flauwekul. Dan knijpen ze me uit als een citroen tot ik zeg wat ze willen horen, namelijk de verblijfplaats van Dean Lowry, wat een vraag is waar ik echt niet langer het antwoord op weet, hoe hard ze ook knijpen.

Ik vond een park waar ik bij een vijvertje met eenden op een bank ging zitten om de situatie te overdenken, maar in plaats van te denken zat ik alleen maar naar die eenden te kijken, wat wel leuk was omdat ze grappig met hun achterste wiebelden toen ze het water uit kwamen en naar me toeliepen omdat ze denken dat ik wat te eten voor ze heb, maar ik had niks, dus waggelden ze weer weg met een hoop gekwaak, waarschijnlijk gemopper dat ik een gierige hufter ben of zo. Een filmheld zou nu wél hard nadenken, en ook kennismaken met een mooie vrouw die in drie seconden tijd als een blok voor hem valt en hem wil helpen, ondanks dat de politie hem op zijn hielen zit, met opwindende autoachtervolgingen en zo, waarbij de held er langzaam achter komt wie degene is die hem erin heeft geluisd, en die zoekt hij dan op en hij laat hem met een briljante truc de waarheid zeggen terwijl hij dit opneemt met een speciaal apparaatje, en als de politie dat dan hoort, is hij niet langer een geval van opsporing verzocht en heeft hij die mooie vrouw met wie hij heel gelukkig wordt terwijl de aftiteling begint. Maar ik, ik zat naar eendjes te kijken, die nog van me wegliepen ook. Ik wist werkelijk niet wat me te doen stond, dus die nieuwe slimheid viel in de praktijk misschien toch wel tegen. Mijn hersens zaten op slot en een plan kon ik vergeten.

De pillen van Vine waren uitgewerkt en ik begon om te vallen van de slaap, dus sleepte ik mezelf van die bank af en sjokte een paar straten door tot ik een Motel 6 zag en naar binnen sjokte voor een kamer. Ik hoopte dat mijn hersens na een slaapje weer op gang zouden komen en een nieuwe vluchtweg zouden vinden. Ik kreeg een sleutel met nummer acht, zocht de bijbehorende kamer op en trok de gordijnen dicht tegen de zon, waarna ik op de rand van het bed ging zitten, waar ik me afvroeg of er nog iets was wat ik doen moest voor ik ging tukken, en ik kon niks bedenken, dus trok ik mijn kleren uit en kroop in mijn blootje tussen de lekkere frisse lakens en viel in slaap als een otter.

Toen ik wakker werd, was het avond. Ik besloot een douche te nemen, maar haalde eerst het verband van mijn hand. De wond had al korstjes om de hechtingen, dus ik kon het verband in de prullenbak gooien. In de douche gebruikte ik het zeepje dat daar altijd ligt, plus het plastic zakje met shampoo, en toen ik me had afgedroogd, voelde ik me opgeknapt en uitgerust, en hongerig, dus mijn volgende stap was eten en dan goed nadenken over alles. Ik vroeg me af wat Wendell Richard Aymes had gedaan toen hij in Denver aankwam en merkte dat het Lakewood-adres onzin was. Het waarschijnlijkste was dat hij de Honda zomaar ergens geparkeerd had en was weggelopen, zodat de FBI zag dat het witte puntje stilstond, wat een reden zou zijn om met zijn allen het huis te observeren waar de Honda toevallig voor stond. Hier moest ik om grinniken, dat ze zo hun tijd verdeden.

Ik zocht een eettent en at mijn buik vol en op mijn terugweg naar het motel stopte ik bij een slijter voor een fles met Captain Morgan en een sixpack Budweiser, en een flinke zak Doritos voor de hartigheid, en met dat alles ging ik in mijn kamer voor de tv zitten. Er was nergens nieuws met mijn gezicht, dus ze hadden nog steeds niet in de gaten dat ik ze in de luiers had gelegd, zodat ik ruim de tijd had om een plan te bedenken, wat een geruststellend idee was. Ik keek naar twee politieseries, een advocatenserie en toen nog een dokterserie. Iedereen was geestig en vlot en niemand hoefde naar het plafond of de lucht te staren om iets te zeggen te bedenken. En toen ik daarna de huisfilm van het motel koos, kreeg ik een enorme lachbui. Het was *Donnie Darko*! Ik keek hem van begin tot eind. Hij ging over een rare jongen en vliegtuigmotoren die uit de lucht vielen en iemand in een griezelig konijnenpak en ik kon er geen touw aan vastknopen, maar dat kon ook door de Captain en de Buds komen. De acteur die Donnie Darko speelde, leek totaal niet op Donnie D., dus vraag me niet waarom hij zichzelf zo noemt. Toen de film was afgelopen, was het al laat en tijd om weer naar bed te gaan. Maar toen ik me stond uit te kleden, gebeurde er iets droevigs. Ik trek het shirt uit dat rechercheur Vine me gegeven heeft en mijn vingers gaan langs de reserveknoopjes die onderaan aan de binnenkant zitten. Het waren er drie, terwijl de meeste shirts er maar twee hebben, en het derde zag er anders uit dan de bovenste twee, net iets groter en op een andere manier vastgenaaid.

Ik bekeek het een hele tijd en mijn droevige gevoel werd er niet vrolijker op. Ik had gedacht dat ze een zendertje in de Honda hadden gestopt, en had mezelf reuze slim gevonden toen ik Wendell ermee liet wegrijden, maar dit derde knoopje hoorde daar niet te zitten. Ik begreep wat het was, maar wilde het niet geloven, dus zei ik hardop de waarheid tegen mezelf en dat hielp. Ik moest het toegeven: ik was dan wel slim geweest, maar zij waren slimmer. Al zaten ze fout met hun gedachte dat ik ze naar een terroristenbende met Dean als leider zou leiden, wat gewoon niet zo was, ik leidde ze nergens heen en het werd tijd dat dit misverstand ophield.

Ik rukte het knoopje los en probeerde het kapot te slaan met de zool van een sneaker, wat natuurlijk niet ging want die was van rubber, en ik had de fut niet om buiten een steen te gaan zoeken, dus gooide ik het maar in de wc en trok het door, waarna ik op de rand van het bed ging zitten wachten.

Het duurde een minuut of zes, zeven en toen klopten ze op de deur. Ik had verwacht dat ze hem uit zijn hengsels zouden laten knallen en met een gevechtseenheid compleet met bivakmutsen en mitrailleurs naar binnen zouden stormen, maar het waren gewoon Kraus en Deedle met een paar politiemannen in uniform, zonder zelfs maar één pistool.

'Dag, Odell,' zegt Kraus.

'Hallo.'

'Je hebt het gevonden, neem ik aan?'

'Ja.'

'En, heb je het kapotgetrapt?'

'Door de wc gespoeld.'

'Sjonge, waarom nou? Die dingetjes kosten vijfhonderd dollar per stuk.'

'Het spijt me.'

'Spijt, daar kopen we niks voor,' zegt Deedle.

ZESTIEN

Ik moest tussen hen in zitten op de achterbank van een grote terrein-wagen waarin we bij het motel vandaan reden. Ze zeiden niet veel, en ik kreeg het gevoel dat ze in me teleurgesteld waren. Misschien had ik het spannender voor ze kunnen maken door het shirt in een truck te verstoppen en zelf de andere kant op te gaan, maar ik had nog maar vierhonderd dollar, dus waar had ik heen gekund? Hoe dan ook, ik had geen zin meer om verstoppertje met ze te spelen. Ze denken alle-maal dat ik een grote superterrorist ben, maar ik had niks verkeerds gedaan en ik nam me voor alleen nog maar de waarheid aan ze uit te leggen, net zo lang tot ze het zouden begrijpen. Het misverstand moest nu maar eens ophouden, en dit zei ik ook tegen Kraus.

'Het is onze zaak niet meer, Odell,' zegt hij tegen mij.

'We dragen je over,' zegt Deedle met een onduidelijk lachje. Kraus lachte niet mee. Hij zag eruit alsof hij moe was.

'Over? Aan wie?'

'Aan mensen van een andere dienst.'

'Mensen die iets anders doen dan terrorismebestrijding?'

'Ja hoor, ze doen wel degelijk aan terrorismebestrijding. Maar op een andere manier.'

'Hoe dan?'

'Daar kom je vanzelf achter,' zegt Deedle met opnieuw dat lachje. Hij heeft echt een hekel aan me.

Ik verwachtte een lange nachtelijke rit door Kansas, maar we stop-ten bij een vliegveld, waar ik in zo'n klein privétoestel werd gezet waar-mee Donald Trump rondvliegt om zaken te doen. Op een stoel die speciaal geschikt was voor handboeien, want dat was ik vergeten te zeg-gen, ik had handboeien om, en die werden nu vastgemaakt aan de leu-

ningen van de vliegtuigstoel waarin ik werd neergezet. Het was een gemakkelijke stoel die best lekker zat, behalve dat ik mijn handen niet
kon bewegen. De motoren van het vliegtuigje gingen aan. Een hoog,
huilerig geluid.

'Nou, tot kijk, Odell,' zei Kraus, maar ik kon aan zijn stem horen
dat hij dit niet echt verwachtte, hij zei het alleen maar uit beleefdheid.
Ik mocht Kraus eigenlijk wel, maar Deedle niet, en hij mocht mij ook
niet en zei ook niks meer tegen me, alsof ik er niet meer toe deed. Ze
liepen weg en er stapte een vent in met heel kort stekeltjeshaar, die de
deur dichtschoof, waardoor het motorgehuil een stuk minder werd.
Hij kwam tegenover me zitten.

'Klaar voor vertrek?' vroeg hij.

'Ik denk het wel. Ik heb nog nooit met een vliegtuig gevlogen.'

'Nou, kijk eens aan, dat wordt dan een hele nieuwe ervaring voor
je. Zeg het maar even als je kotsen moet, dan houd ik een zak voor je
mond.'

'Oké, dank u.'

'Graag gedaan.'

Het vliegtuig begon te rijden. Door het raampje zag ik wat gebouwen en andere vliegtuigjes, maar niks groots, geen jumbo of zo, want
het was maar een klein vliegveld.

'Hoe lang is het vliegen naar Callisto?' vroeg ik. 'Vast niet zo lang,
hè?'

'Callisto? Zet Callisto maar uit je hoofd.'

'Gaan we ergens anders naartoe?'

'Ja.'

'Waar dan?'

'Dat zeg ik niet, want dan is de verrassing eraf.'

'Oké.'

'Ontspan je maar gewoon en denk aan leuke dingen.'

'Oké.'

Hij keek me aan terwijl we langzaam langs de andere vliegtuigjes reden, maar met een gezicht dat helemaal niks zei. Hij had geen pak aan
zoals de FBI, maar een polohemd en een linnen broek en gemakkelijke schoenen. Hij was bijna net zo breed als ik, maar minder lang, en
zijn gezicht zat vol met putjes, wat hem een hard uiterlijk gaf, en dat

harde werd nog harder door het feit dat hij niet één keer met zijn ogen knipperde, hoe lang ik hem ook aankeek, dus keek ik ten slotte maar opzij door het raampje. Er waren geen vliegtuigen en gebouwen meer te zien, alleen nog maar gras met kleine lampjes langs de rand van het asfalt. Het vliegtuigje draaide met een zwiep om en bleef stilstaan. 'Heeft u wel al vaak gevlogen?' vroeg ik. Hij knikte zonder iets te zeggen. Hij bleef me strak aankijken, alsof ik heel bezienswaardig ben of zo, en de motoren begonnen opeens te gillen en we kwamen weer in beweging maar nu veel sneller, zo snel dat de lampjes *flits flits flits* voorbijgingen en er ging een trilling door me heen, maar niet zoals met een massagebed, een heel andere soort van trilling, en toen hield het getril op en zakten mijn ingewanden naar beneden en waren we in de lucht. Dit was het meest opwindende dat ik ooit had meegemaakt, op seks na, en dat had ik pas drie keer meegemaakt, en dat was eerlijk gezegd alweer een hele tijd geleden.

'Wauw!' zei ik tegen de man, en hij gaf me een heel dun glimlachje.

Buiten zag ik de horizon kantelen, net alsof je in een achtbaan zat, bijna de moeite van het gevangen zitten waard en zeker iets wat ik in de toekomst vaker wilde doen. En toen vlogen we in evenwicht en lagen de lichtjes van Kansas onder ons uitgespreid, maar even later stegen we door de wolken heen en was er beneden niks meer maar wel de sterren boven ons, wat misschien nog wel mooier was. Prachtig, maar na verloop van tijd kreeg ik een stijve nek van het opzij kijken dus probeerde ik maar weer een gesprek aan te knopen met de man tegenover me.

'Dan zal het dus wel Washington zijn, waar we naartoe vliegen.'

'Denk je?'

'Ja, en dan naar het hoofdbureau van de FBI. Tenminste, dat denk ik.'

'Dan is denken niet je sterkste punt, want je hebt net afscheid genomen van de FBI.'

'O.'

'Je bent nu bij ons.'

'Wie zijn "ons"?'

'Wij.'

'Eh…'

'Ophouden met praten,' zei hij. 'Geniet maar van je luchtdoop.'

'Oké.'

Ik probeerde de uitdrukking van zijn gezicht te lezen, wat niet meeviel omdat het iets was tussen medelijden en een braakneiging, en het drong tot me door dat ik er slechter aan toe was dan ooit, veel slechter. Dus keek ik maar naar de wolken, die er samen met de rum en het bier voor zorgden dat ik in slaap viel.

Toen het vliegtuig begon te dalen, was het nog altijd donker, maar al wel met een dageraad aan de horizon. Het was een vreemde gedachte dat ik vierentwintig uur geleden nog bij Gene in zijn truck had gezeten, die toen ook de dageraad tegemoet reed, maar nu ben ik heel ergens anders. Ik zag de zee, en toen land met wat palmbomen, en toen een landingsbaan en een lang hek, en toen zette de piloot de landing in en even later reden we over de grond. Ik moest ondertussen pissen als een paard, maar de man zei dat ik het moest ophouden tot we stilstonden, wat gelukkig niet lang duurde. Hij schoof de deur open en er kwam een vreselijke golf hitte en vochtigheid naar binnen, dus we zijn ergens waar het tropisch is, maar niet in Florida want dan hadden we niet de hele nacht hoeven vliegen.

Hij maakte me los van de stoel, maar mijn handboeien bleven om, en toen moest ik het uitklaptrapje aflopen en zag ik een Humvee met twee soldaten, naast een klein gebouwtje van aluminium. Ze stapten uit en de man met het polohemd gaf ze een klembord aan, waar een van de twee een handtekening op zette, waarna de man weer in het vliegtuigje stapte maar de deur openhield, dus ze moesten waarschijnlijk eerst tanken voor ze weg konden vliegen. Er kwam steeds meer licht in de lucht, maar de omgeving van de landingsbaan was nog pikdonker, dus het was waarschijnlijk geen stad waar we waren geland.

'Eh, ik moet plassen,' zei ik tegen de soldaten.

'Nou, plas dan,' zei een van de twee.

Ik keek om me heen, maar het aluminium gebouwtje leek me geen openbaar toilet of zo, en het ene raam ervan was donker.

'Waar dan, als ik vragen mag?'

'Je mag kiezen, in je broek of op de grond.'

Dit was geen moeilijke keuze. Mijn polsen waren van voren geboeid, dus ik kon zonder moeite mijn gulp openritsen. Ik piste op de grond terwijl zij toekeken, met hun duimen in hun pistoolriem gehaakt. Toen ik klaar was, zeiden ze dat ik naar de Humvee moest lopen, waar ik achterin moest instappen. Ze maakten mijn handboeien aan een ijzeren stang vast, zodat ik niet meer kon uitstappen. Een van hen kwam naast me zitten en de ander klom achter het stuur en reed weg, met de koplampen aan, want het is nog te donker om zonder te rijden.

'Waar ben ik hier?' vroeg ik.

'Raad eens.'

'Hawaï?'

Ze schoten allebei in de lach, en de soldaat naast me zegt: 'Dit is een speciaal vakantiekamp.'

'O ja?'

'Ja. Kamp Klapzoen.'

De soldaat achter het stuur daverde van het lachen. Dit waren twee vrolijke jongens, heel anders dan de vent met het polohemd. Langs de weg zag ik nog meer palmbomen in het licht van de koplampen. 'Hebben jullie ook kano's?' vroeg ik, en dat was blijkbaar leuk want nu lachten ze zich zowat dood. De soldaat naast me rook naar weed, dus vroeg ik: 'Hebben jullie geblowd?' Ik vroeg het gewoon om een vriendensfeer te kweken, maar het schoot helemaal verkeerd in hun keelgat. De bestuurder stopte de Humvee en draaide zich om. 'Daar zou ik mijn bek maar over houden als ik jou was. Eén woord, tegen wie dan ook, en we slachten je, begrepen?'

De andere gaf me een stomp tegen mijn hoofd, die niet echt pijn deed maar me wel liet schrikken omdat ik hem niet had verwacht. 'Geef antwoord!' schreeuwt hij.

'Eh, oké,' zeg ik, want ik kon zo gauw niks anders bedenken.

'Reken maar dat het oké is, klootzak!'

Het was me duidelijk dat ze veel minder vrolijk waren dan ze leken, dus besloot ik niks meer te zeggen, behalve als ze wat vroegen. Ze waren lang niet zo groot als ik en zonder handboeien had ik ze makkelijk een lesje kunnen leren, maar nu was het maar het beste om te doen wat die vent in het vliegtuig ook al had gezegd, namelijk mijn mond houden en stil blijven zitten.

We reden langs een langgerekt hek van ijzergaas tot de Humvee bij een gebouwtje van blokken gasbeton kwam, waar hij stopte en ik er door de twee soldaten uit werd gehaald.

'Hier woon je vanaf nu, klootzak,' zegt de ene.

'Bij alle andere vijanden van Amerika,' zegt de andere.

'Ik ben geen vijand,' zeg ik tegen hem, wat ik beter niet had kunnen zeggen, want hij gaf me een keiharde klap in mijn gezicht. En nu vond ik het welletjes. Mijn been schoot omhoog alsof een dokter met zo'n rubber hamertje op mijn knie had geklopt, en mijn voet raakte hem precies in zijn kruis, zo hard als ik kon. Hij gilde het uit en viel op de grond en de andere trekt meteen zijn pistool en duwt het tegen mijn hoofd en schreeuwt dat ik geen spier mag vertrekken anders schiet hij mijn kop eraf.

Het kabaal zorgde ervoor dat er andere soldaten uit het gebouwtje kwamen rennen, ook met getrokken pistolen, en ze gingen in een cirkel om me heen staan en hielden me allemaal onder schot. De soldaat op de grond had zichzelf opgerold en kreunde piepend. En nu komt er een officier naar buiten die vraagt wat er gaande is, en de bestuurder van de Humvee zegt: 'De gevangene probeerde te ontsnappen, sir!' Wat een belachelijke leugen is. De officier keek naar mij en naar de soldaat op de grond.

'Wees niet zo'n mietje, Mulholland,' zegt hij. 'Sta op en breng de gevangene naar binnen.'

Dus hij klauterde overeind en ze duwden me met zijn allen door de deur, een lange kamer binnen met een bureau en wat archiefkasten en een Cokeautomaat in de hoek en twee plafondventilatoren die suffig door de lucht roerden. 'Cel nummer drie,' zegt de officier, en ze voerden me door een gang naar een cel met een voorkant van tralies, zoals je die ook in westerns ziet. Aan de ene wand hing een brits, aan de andere een wasbak, en in de hoek een toilet met een plastic zak eronder, wat betekende dat het een chemisch toilet was, wat ik zonder die zak ook wel had geweten want er hing een overdonderende chemische stank in de cel. Ze deden mijn handboeien af en duwden me naar binnen en deden de deur op slot.

'Oprotten,' zegt de officier tegen de soldaten, wat volgens mij niet de manier is waarop officieren tegen soldaten horen te praten. In films heb ik het tenminste nooit zo gehoord. Ze liepen weg en hij bleef achter, en bekeek me door de tralies alsof ik een beest was in de dierentuin, en dan geen mooi beest zoals een tijger of zo, maar eerder een aap met diarree. Hij was in de dertig en had een snor en net zulk stekeltjeshaar als alle anderen, behalve degenen die helemaal kaal waren geschoren.

'Zo, dus jij bent hem.'

'Wie ben ik?'

'De klootzak die in Kansas die bom heeft laten afgaan.'

'Niet waar, ik ben er juist door opgeblazen.'

'O ja? Waarom zie ik dan alleen maar een schrammetje op je voorhoofd? Het was een joekel van een bom, net zo groot als die in Oklahoma. Daar is toen een nicht van mij bij omgekomen. Ze werkte in het kinderdagverblijf dat ze daar hadden. Het ene moment speelden er nog peuters, en het volgende moment was het een kerkhof vol kinderlijkjes, vermoord door een lafbek die ergens de ziekte over in had. Wat was je eigenlijke doelwit, een overheidsgebouw?'

'Het was mijn bom niet...'

'O, ik snap het, je paste er zolang op voor een vriend.'

'Nee, ze hadden hem in mijn pick-uptruck gestopt.'

'Dus het was jouw truckbom.'

'Nee, want het was de pick-up van Dean.'

'Ah, je vriendje Lowry, die senator Ketchum om zeep wil helpen.'

'Nee... Dean is dood.'

'Nou, volgens mijn informatie leeft-ie nog, hoor. Wat is er gebeurd, heeft-ie je in de steek gelaten en is die bom toen per ongeluk afgegaan?'

'Nee, het ging heel anders.'

'Je bent hier omdat wij verhoormethoden hanteren die op Amerikaans grondgebied niet zijn toegestaan. Jouw soort is eerst een paar jaar op bepaalde adressen in het buitenland ondervraagd, maar daar maakten de media nogal misbaar over, dus nu doen we het op de manier die we van meet af aan hadden moeten kiezen, helemaal op eigen houtje, op een plekje waar niemand vanaf weet. Dus daarom ben je hier. Snap je wat ik je vertel?'

'Dit is een vergissing, ik...'

'De veiligheidsdiensten van de Verenigde Staten begaan geen vergissingen. Odell Deefus, is dat je echte naam of een alias?'

'Het is mijn echte naam. Wat is een alias?'

'Odell Deefus is een naam voor nikkers. Ben jij een nikker?'

Ik mocht deze man niet. Hij had allemaal verkeerde ideeën over me en hij wilde niet luisteren. Hij kon met zijn eigen ogen zien dat ik niet zwart ben, maar hij stelde de vraag toch alsof hij het serieus bedoelde, waardoor ik begreep dat het een soort van spel van hem was om mij bang te maken. Vanaf het eerste moment dat ik uit het vliegtuig was gestapt, wilden ze me bang maken, en ik was het eerlijk gezegd ook, maar ik besloot te doen alsof ik het niet was.

'Nogmaals,' zei hij, 'ben jij een nikker?'

'Ja.'

'Wat voor nikker ben je dan, Deefus? Een lichtgetinte nikker of een bruine nikker of een echte, diepzwarte roetmop?'

'Dit is een domme vraag,' zei ik, want ik kreeg de smoor in over dat komediespel van hem.

'Pardon?'

'U kunt met uw eigen ogen zien wat voor kleur ik heb.'

'Dat is een incorrecte bewering. Iemands kleur heeft niets met zijn ras te maken. Je kleur wordt bepaald door het soort klootzak dat je bent. Zal ik je vertellen wat jij voor klootzak bent, Deefus? Jij bent het ergste soort klootzak. Jij bent zo'n klootzak die vrouwen, kinderen en bejaarden de dood injaagt omdat ze een andere god aanbidden dan de jouwe. Om die stompzinnige kutreden jaag jij mensen de dood in, is het niet, Deefus?'

'Nee.'

'Asjemenou, dus je hebt een ándere reden om kinderen en bejaarde mensen in rolstoelen te vermoorden? Daar hoor ik van op. Leg eens uit.'

'Ik vermoord geen kinderen.'

'Dit keer niet, omdat je bom te vroeg afging. Zonde van je werk, hè, Deefus?'

'Nee…'

'En is het geen feit dat jij aan de lopende band leugens vertelt, Deefus? Leugens die je alleen maar afwisselt met moslimpropaganda?'

'Nee.'

'Jij bent twee kleuren tegelijk, Deefus. Moslimgroen en lafbekgeel.

En weet je welke kleur ontstaat als je moslimgroen en lafbekgeel mengt?'

'Geen idee... oranje?'

'Blauw, Deefus. Groen en geel maakt samen blauw, en blauw is ook de kleur die een blanke krijgt als je hem zuurstof onthoudt. Als je stikt, word je helemaal blauw, wist je dat? En ik ben van plan om jou zo benauwd te maken, dat je blauwer dan blauw wordt, zo donker dat je het nikkerblauw zou kunnen noemen. Jazeker, jij krijgt het binnenkort heel erg benauwd.'

Hij zei het allemaal op dezelfde toon en in hetzelfde tempo, machinaal, als zo'n lint van berichten onder in het beeld van een nieuwszender. 'Geloof me, Deefus, ik zweer op de grondwet en het woord van God dat ik de waarheid uit je krijg, of dat ik me anders voor de Schepper op mijn knieën werp om genade af te smeken voor mijn falen. En als ik één ding verafschuw, dan is het falen, zeker nu ik op Gods woord gezworen heb dat ik zal slagen. Maar faal ik toch, dan zal Gods toorn ook jou treffen, in je hart, je longen en je nieren, en je lot zal verschrikkelijk zijn. Dat garandeer ik je, Deefus. Ik, luitenant William Harding, dienaar van God en de Verenigde Staten, garandeer je een verschrikkelijk lot als je niet de waarheid zegt.'

Een antwoord hoefde hij niet. Hij draaide zich om en liep weg, en ik hoorde zijn officiershakken op de betonnen vloer van de gang bonken, als hamerslagen. En toen het stil werd, kroop er heel bedeesd en schuchter een gedachte mijn hoofd binnen, met tegenzin, zo leek het wel, en die gedachte was: ik ben in de handen terechtgekomen van een gek die me dood wil hebben. De gedachte herhaalde zichzelf, steeds opnieuw en steeds helderder, alsof de ene helft van mijn hersens zijn best deed om de andere helft iets belangrijks te leren, namelijk dat er een gek was die me dood wilde hebben, tot ik het uiteindelijk helemaal begreep, en toen werd ik *echt* bang.

Na een poosje kwam er een soldaat naar mijn cel met een oranje overall over zijn arm. Hij zei me dat ik mijn kleren uit moest trekken, ook mijn ondergoed, en alles aan hem moest geven, waarna hij mij die overall aangaf, en zwarte slippertjes voor aan mijn voeten, want mijn sneakers en sokken moest ik ook afgeven, en hij nam alles mee. Er zaten geen zakken in de overall. Even later kwam er weer een andere soldaat voor de tralies staan, die niks bij zich had en alleen maar naar me keek. Er zaten geen ramen in de cel, en ook niet in de gang, maar ik nam aan dat het ondertussen volop daglicht was, dus ik vroeg hem: 'Hoe laat is het nu?'

'Dat hoef je niet te weten.'

'Ik vraag het alleen maar.'

'De tijd doet er niet meer toe voor jou. Die lamp boven je hoofd is nu jouw zon. Een hele speciale zon, die nooit opkomt of ondergaat, en waar je alleen maar aan ontkomt als je naar de zweetkamer gaat.'

'Wat is dat voor kamer?'

'Een kamer voor sport en spelletjes, houd het daar maar op.'

'Is het eten hier lekker?' vroeg ik om een beetje contact met hem te maken.

'Over het algemeen wel, maar dan heb ik het over ons eten, niet over jouw eten. Jouw eten smaakt naar stront. Dus ik hoop dat je van stront houdt, want iets anders krijg je niet.'

Tja, dus met hem zat een vriendschap er ook niet in. Maar ik had al heel wat soldaten gezien sinds ik hier was, dus er moest er vast een tussen zitten die niet zo'n etterbak was als deze en de officier van daarnet. Ik moest gewoon vriendelijk blijven doen, ook al deden zij dat niet tegen mij, en ik moest ze vooral niet in de kast jagen over alle misverstanden die ze over me hadden. Als ik dat maar lang genoeg volhield, gingen ze vanzelf wel anders over me denken en dan zagen ze heus wel in dat ik niks met terrorisme te maken heb, maar dat kon best even duren, daar had ik geen suggesties over. Als het lijk van Dean nu maar niet was weggehaald van waar ik het verstopt had, dan was ik nooit in deze problemen beland. En ik had nog steeds geen idee wie dit gedaan kon hebben en waarom. Maar wie het ook was of waren, ik zat er mooi door in de knoei.

'Dank je wel,' zei ik tegen de soldaat, mijn eerste opvolging van mijn voornemen om alleen nog maar beleefd te zijn.

'Val dood,' zei hij.

Hij liep weer weg en ik ging op de brits liggen, die erg hard was, maar niet als een steen, dat nu ook weer niet. Ik moest dit gewoon zien uit te houden en dan kwam ik heus wel weer vrij, want ik had niks op mijn geweten waar je een executie voor kunt krijgen. Alles was één groot misverstand, wat niet had mogen gebeuren maar die dingen gebeuren nu eenmaal.

De plafondlamp was inderdaad net de zon, minstens 250 Watt, en hij stak in mijn ogen, dus vouwde ik daar een arm overheen om ze af te schermen. Dit ging een minuut of twee goed, maar toen stond die soldaat weer voor mijn tralies en hij zegt dat ik mijn arm moet weghalen, anders krijg ik grote problemen. 'Waarom dan?' vroeg ik, en hij zei dat het de regels waren.

'We kunnen je de hele tijd zien,' zegt hij, terwijl hij omhoogwijst naar een hoek van mijn cel, waar een piepklein tv-cameraatje als een spin op de muur zat. 'Dat ding daar gaat nooit uit,' zegt hij. 'We houden je dag en nacht in de gaten, als je zit te eten en als je zit te schijten, of je nu slaapt of wakker bent, of je nu heen en weer loopt of jezelf afrukt. Wat je ook doet, wij zien het. En als we zien dat je die camera probeert te mollen, worden we heel erg onvriendelijk tegen je. Wie de regels overtreedt, wordt keihard aangepakt. Als je op je bed ligt, houd je je armen netjes langs je lichaam, of je kruist ze desnoods over je borst, maar waag het niet om nog eens je gezicht te bedekken. Je hebt een hele dure lamp in je cel, die een hoop licht geeft waar je geen cent voor hoeft te betalen, dus we willen zien dat je het waardeert, snap je?'

'Ik snap het.'

'Nee, je snapt er geen reet van. Je doet maar alsof. Maar je gaat het nog wel snappen, hoor, geloof me.'

Hij liep weer weg. Ik deed mijn ogen dicht, maar het licht kwam er dwars doorheen, als zonneschijn door een goedkoop rolgordijn. Ik ging op mijn zij liggen, naar de muur toe, half in de verwachting dat hij terug zou komen om te zeggen dat dit ook niet mocht, maar dat deed hij niet, dus ondanks alles wat er gebeurd was en alles wat er door mijn hoofd ging als stront door een riool, lukte het me toch in slaap te vallen.

Ik weet niet hoe lang ik sliep, maar toen ik wakker werd, kwamen ze even later een ontbijt brengen. Dit was niet zo smerig als die ene soldaat gedreigd had, gewoon cornflakes met melk, niks mis mee. Terwijl ik het opat, kwam er weer iemand voor de tralies staan, maar nu geen soldaat maar een aalmoezenier, wat je kon zien aan de ijzeren kruisjes op zijn revers. Hij zei dat hij kapelaan Turner was en voor een bijbel kon zorgen als ik die wilde, of wilde ik liever een koran, want daar kan hij ook voor zorgen, vanwege de godsdienstvrijheid. Hij zei dat ik bij de koran een draagdoekje kreeg, zodat ik hem op kon hangen om te voorkomen dat hij de grond raakte, wat niet mag volgens de islam en een belediging is voor de woorden van de Profeet. 'Maar dat weet je natuurlijk allang,' zegt hij, terwijl ik het helemaal niet wist, want hoe kon ik dat nou weten?

'Ik neem de bijbel wel,' zei ik, volgens mijn plan om beleefd te blijven. Het voelde alsof ik een Big Mac bestelde in plaats van een Whopper, zo weinig verschil maakte het voor me. Maar ik wilde de aalmoezenier laten denken dat ik een christen ben, zodat ze ophouden met hun idee dat ik een terrorist ben.

'Ik kom je er morgen een brengen,' zegt hij, en hij zweeg even, en toen vroeg hij: 'Ben je echt een christen?'

'Binnenkort wel, ja.'

'Dus je overweegt Christus te aanvaarden als je verlosser?'

'Eh, ja, ik wil graag inhalen wat ik al die jaren heb gemist.'

'Ah, een late bekeerling,' zegt hij, en hij probeert eruit te zien alsof hij het gelooft, maar ik zie het omgekeerde.

'Ja, typisch iets voor mij. Altijd te laat, en dan vaak ook nog op de verkeerde plek.'

Ik lachte hier zelf om, maar de aalmoezenier lachte niet met me mee. Hij vraagt: 'Is er iemand aan wie ik een boodschap kan overbrengen?'

'Wat voor iemand bedoelt u? Een advocaat of zo?' En ik denk meteen aan Johnnie Cochran die O.J. Simpson heeft vrijgesproken van moord, dus hij zou voor mij ook een goede zijn, maar wacht eens, hij is een paar jaar geleden doodgegaan, dus dat wordt niks.

'Nee,' zegt de aalmoezenier, 'een familielid of een vriend, een persoonlijke boodschap.'

'O, eh, nou... met mijn vader kan ik het slecht vinden, dus dat is zonde van de moeite. En ik zou op dit moment niemand anders weten... Maar vraagt u het morgen nog eens, dan weet ik misschien iemand.'

'Heb je helemaal geen vrienden en bekenden met wie je in contact wilt treden?'

En nu begrijp ik waar hij op uit is. Hij wil dat ik hem de namen geef van al die moordlustige moslimterroristen waar ik volgens hun mee omga. Alsof ik achterlijk ben en niet doorheb dat hij die namen met- een aan de FBI zou doorgeven. Maar nu schiet me iets te binnen. Er is iemand, twee iemanden zelfs, van wie ik inderdaad hulp kan verwach- ten.

'Oké, zegt u maar tegen mijn vrienden Preacher Bob en zijn trou- we metgezel Chet Marchand, dat ik hulp nodig heb. Misschien dat zij een goed woordje kunnen doen.'

Dit liet hem met zijn ogen knipperen. Hij zegt: 'Preacher Bob? Ro- bert Jerome van de Born Again Foundation? Dé Preacher Bob?'

'Jazeker, Bob en ik zijn heel dik met elkaar. Hij heeft me laatst nog een gloednieuw mobieltje gegeven, gewoon omdat hij zo dik met me is. Belt u hem maar en vraag het hem zelf. Bob en Chet hebben me voor 4 juli in Topeka uitgenodigd voor hun grote feest, als een soort van eregast. En dat is al snel, dus ik zal het waarschijnlijk moeten mis- sen omdat ik hier zit, terwijl het één groot misverstand is. Bob zal het niet leuk van me vinden als ik niet kom opdagen, maar als u hem belt en uitlegt dat ik hier op een verkeerde manier gevangen zit, dan be- grijpt hij het wel.'

Hij keek me aan alsof ik een grap had gemaakt, dus ik zeg: 'Serieus, ik ben een hele goeie vriend van Bob en Chet. Vraagt u het anders de FBI maar. Die hebben al onze gesprekken op de band. Nu ja, dat wa- ren vooral gesprekken met Chet, met dat mobieltje dat ik van ze ge- kregen had. Maar het laatste gesprek ging over die uitnodiging voor Topeka. Vraagt u het maar aan agent Kraus of agent Deedle, oké?'

'Oké,' zegt hij, maar hij zegt het op een manier alsof er een dron- ken zuipschuit tegen hem staat te lallen.

'Misschien kunnen zij me hieruit halen,' zeg ik.

'Ik breng je morgen die bijbel,' zegt hij. 'Zijn er misschien nog an- dere religieuze werken waar je belangstelling voor hebt?'

'Nou, ik heb laatst een heel goed godsdienstboek gelezen dat *The Way of the Nun* heet, maar het is minder bekend dan de Bijbel, denk ik. Of anders kunt u me misschien aan mijn lievelingsboek hel- pen, *The Yearling*. Kent u dat? Het heeft de Pulitzerprijs gewonnen, maar dan niet de korte versie voor kinderen, de lange versie, waar alles in staat wat de schrijfster zo bedoeld heeft. Dat boek heb ik het liefst.'

'Ik beheer geen uitleenbibliotheek,' zegt hij.

'Oké, dan maar gewoon die bijbel.'

Hij liep weg en ik begon wat door mijn cel te lopen, wat waarschijnlijk de enige lichaamsbeweging was die ik de komende tijd zou kunnen doen, rondjes lopen in mijn cel, tot ik naar die zweetkamer mocht waar die ene soldaat iets over gezegd had, voor sport en spel. En terwijl ik dit denk, komt diezelfde soldaat voor mijn tralies staan, en ditmaal kijk ik op het naamplaatje op zijn hemd om zijn naam te lezen, wat niet meeviel omdat het zwarte letters op een bruine ondergrond was, maar hij heette Fogler.

'Nokken!' blaft hij.

'Huh?'

'Ophouden met rondjes lopen! Langs de muren lopen mag, heen en weer of in een vierkant, maar geen rondjes of bochten, hoor je me!'

'Pardon, dat wist ik niet.'

'Dan weet je het nu!' zegt hij, en hij stampt weer weg. Hij moet echt elke minuut naar zijn tv-scherm zitten kijken, zo goed volgt hij me. Dat zou nog gênant worden als ik moest poepen, het idee dat er dan iemand naar me keek. Ik vond het iets onfatsoenlijks hebben.

Als lunch kreeg ik twee burgers met friet, lang niet gek, dus wat Fogler gezegd had over eten dat naar stront smaakte, was waarschijnlijk maar een grapje geweest. Daarna kwam er opnieuw iemand voor mijn tralies staan, een man met een kaal hoofd en een bril, die zei dat hij kapitein Beamis heette en een paar vragen wilde stellen. Om me nader te leren kennen, zei hij. Hij had een stapeltje platen van bordpapier bij zich, met grote zwarte inktvlekken erop.

'Dit soort platen zul je wel van films kennen,' zegt hij. 'Het is de bedoeling dat ik ze jou laat zien, en dat jij dan het eerste zegt wat bij je opkomt.'

'Ja, die ken ik. Zo kunt u zien wat ik voor iemand ben.'

'Daar komt het op neer, ja. Goed, zeg eens wat je bij deze plaat denkt.'

'Dat iemand er een vlek op heeft gemaakt.'

'En deze?'

'Asjemenou, daar heeft hij ook een vlek op gemaakt.'
'En deze?'
'Ik wil niet hatelijk zijn, maar hij maakt er wel een knoeiboel van.'
Hij liet de stapel zakken. 'Het lijkt me beter als je meewerkt, Deefus. Je schijnt niet te beseffen hoe slecht je ervoor staat. Ik ben hier om je te helpen, begrijp dat goed. Ik probeer vast te stellen hoe we jou het best kunnen benaderen, zodat we zo snel mogelijk je problemen kunnen oplossen.'
'O, neem me niet kwalijk. Ik dacht dat u alleen maar informatie wilde, over de schuilplaats van Dean Lowry en zo.'
'Het zou inderdaad in je voordeel werken als je zulke informatie verstrekte, maar voorlopig wil ik alleen maar deze platen met je doornemen. Zo werken we hier.' En hij hield zijn bordpapieren vellen weer omhoog.
'Oké. Dit zijn twee zebra's met footballhelmen op.'
'Een vlinder met scheuren in zijn vleugels.'
'Een gezicht met ogen maar zonder neus. Kijk, dat daar is de mond.'
'Olifanten die van elkaar vandaan lopen. Misschien hebben ze ruzie.'
'Een oerwoudplant met insecten eromheen.'
'Eh, tja... deze is moeilijk... een dameshoed met veren? Die ontploft?'
Hij legde de vellen opzij, sloeg een aantekenblok open en klikte zijn pen, waarna hij vragen begon te stellen over mijn leven tot nu toe, herinneringen aan mijn kindertijd en zo, wat ik leuk vond om over te praten. Na een poosje vraagt hij: 'Waar en wanneer raakte je teleurgesteld in de maatschappij?'
'Teleurgesteld? Hoezo?'
'Wanneer kreeg je het idee dat je geen eerlijke kansen kreeg, dat onze samenleving onrechtvaardig is voor mensen zoals jij?'
'Ik heb niks tegen de samenleving. De samenleving is prima, volgens mij.'
'Maar er zijn dingen die je veranderd wilt zien, nietwaar?'
'Natuurlijk, iedereen heeft wel dingen die hij anders wil.'
'Wat voor veranderingen zou jij bijvoorbeeld doorvoeren als je president was?'

'Nou, om te beginnen zou ik ervoor zorgen dat ik hier werd vrijgelaten.'

'En daarna?'

'En dan wil ik op tv om de mensen te vertellen hoe het wél is gegaan. Wat de misverstanden zijn, bedoel ik.'

'En hoe zit het met andere zaken? Godsdienst, sociale wantoestanden, dat soort dingen.'

'Oké, ik zou het tegen de wet maken om programma's te verpesten met reclamespotjes. Er zou nog maar één kanaal zijn, het reclamekanaal, dat je op kunt zetten als je per se spotjes wilt zien. Volgens mij zouden de mensen dat een grote vooruitgang vinden.'

'En wat nog meer?'

'Nou, eh, die ingeblikte lachbuien in comedyseries, dat mag ook niet meer. Dat gelach van een publiek dat er helemaal niet is, weet u wel? Heb ik vreselijk de pest aan. En ik wil dat die filmsterren uit Hollywood minder gaan verdienen. Ik heb gehoord dat sommigen vijftig miljoen voor één film krijgen. Dat is echt veel te veel.'

'En godsdienstonderwijs op school, heb je daar een mening over?'

Ik begon argwaan tegen hem te krijgen. Die inktvlekken hoorden bij psychiaters, maar zijn vragen leken me weinig psychiaterachtig. Hij hoorde me persoonlijke dingen te vragen, zoals wat er gebeurde toen ik mijn moeder verloor en hoe ik daar overheen ben gekomen en zo, maar hij stuurde het gesprek naar heel andere dingen, die veel meer bij de FBI hoorden, dus misschien was hij daar wel een agent van in vermomming. Ik besloot hem uit de tent te lokken. 'Hoe gaat het met Kraus en Deedle?' vroeg ik.

'Pardon?'

'Agent Kraus en agent Deedle. Zij hebben me gearresteerd.'

'Daar sta ik buiten. Had je het op school naar je zin?'

'O ja, ik was heel populair op school. Werd altijd voor alles en nog wat gekozen, weet u wel, klassenvertegenwoordiger en zo, en de leerlingenraad, waar eerlijk gezegd veel te veel tijd in ging zitten. Maar als de mensen je willen, kun je dat niet weigeren.'

'Volgens mijn gegevens was je juist heel erg teruggetrokken, het tegendeel van wat je me vertelt.'

'Ja, maar dat komt doordat u de verkeerde informatie heeft. Daarom zit ik hier ook, vanwege allerlei verkeerde informatie, dus dat bewijst maar weer dat je daar nooit geloof aan moet hechten.'

'Hoe zit het met je seksualiteit?'

'Hoe bedoelt u?'

'Ben je homo of hetero? Of als je biseksueel bent, neig je dan meer naar mannen of naar vrouwen?'

'Ik ben zeker geen homo. Dean was er wel een, maar dat heb ik van zijn zuster, want zelf heb ik hem maar heel kort gekend.'

'Je had geen homoseksuele relatie met Dean Lowry?'

'Nee, hij is mijn type niet.'

'Aan welk type geef jij dan de voorkeur?'

'Aan vrouwen.'

'Heb je ooit seksuele betrekkingen met Fenella Myers gehad?'

'Met wie?'

'Een voormalige klasgenote van je. Je noemde haar naam tegen die lifter toen je hem zei dat hij de auto naar Denver moest brengen.'

'O, Feenie bedoelt u. Die naam kwam zomaar bij me op toen ik dat zei. Ze woont niet eens in Denver. Ze studeert tegenwoordig in Durango.'

'Dat is ons bekend. Dus geen seks met juffrouw Myers? Ook geen persoonlijke vriendschap?'

'Nee, maar ik mocht haar wel. Ze was slim.'

'Trekt dat je aan in een vrouw, intelligentie?'

'Weet ik niet. Misschien wel.'

'Is dat ook de reden waarom je een foto van de minister van Buitenlandse Zaken in je portemonnee bewaart?'

'Nou, ik vind Condi gewoon leuk. En ze heeft stijl, vind ik. Je hoort vaak zeggen dat ze veel te stijf gekleed gaat, maar dat hoort gewoon bij haar baan. Ik heb tenminste nog nooit een politieke vrouw in een legging gezien, u?'

'Dus doctor Rice is jouw ideale vrouw?'

'Is ze nog een dokter ook? Ik wist al wel dat ze ook piano kan spelen, naast haar politiek, maar niet dat ze een dokter is. Wat voor specialiteit heeft ze, longarts of zo?'

'Nee, zo'n soort dokter is ze niet. Je hebt haar een brief geschreven met een bekentenis, maar de informatie in die brief was ondeugdelijk.

Wat zou ze ervan vinden, denk je, dat jij als bewonderaar zo tegen haar liegt?'

'Ik heb niet gelogen, maar Dean is weggehaald van de plek waar ik zei dat hij lag. Dat is juist de reden voor het misverstand waar ik nu in zit. Ik zou nooit tegen Condi liegen. En over mijn portemonnee gesproken, daar zat bijna vierhonderd dollar in, dus die zou ik graag terug willen hebben.'

'Heb je weleens eerder brieven aan bekende mensen geschreven?'

'Nee, alleen aan Condi. O, en een brief aan Marjorie Kinnan Rawlings.'

'Wie is dat?'

'De vrouw die *The Yearling* heeft geschreven. Dat is mijn lievelingsboek dat ik zestien keer gelezen heb. Ik heb haar weleens geschreven hoe goed ik haar boek vind.'

'En, een reactie gekregen?'

'Van haar uitgeverij, ja. Een brief waarin ze schreven dat ze dood was.'

'Verder niemand? Geen andere bekende figuren?'

'Nee, maar ik ga wel een brief aan Preacher Bob schrijven, over wat ik hier allemaal meemaak.'

'Preacher Bob, de televangelist?'

'Dat is een vriend van me. Hij moet weten wat er gaande is. Het was zijn mobieltje waardoor die bom afging, dus daar moet hij wel van op de hoogte zijn, vind ik. Kunt u me aan pen en papier helpen?'

'Dat verzoek moet je aan luitenant Harding richten. Hoe vaak heb je gestemd?'

'Nog nooit. Maar als Condi meedoet, stem ik op haar.'

Hij klapte zijn aantekenblok dicht en klikte zijn pen. 'Hier laat ik het bij, maar misschien heb ik op een later tijdstip nog andere vragen. Dank je voor je medewerking.'

'Graag gedaan. U bent een psychiater, nietwaar?'

'Klopt.'

'Dat dacht ik al, door die seksuele vragen.'

'Heel opmerkzaam van je,' zegt hij, en hij liep weg. Het was prettig om met iemand te praten die niet tegen me schreeuwde, dus ik hoopte dat dat latere tijdstip er echt van kwam.

Kapitein Beamis had blijkbaar met luitenant Harding gesproken, want die kwam even later voor mijn tralies staan. 'Had je een verzoek, Deefus?'

'Hé, hallo, luitenant. Ja, ik wil graag mijn vierhonderd dollar terug, al kan het ook driehonderdvijftig zijn, dat weet ik niet precies meer. En een pen en papier, graag, zodat ik Preacher Bob kan schrijven hoe het hier is.'

'Je hebt hier geen geld nodig, want wij zorgen voor alles. En pen en papier krijg je alleen voor een volledige bekentenis.'

'Maar ik heb niks gedaan.'

'Dan heb je ook geen pen en papier nodig.'

'Nou, eh... ik wil graag mijn kant van het verhaal vertellen.'

'Schrijf je daar dan ook bij op waar Lowry en co uithangen?'

'Wie zou die Co moeten zijn?'

'Vermeld je die informatie dan ook?' snauwt hij met uitpuilende ogen van irritatie. Hij is niet goed bij zijn hoofd, volgens mij.

'Nee...'

'Als je me nog eens voor niks naar je cel laat komen, ga je voor de bijl, Deefus. Ik hou er niet van als mijn tijd wordt verspild.'

En hij marcheerde weer weg. Geen brief naar Preacher Bob, dus. Dit was een teleurstelling. En dat geld kan ik als gestolen beschouwen, zoals hij erover praat.

Ik liep een poosje recht op en neer, tot Fogler voor mijn tralies verscheen. Ik schrok, want misschien waren mijn gedachten weggedwaald en was ik toch weer in een rondje gaan lopen, maar hij was helemaal niet kwaad en schreeuwen deed hij ook niet, hij glimlachte juist, dus misschien had ik me in hem vergist.

'Oké, Doofus, tijd voor een beetje lichaamsbeweging.'

'Mijn naam is Deefus, met twee ees.'

'Jij maakt niet uit hoe ik je naam spel, kuttekop. Jij doet gewoon wat ik zeg. Draai je om en kom hier met je handen.'

Ik deed wat hij zei en hij deed me door de tralies heen handboeien om, waarna hij de deur opendeed. 'Stap naar buiten en loop door de gang tot ik ho zeg.'

Ik stapte naar buiten en begon door de gang te lopen en hij gilt: 'Ho! Heb ik gezegd dat je die kant op moest? De andere kant op, domme klootzak!'

Dus liep ik de andere kant op, waar ook geen ramen in de muur zaten, tot we bij een openstaande deur kwamen en hij 'linksaf die kamer in!' riep.

Ik liep naar binnen en het is een kamer met een metalen tafel waar van die iele metalen stoeltjes omheen stonden, plus een stevige stoel die in zijn eentje stond. 'Ga zitten,' blaft Fogler, dus ik loop naar de tafel, maar hij schreeuwt: 'Niet aan de tafel, stommeling! Op die stoel daar!'

Hier bedoelde hij de vrijstaande stoel mee, dus ging ik daarop zitten, met het geheime verlangen om mijn handen om zijn keel te doen en eens even goed te knijpen, maar ik bleef vriendelijk praten om bij mijn voornemen te blijven.

'Is dit de zweetkamer?' vroeg ik. 'Om gymnastiek te doen?'

'Goed geraden.'

'Dus ik krijg nu lichaamsbeweging?'

'Reken maar.'

Er kwamen twee andere mannen binnen, in camouflagebroeken met daarboven alleen een T-shirt en bokshandschoenen aan. Dus die wilden een potje sparren. Maar waar was de boksring? En toen kwam opeens de man met de putjes in zijn gezicht binnen, de man met wie ik in het vliegtuig had gezeten en die dus blijkbaar niet terug was gevlogen. Ik knikte naar hem, omdat we bekenden van elkaar waren, maar hij knikte niet terug. Het werd me zo langzamerhand duidelijk dat werkelijk iedereen hier onbeleefd was, wat niet klopte met mijn idee van hoe het in het leger ging. Ik had zelf graag bij het leger gewild, maar daar moest ik nog maar eens goed over nadenken. In de reclamefilmpjes zie je alleen maar sportieve gasten uit helikopters springen en naar de vlag salueren en niemand is ooit onbeleefd.

'Oké,' zegt Fogler met een grote grijns. 'Enig idee waarom je hier bent, Doofus?'

'Voor een bokswedstrijd?'

'Helemaal correct. Zie je nou wel, je bent heus niet zo dom als je eruitziet. Lyden en Croft hier gaan speciaal voor jou een boksdemonstratie geven, lijkt dat je wat?'

'Eh, ja.'

'Ja? Mooi zo. Die stoel waar je op zit is de speciale toeschouwersstoel voor onze speciale sportgasten. Sta even op en ga weer zitten met je handen achter de rugleuning.'

Ik deed wat hij zei en voelde dat hij mijn boeien aan de spijlen van de rugleuning vastmaakte, waarschijnlijk om te voorkomen dat ik er tijdens de demonstratie tussenuit kneep, wat me een overbodige angst leek, want waar moest ik naartoe? Lyden en Croft kwamen voor me staan als twee gladiatoren die voor hun gevecht de keizer moesten groeten, 'Wij die sterven gaan groeten u' en zo. Ze leken te wachten tot ik iets zei, en omdat ik niet wist wat je als keizer moest zeggen, zei ik gewoon: 'Oké, begin maar.'

'Jullie horen hem, begin maar,' zegt Fogler.

En weer werd ik het slachtoffer van een fout, want de eerste klap trof niet een van de boksers maar mij, vol op mijn kaak. Als ik niet vast had gezeten, was ik van de stoel gevallen, en toen ik weer terugveerde, kreeg ik meteen een beuk op mijn andere kaak. De derde klap was op mijn maagstreek, waardoor al mijn adem uit me wegvloog en niet meer terugkwam, en het drong tot me door dat dit geen bokswedstrijd was maar een wedstrijd wie mij het hardst kon raken, wat dus heel iets anders was dan Fogler had laten voorkomen, wat ontzettend lullig van hem was. Het leek op een scène waarin de nazi's de held aftuigen om achter de plannen voor D-Day te komen, maar hij geeft alleen zijn naam en serienummer, waardoor ze hem blijven slaan. Dit betekende dus dat ik de held was, maar echt blij was ik daar niet mee.

Ze bleven me voor mijn hoofd en in mijn maag slaan, maar niet op mijn nieren omdat de rugleuning van de stoel in de weg zat. Ik hoorde een gebrul in mijn oren dat met elke klap harder werd, alsof ik werd meegesleurd door een waterval en voortdurend tegen de rotsen botste. En toen hielden ze op en durfde ik mijn ogen weer open te doen. De man met het puttengezicht stond voor me, met een sigaret in zijn hand. Hij tikte de as op de vloer, want er stond geen asbak op de tafel, en hij vraagt: 'Waar is Dean Lowry en wie zijn zijn vrienden?'

'Dean is dood... ik heb hem doodgemaakt... maar per ongeluk...'

Ik verbaasde me over mijn stem, alsof ik die op een band hoorde, wat altijd heel gek klinkt als je je eigen stem op die manier hoort.

'En waar is zijn lijk dan?'

'Weet ik niet… Ik had hem verstopt, maar daar hebben ze hem weg-gehaald…'

'Dat zwamverhaal vertel je nu de hele tijd al.'

'Weet ik…'

Hij draaide zich om en de twee boksers begonnen weer met de wa-terval. Ik buitelde nu nog langer door de draaikolken en mijn bloed brulde nog veel harder in mijn oren. En toen ik eindelijk weer boven-kwam, stond Puttenkop weer voor me en hij stelde weer precies de-zelfde vragen, waar ik weer dezelfde antwoorden op geef, want wat moet ik anders? Hij vraagt en ik antwoord en het is niet wat hij wil ho-ren, dus ik word weer in de waterval gegooid en de klappen worden alleen maar harder en als het zo doorgaat verzuip ik, en het lijkt wel alsof ze die gedachte gehoord hebben, of misschien heb ik hem wel hardop gezegd, want ze houden op met slaan. En daar is Puttenkop weer, met een verse sigaret.

'Deefus, hoor je me?'

'Eh, ja…'

'Vertel me wat ik horen wil en dan is dit voorbij, dat beloof ik je.'

Nou, die vriendelijke toon kon hij in zijn reet steken, maar ik wil-de geen klappen meer terwijl ik met mijn handen op mijn rug zat vast-gebonden, dus ik zei: 'Oké…' Ik moet eerlijk toegeven: als ik de plan-nen voor d-day had geweten, zou ik ze allemaal verklapt hebben, wat overigens helemaal niet erg was geweest, want dat was nu oud nieuws.

'Waar is Dean Lowry en wie zijn zijn vrienden?'

'Dean…' Ik moest even naar lucht happen.

'Ja?'

'Dean…'

'Wat is er met Dean?'

'Dean is dood…'

'Geen geouwehoer meer, Deefus, ik waarschuw je.'

'En ik heb hem in een drainagebuis onder de i-70 gestopt…'

'Da's een hele lange snelweg, Deefus.'

'Vlak buiten… Ogallah… aan de westkant. Een drainagebuis. Hij zit verpakt in plastic zakken voor grasmaaisel…'

'Is dit echt waar? Als het niet waar is, krijg je vreselijke spijt.'

'Het is waar.'

Hij pakte zijn mobieltje en vertelde iemand wat ik net had gezegd. Ik wist dat ik een grote fout beging en een zware tol moest betalen als ze hem niet vonden, maar het voelde heerlijk om geen klappen meer te krijgen. Puttenkop klapte zijn mobieltje dicht en knikte naar Fogler. Ze maakten mijn handboeien los en duwden me de stoel uit zodat ik op de grond viel.

'Opstaan!' schreeuwde Fogler. 'Opstaan, klootzak!'

Dus dat deed ik maar, en ze brachten me naar mijn cel terug. Toen hij door de tralies heen mijn handboeien losmaakte, zei Fogler: 'Ik wist wel dat je zou doorslaan, lafbek. Ik wist wel dat je je vrienden zou verraden. Een paar tikken en hij begint te janken. Gadverdamme, daar heb ik nou totaal geen respect voor, voor zo iemand.'

Om heel eerlijk te zijn, dat had ik zelf ook niet. Ik was inderdaad snel doorgeslagen, alleen maar om een eind aan de klappen te maken. Maar er kwam een nieuwe test als ze ontdekten dat ik gelogen had. En als ik dan weer begon met de waarheid te zeggen, zouden ze daar nog minder geloof aan hechten dan ooit, en zouden de klappen nog veel harder zijn. Dus er wachtte me een straf als een groot, donker monster. Ik was heel dom geweest en daar ging ik zwaar voor boeten. En die gedachte liet me zowat in mijn broek schijten van angst. Wat een held was ik.

Tja, als het zover was, zat er niks anders op dan veel sterker te zijn dan daarnet. Dit hield ik mezelf voor terwijl Fogler nog steeds aan de andere kant van de tralies stond, en maar grijnzen. Ik had hem kunnen beetpakken en tegen de tralies kunnen trekken om hen een lesje te leren, maar dan kreeg ik geen tijd om te herstellen tussen nu en het moment waarop ze merkten dat ik had gelogen, en die tijd had ik nodig om mezelf sterk te maken. Dus in plaats van hem te grijpen, deed ik wat anders. Ik gaf hem een knipoog. Een vette knipoog, gevolgd door een lachje. En hij werd razend, omdat hij niet snapt wat dit te betekenen heeft.

'Val je op me, Doofus? Wil je dat ik je een beurt geef?'

Ik zei niks en bleef glimlachen tot hij wegliep, waarna ik op mijn brits ging liggen en me afvroeg hoeveel uur ik had voordat ze met het donkere monster naar mijn cel zouden komen. Mijn hoofd en bovenlichaam klopten. Nog een geluk dat ze me niet ijzeren staven hadden afgerost. Maar zoiets had ik wel te verwachten. Dus ik moest me voorbereiden op pijnen die de klappen van de boksers op zoentjes deden lijken. Om te beginnen moest ik de denkfout uit mijn hoofd zetten dat ik nog in Amerika was. Dit was niet de wereld van Hollywood, waar de goeien altijd winnen en de boeven verliezen. Die wereld was een fabelverhaal. Door tegen ze te liegen had ik een afspraak met het Echte Leven gemaakt. Ik deed mijn ogen dicht en hoopte voor het eerst in mijn leven dat er een God bestond die me kracht kon geven, maar ik wist dat ik er helemaal alleen voor stond. Dit was zo ellendig om in te zien, dat ik puur van de angst in slaap viel. Dat doe ik namelijk als ik echt heel erg bang ben. Dan val ik in slaap. Eigenaardig, hè?

ZEVENTIEN

De politie in Kansas liet er geen gras over groeien om naar Dean te zoeken, of misschien zijn er helemaal geen drainagebuizen onder de interstate bij Ogallah, want Puttenkop kwam nog voor het avondeten voor mijn tralies staan. Hij keek me lang en scherp aan. Ik keek naar hem terug en vroeg me af of zijn gezicht er ooit weleens anders uitzag, of hij bijvoorbeeld weleens lachte op een verjaardagsfeestje voor een kind of zo, en ik kon het me nauwelijks voorstellen. Hij had een gezicht van steen, die man.

'Deefus,' zegt hij, 'je hebt me een modderfiguur laten slaan. Je hebt me een leugen verteld en die heb ik doorgegeven alsof het de waarheid was. En dat komt nu in mijn dossier te staan. Ik hecht erg veel waarde aan mijn dossier en door jou staat er nu een slechte aantekening in.'

Ik kreeg bijna met hem te doen, maar hield mezelf voor dat hij geen goed iemand was die goede dingen zoals mijn medelijden verdiende. Ik zei: 'U geloofde me niet toen ik de waarheid zei, dus heb ik maar gelogen.'

'En of je gelogen hebt.'

'Alles wat ik anders vertel dan dat wat ik als eerste heb gezegd, zal een leugen zijn. Het is maar dat u het weet. Jullie kunnen me zo hard slaan dat ik alles zeg wat jullie willen horen, maar het zal altijd een leugen zijn, want de waarheid héb ik al verteld en daar hebben jullie me voor afgerost. Alles wat ik weet heb ik zowel aan u als aan Kraus en Deedle verteld, maar jullie willen het geen van allen horen, jullie willen iets anders horen, zoiets als van die drainagebuis, en dat is dus niet waar. Jullie kunnen me slaan wat jullie willen, maar het is zoals het is en je kunt het niet veranderen.'

Hij keek me weer heel lang aan, zo lang dat ik begon te denken dat hij erover dacht om het toch maar van me aan te nemen, gewoon omdat het achterlijk zou zijn als ik nu nog iets zei dat niet waar was. En hij zei: 'Dit heb je helemaal uitgedacht, hè? Woord voor woord uitgedacht en zorgvuldig gerepeteerd. En nu moet ik dus geloven dat je echt de waarheid spreekt, nietwaar?'

'Ja.'

Hij glimlachte naar me. Dus dat stenen gezicht kon toch veranderen. Maar het was geen mooie glimlach, eerder een krokodil die zijn bek openspert. 'Nou, ik tuin er niet in,' zei hij, en op dat moment wist ik dat hij net zo krankzinnig was als luitenant Harding. En ik wist dat ik alles kon verwachten waarvan ik gehoopt had dat het niet zou komen, het grote donkere monster, en het zou nog erger worden dan ik had gedacht. En het voelde behoorlijk rot om dit te weten. Maar dat liet ik hem niet merken, want dat had toch geen zin. Ik had hem al de eerlijke waarheid voorgehouden, maar die had hij van zijn stenen gezicht af laten stuiteren. Mijn waarheid was niet zijn waarheid. Je zou denken dat de waarheid gewoon de waarheid is, zoals een bezem een bezem is. Twee mensen konden samen naar een bezem kijken en het met elkaar eens zijn dat dit een bezem is, want wat ze zien is een bezem. Maar de bezem waar ik naar keek, was voor Puttenkop heel wat anders, een vuilnisbak of zo. En de ellende was dat ik daar helemaal niks aan kon veranderen.

Hij zegt: 'Ik zie je zo wel weer.' En hij liep de gang in, de kant op van de zweetkamer.

Ik moest een paar keer diep ademhalen, want ik wist dat ik over een paar minuten een massa pijn te slikken kreeg, dus daar kon ik maar beter op voorbereid zijn, wat ik nog steeds niet was, hoe hard ik mijn best ook had gedaan. Toen Fogler eraan kwam met de handboeien en twee gewapende soldaten, was het bijna een opluchting dat het wachten voorbij was en de pijn kon beginnen.

Ditmaal stonden de twee boksers me al op te wachten, samen met Puttenkop, terwijl ik ze niet langs mijn cel had zien komen, dus dit gebouw was groter dan ik dacht, met andere ingangen dan ik gezien had toen ik werd binnengebracht. Maar het kon me eerlijk gezegd niet schelen hoe groot het was. Er waren maar twee vertrekken die er voor mij toe deden, namelijk mijn cel en deze zweetkamer. Ik ging ervan uit dat ik weer op de stoel moest gaan zitten, maar Fogler zegt: 'We gaan het deze keer een beetje interessanter maken. Je mag nu vrij bewegen en een beetje voor jezelf zorgen. Weet je hoe dat moet, Doofus, voor jezelf zorgen?'

Wat hij zei gaf me een beter gevoel. Ditmaal kon ik terugvechten, en ik ben dan wel niet zo'n vechtersbaas, maar groot ben ik wel, dus ik kan misschien toch een paar rake tikken uitdelen voordat Lyden en Croft gehakt van me draaien. Maar dit was niet wat Fogler bedoeld had. Want het volgende gebeurde. Hij liet mijn handen geboeid op mijn rug zitten en trok een zwarte zak over mijn hoofd. Ik haatte die zak meteen, vanaf de eerste seconde, omdat hij me van alles afsneed wat er om me heen was. Geloof me, niets is zo erg als een zwarte zak over je hoofd.

En toen begonnen ze te slaan. Ze konden me raken waar ze wilden, en dat deden ze ook, maar ze hadden speciale belangstelling voor mijn nieren, omdat daar vanochtend de rugleuning voor had gezeten, al kregen mijn hoofd en mijn buik ook ruim de aandacht. Ik strompelde door de kamer heen, zonder te weten wat er nu weer voor slag of stoot zou komen, en vanuit welke richting. Het enige wat ik de hele tijd wist was dat ik er nog een hoop kon verwachten. Soms tolde ik zo hard rond, dat ik met mijn schouder tegen de muur bonkte, en één keer zelfs met mijn hoofd, waarna ik op de grond viel, en tot mijn verbazing hielden ze op tot ik me weer overeind had gewerkt. Dit gaf me een diep gevoel van dankbaarheid, dat ze me niet schopten terwijl ik op de vloer lag. Heel eigenaardig was dat, die dankbaarheid voor dat kleine beetje genade voordat ze weer op me los begonnen te beuken.

Ze hielden zich niet in, want ik kon ze door de zak heen horen puffen en hijgen, tegelijk met mijn eigen gepuf en gehijg. Het valt niet mee om lucht te krijgen in zo'n zak en op een gegeven moment ging ik zelfs neer vanwege de ademnood. En ook toen hielden ze op met slaan tot ik weer op mijn voeten stond, maar ik voelde me niet dankbaar meer. Ik voelde gewoon niks meer, geen enkele emotie bedoel ik, en concentreerde me alleen nog maar op mijn ademhaling die moeilijker en moeilijker werd met die zak, terwijl ik in rondjes wankel als een bokszak op pootjes. Want dat was ik nu, geen mens meer, tenminste niet voor hen, maar gewoon een ding om net zo lang te slaan tot het kapotging.

Toen ik voor de derde keer neerging was het alsof ik verdronk, omdat ik nu echt geen lucht meer kreeg, niet genoeg om in leven te blijven. En terwijl ik zo lig, hoor ik de stem van Puttenkop in mijn oor. Dus hij bukte zich blijkbaar om iets tegen me te zeggen, en wat hij zei was: 'Dit kan zo ophouden, Deefus. Vertel me de waarheid, dan houdt het op.' Zijn sigarettenadem kwam dwars door de zak heen, zo'n stank is dat. Ik kan hem niets vertellen, want alles wat er te vertellen viel, is verteld en dat wil hij niet horen want daar is hij gewoon te krankzinnig voor. Dus deed ik alsof ik erover nadacht, terwijl ik alleen maar zoveel mogelijk lucht naar binnen zoog om gebruik te maken van deze onderbreking.

Ik wilde niet opstaan om alleen nog maar meer slaag te krijgen, dus bleef ik net zo lang liggen tot Puttenkop doorkreeg wat ik aan het doen was en bevel gaf om me overeind te trekken. En nu begon het mishandelen pas echt. Lyden en Croft hadden tijd gehad om op adem te komen, en ze waren kwaad omdat ik niks zei. Die kwaadheid kon ik merken omdat de stoten veel harder waren dan eerst, ze gooiden nu echt hun hele lief en leed erin, terwijl ik er niks tegen kan doen, want de waarheid zeggen helpt geen moer.

Er ging nog maar één gedachte door mijn hoofd: hier komt uiteindelijk een eind aan. Ik hoefde alleen maar door te gaan met incasseren, net zo lang tot Lyden en Croft uitgeput raakten, al viel het natuurlijk wel te hopen dat er dan geen reservekoppel klaarstond om het van ze over te nemen. Als er een tweede koppel aan de gang ging, zou ik verdomd dicht bij de dood komen, zoveel pijn had ik ondertussen.

Een klap in mijn nek deed me naar voren struikelen en keihard met mijn hoofd tegen de muur slaan. Ik zag even sterretjes, zoals dat heet, en lag het volgende moment languit op de vloer, en ik wist dat ik nu niet meer overeind zou komen. Als ze me omhoogtrokken, zou ik me bewusteloos houden en meteen weer door mijn knieën knikken. Ik was het nu echt beu, hartstikke *beu*. 'Leg hem maar op zijn brits,' hoorde ik Puttenkop zeggen, en verdomd, daar was die idiote dankbaarheid weer. Ik hoorde hem te haten voor wat hij me had aangedaan, maar ik ben alleen maar dankbaar omdat hij het laat ophouden. Dit is zulke waanzin dat ik het nauwelijks geloven kan.

Ik werd opgetild en naar mijn cel gedragen. Ze kwakten me op de brits neer, deden mijn handboeien af en vertrokken. Toen ik hun voetstappen hoorde versterven, bracht ik mijn handen naar mijn gezicht, waar nog steeds die zak omheen zat, en voelde dat het helemaal dik was. Over een paar uur zou het nog veel dikker zijn, dat was wel duidelijk. Ik trok de zak van mijn hoofd, heel langzaam, omdat elke beweging pijn deed, zelfs zoiets simpels als een zak van je hoofd trekken De lucht voelde heerlijk koel. Ik liet de zak op de grond vallen en staarde een lange tijd naar het plafond, dat wit was geschilderd. En toen liet ik mijn hoofd weer zakken en zie dat Puttenkop voor mijn tralies staat. Hij heeft daar al de hele tijd gestaan, heeft de hele tijd stilletjes naar me staan kijken.

'Ik wist dat je je dood hield, hoor,' zegt hij. 'Maar ik vond het wel even genoeg zo.'

Het klonk alsof hij me dank je wel wilde horen zeggen. Ik keek hem even aan en draaide mijn hoofd weer weg. Ik kon zijn gezicht niet meer verdragen.

'Je zult me wel niet aardig vinden,' zegt hij, 'maar ik doe alleen maar wat er van me verlangd wordt. Het is mijn taak om de mensen tegen jouw slag te beschermen. Doe ik mijn werk goed, dan worden er geen onschuldige mensen opgeblazen. Dus je begrijpt hopelijk wel dat ik net zo lang doorga tot je breekt. Ik vond je de eerste keer maar een watje, maar daarnet hield je je kranig. Ergens vind ik dat wel sneu, want hoe taai je ook probeert te zijn, ik zál je breken. Ik heb dit al heel vaak gedaan, hier en op andere plekken, en het resultaat is altijd hetzelfde: onze man breekt en vertelt ons wat we willen weten. En weet hij niks, wat ik in dit geval overigens betwijfel, dan breekt hij toch. En hij blijft gebroken, geloof me. Treurige aanblik is dat, zo'n gebroken man. Vooral als hij niks blijkt te weten. Maar dat weerhoudt ons er niet van ons werk te doen, omdat we dan sowieso zekerheid krijgen. Zijn we eenmaal zeker van onze zaak, zeker over wat hij zegt of zeker dat hij echt niets weet, dan stoppen we. Maar de man in kwestie is gebroken. Voorgoed. Hij wordt nooit meer de oude. Hij is en blijft geknakt en wil alleen nog maar ergens een hol vinden om in weg te krui-

pen en te sterven. Zo gaat het altijd, zonder uitzondering. Morgen nemen we je opnieuw onder handen, dus rust maar goed uit en eet de
maaltijd die je straks gebracht wordt. Je krijgt appeltaart na, met slagroom. Vind ik zelf erg lekker, maar volgens mij vindt iedereen dat lekker, appeltaart met slagroom. Toch zul jij morgenavond geen taart
meer willen, alleen nog die slagroom. Want jij hebt morgen geen tand
meer in je mond.'

Hij liep weg, maar zijn woorden bleven door de cel zweven, waarna ze langzaam, een voor een, mijn oren binnenkropen. Ik geloofde
hem. Ik geloofde alles wat hij gezegd had.

Het avondeten bleek pizza te zijn, uit de kantine van het 'basiskamp
aan de andere kant van de heuvel', zoals de soldaat het zei. En inderdaad appeltaart na. Dus het moest een behoorlijk groot kamp zijn, met
zo'n uitgebreide keuken. Pizza in de gevangenis, asjemenou. Hij zat
zelfs in zo'n kartonnen warmhouddoos, net als thuis, maar dan zonder 'Pizza Hut' of 'Domino's' erop. Lekker veel worst, lekker veel kaas,
smaakte goed. En een beker Coke zat er ook bij. Ik at het allemaal op,
heel langzaam vanwege mijn gepijnigde gezicht, en vroeg me ondertussen af hoe ik het morgenavond zou vinden om zo'n lekkere maaltijd te krijgen terwijl ik geen tand meer in mijn mond had. Misschien
wilde Puttenkop me alleen maar bang maken. Maar dan werkte het
wel. Ik was heel erg bang.

Toen ik alles op had, ging ik achterover op mijn brits zitten en voelde al mijn gekneusde plekken kloppen. Opstaan en heen en weer lopen wilde ik niet. Dan zou ik van de pijn gaan slingeren en misschien
wel een rondje maken en kreeg ik daar weer gelazer mee. Dus ik bleef
gewoon zo zitten en probeerde de smaak van de appeltaart in mijn
mond te houden.

En toen kwamen ze me halen en werd ik naar de zweetkamer ge-
sleurd, met een zeer ontdaan gevoel omdat Puttenkop gezegd had dat
ze morgen pas weer zouden beginnen. Dit was dus een truc geweest
om me de suggestie te geven dat ik tijd genoeg had om me op de nieuwe pijn voor te bereiden, zodat ik weer kranig kon zijn. Vuile leugenaar. God, wat haatte ik die kerel. Hij stond me weer op te wachten,
met een sigaret zonder asbak, net als de vorige keren. En ik zag hem
maar een paar tellen omdat ik die zwarte zak weer over mijn hoofd

kreeg, en daar waren de klappen en de stoten weer, *bonk bonk plofplof-plof...*

En toen raakten ze me keihard in mijn maag en kwam al mijn lek-kere eten omhoog en kotste ik die hele zak onder. Alles kwam eruit. Het stonk zo verschrikkelijk dat ik dáár weer van moest kotsen, tot er niets meer naar boven kwam. En al die tijd gingen ze door met slaan, dus liet ik me op een gegeven moment maar op mijn knieën vallen en vouwde ik dubbel om ze even te laten ophouden, zodat ik een beetje lucht kon happen. Maar dit viel tegen want ze gaven me geen adem-pauze meer. Zodra ik voorover zat, met mijn voorhoofd op de vloer, begonnen ze uit alle macht op mijn rug en nieren te beuken. De bin-nenkant van de zak zat vol met kots waar ik me voor schaamde dat die uit mijn binnenste kwam, zo erg stonk het.

Ze bleven erop los beuken en het enige wat ik denken kan is: adem door je mond, dan hoef je die stank niet te ruiken, en toen viel ik om, op mijn zij, en hielden ze toch nog op. Puttenkop gaat naast me op zijn hurken zitten en zegt: 'Waar is Dean Lowry en wie zijn zijn vrien-den?' Wat kon ik daar nu nog op antwoorden? Ik had alles al gezegd wat ik daarover te zeggen had, maar misschien verwacht hij ook wel geen antwoord meer. En verder gingen ze weer, maar nu niet meer met hun bokshandschoenen maar met hun laarzen. Ze raken me op mijn rug en ribben en armen en been. 'Niet zijn hoofd,' hoor ik Put-tenkop zeggen, en ik voel weer die walgelijke dankbaarheid voor hem, waar ik me alleen nog maar erger door ga voelen.

Om mezelf af te leiden, al is het maar voor even, begon ik hun schop-pen te tellen. En terwijl het aantal voorbij de twintig klom, en de der-tig, en de veertig, kwam er een verbazing over me heen die steeds die-per werd. Dat je een liggende, geboeide man met een zak over zijn hoofd meer dan veertig keer kunt schoppen, zonder enige onderbre-king. Eén ding moest ik ze nageven, ze deden echt hun best om de waarheid uit me te krijgen. Bij schop nummer zesenvijftig zegt Putten-kop: 'Genoeg.' Maar ik ben nu te verdwaasd om nog dankbaarheid te voelen. Ik voel bijna niks meer.

Ze raapten me op en droegen me naar mijn cel en kwakten me weer op mijn brits, maar lieten nu de handboeien om, zodat ik de zak niet van mijn hoofd kon trekken. Met elke keer dat ik inademde, zoog ik de zure kotslucht naar binnen, en ik haalde behoorlijk vaak adem want het is ongelooflijk hoe moe je wordt als ze je in elkaar trappen. Volgens mij wist Puttenkop dit en had hij daarom die zak om mijn hoofd gelaten. Volgens mij kende hij iedere manier die er op de wereld was om mensen ellende aan te doen, en hij koos elke keer een nieuwe manier, met een gemak alsof hij een nieuw hulpstuk op een handig keukenapparaat zette – de hakker, de maler, de schaver, de stamper. Hij was de meesterchef van de pijn.

Ik dacht dat iedereen al weg was maar hoorde opeens de stem van Puttenkop. 'Ik heb zo'n idee dat je je nu erg onprettig voelt, Deefus, dus heb ik voor straks een telefoongesprek voor je geregeld. Je wilt vast je verloofde wel even horen, nietwaar? Dus dat heb ik voor je geregeld, als een gebaar van goede wil. Hou je veel van haar? Natuurlijk doe je dat, dus het zal je deugd doen om haar stem even te horen.' Ik hoorde zijn voetstappen van me weglopen en de celdeur dichtgaan. Ik vroeg me af of ik echt wel met Lorraine wilde praten. Ik had geen idee wat ik tegen haar moest zeggen, of wat zij tegen mij zou kunnen zeggen na haar bedrog met die namaakontvluchting, om nog maar te zwijgen over het feit dat ze al die tijd met Cole Connors had gewipt. Als Puttenkop zijn woord houdt en we elkaar echt aan de lijn krijgen, zal ik haar hartig zeggen wat ik van alles vind. Het wordt tijd dat iemand haar eens goed de waarheid vertelt.

Na iets van een uur, waarin ik alleen maar op mijn brits mijn eigen kotslucht lag te ademen, kwam er iemand de cel binnen die mijn handboeien afdeed. Ik trok meteen de zak van mijn hoofd en zoog een paar minuten lang zoveel mogelijk frisse lucht naar binnen. Ik had vagelijk in de gaten dat ze op de gang met een tafeltje bezig waren waar iets op werd neergezet, maar dat kon me eerlijk gezegd weinig schelen want het zou toch wel weer iets worden waar ik een klotegevoel door kreeg. Maar uiteindelijk keek ik toch en zag dat ze een laptopcomputer hebben opgesteld, en daarnaast staat een bandrecorder. Ik snapte het niet. Hoe wilden ze me daarmee een klotegevoel bezorgen?

Nou, dat werd snel genoeg duidelijk toen ze alles hadden aangezet. Op het scherm van de laptop zag ik mezelf, op een stoel met allemaal dingen om mijn borst gebonden en een bloeddrukband om mijn arm en draadjes aan mijn handpalm. Dit was de leugentest in het politiebureau van Callisto! Had Larry Dayton die videoband ook aan de overheid verkocht, zoals hij hem aan mij had willen verkopen? Maar het was niet de hele test. Het gedeelte waar Andy Webb alles verpestte door zich ermee te bemoeien, hadden ze weggelaten. Dit was alleen maar het gedeelte waarin ik mezelf aan het huilen maakte door aan Jody te denken die het hertenjong moest doodschieten. Ze hadden het steeds opnieuw achter elkaar geplakt, zodat ik mezelf zag janken en janken en nog eens janken, als een grote idioot, want ik moest eerlijk toegeven dat ik er zo wel uitzag.

Maar het draaide om de combinatie met de bandrecorder. Daar kwamen namelijk stukken gesprek uit die de FBI had afgeluisterd van Lorraines telefoon. Ze sprak niet met mij maar over mij, met Cole Connors. En het was behoorlijk vernederend, want ze vertelde hem dat ik te stom was om los te lopen, maar toch geschikt als bewaarder omdat ik zo groot ben. En daarna beginnen ze met vieze praatjes, over wat ze de laatste keer met elkaar gedaan hebben en wat ze de volgende keer willen doen, waaronder iets met haar achterdeur wat ik niet helemaal begreep, maar Cole wel want hij roept 'lekkerrr.' Ook deze opname was achter elkaar door geplakt, dus hij speelde ook steeds opnieuw, en het leek alsof mijn laptopbeeld naar dat gesprek luisterde en dat ik dus jankte als een klein kind omdat Lorraine allemaal gore taal uitkraamde. Het was duidelijk dat Puttenkop dit zo had opgezet om me te pijnigen, maar dat ging mooi de mist in, want mezelf zien huilen om Lorraine was lang zo erg niet als slaag en trappen krijgen. Het deed wel pijn, maar op een andere manier, en niet zo erg. Volgens mij was dit geestelijke marteling zoals dat heet, in plaats van lichamelijke marteling. Nou geef mij maar geestelijke marteling. Veel liever dat dan wat ik in de zweetkamer had meegemaakt, dus het werkte een stuk minder goed dan Puttenkop bedoeld had, en dat gaf me zelfs een heel goed gevoel. Ha!

Na een poosje hoorde ik het gehuil en de vieze praatjes niet eens meer, staarde naar de camera die in een hoek van mijn cel hing en liet mezelf wegdrijven in mijn hoofd. Gedachten over hoe ik hier beland was en wat een pech ik had, en hoe onverdiend, en wat me morgen nog te wachten staat, dat soort dingen. Tot Fogler opeens voor mijn tralies staat en er een ram op geeft met een soort politieknuppel, en hij zegt: 'Je irriteert me, Doofus. Elke keer dat ik naar mijn monitor kijk, word ik door jou aangegaapt. En het is al erg genoeg om die rot-kop van je te zien zonder dat je me aangaapt, dus hou op met naar die camera te kijken. Je hebt hier godverdomme een laptop om naar te kij-ken, dus dat geloer is nu afgelopen!'

Ik negeerde hem gewoon en bleef naar de camera kijken, en hier kreeg hij zwaar de smoor over in. Hij zegt: 'Als je nou niet ophoudt, stap ik naar binnen en ros ik je helemaal in elkaar. Ik meen het, Doofus!'

Maar ik bleef naar de camera kijken, en stiekem genieten omdat ik hem kwaad had gekregen. Hij komt echt niet binnen, denk ik bij me-zelf, dat zijn alleen maar praatjes. Maar nee, hij maakt de celdeur open en komt op me af met die knuppel omhoog om me een lel te geven. Het leek heel langzaam te gebeuren, maar dat kwam omdat mijn her-sens heel snel werkten. Hij leek vergeten te zijn dat ik geen handboei-en meer om heb, dus toen hij dicht genoeg bij me was, sprong ik op en greep de arm met de knuppel en draaide die met een ruk terug waar-door hij hem liet vallen. Hij was compleet verrast. Zijn gezicht werd vuurrood en hij opende zijn mond om te schreeuwen, maar dat wilde ik niet, ik wilde hier niet het halve leger in mijn cel hebben omdat de-ze klootzak me ook zo graag een tik wilde geven na alles wat ik al ge-kregen had. Dus ik gaf hem een beuk op zijn kin en zijn tanden klap-ten op elkaar, en terwijl zijn verrassing alleen nog maar groter werd, gaf ik hem een stomp in zijn maag die al zijn lucht naar buiten joeg.

Wat een heerlijk geluid was dat. Ik had hem graag opnieuw een stomp gegeven om het nog eens te horen, maar ik wist zeker dat hij geen greintje lucht meer in zich had. Dus dwong ik in plaats daarvan zijn armen op zijn rug, klemde zijn polsen in mijn ene hand en greep met mijn andere hand zijn kraag en sleurde hem mee naar het chemi-sche toilet. Daar had ik intussen één keer in gepoept en een paar keer in gepiest en nu ramde ik zijn kop erin tot aan zijn nek. Hij natuur-lijk schoppen en bokken om vrij te komen, maar dat kan hij vergeten want daar ben ik dus even *niet* voor in de stemming, niks daarvan. Ik hield hem nog een halve minuut met zijn kop in de drek, trok hem omhoog en sleurde hem naar de muur aan de andere kant, en terwijl hij nog gierend naar lucht hapt, bonk ik hem daar met zijn kop tegenaan. Goed hard. Hij ging neer als een baksteen. Het voelde heerlijk om hem zo te zien liggen. Ik wilde hem afmaken. Ik wilde hem schoppen en slaan en zijn ogen uitrukken, en dat meen ik echt. Ik weet dat dit extreem gedrag is, maar zo word je als ze je behandelen zoals ze mij vandaag behandeld hebben. Maar ik begreep nog net dat ik beter iets anders kapot kon maken dan Fogler, dus liep ik de gang in, greep de laptop en smeet hem de hele gang door naar de deur aan het eind, waar hij tot mijn bevrediging in twintig stukken uiteenvloog. Geen jankende Deefus meer. Ik pakte de bandrecorder op en smeet hem op de grond aan gruzelementen. Geen vuilbekkende Lorraine meer.

De deur met de verbrijzelde laptop ging open en er kwamen drie soldaten doorheen met getrokken pistool. Ik sprong mijn cel in, smeet de deur dicht en liep naar Fogler terwijl ik zijn knuppel van de vloer griste. Toen de soldaten mijn tralies bereikten, had ik die knuppel stevig met twee handen onder zijn kin geklemd, terwijl ik hem als een schild voor me hield. Ze bleven geschrokken stilstaan. Ik zei: 'Als jullie binnenkomen, trek ik zijn kop eraf!'

'Laat hem los, dan komt alles in orde...' zegt een van hen.

'Nee!' schreeuw ik. 'Dan slaan jullie me wéér in elkaar, vergeet het maar!'

'Luister, vriend, je maakt het alleen maar erger voor jezelf.'

'Weet ik, en het kan me geen moer schelen!'

Ik trok de knuppel nog wat vaster aan en Fogler maakte een gorgelend geluid. De soldaten hadden geen idee wat ze hiermee aan moesten, en ik eerlijk gezegd ook niet. We keken elkaar alleen maar aan en vroegen ons af hoe het verder moest. Foglers hoofd zat vlak onder mijn neus en het stonk naar stront gemengd met chemicaliën.

Luitenant Harding komt er nu ook bij en hij kan zijn ogen niet geloven. 'Laat die man los!' schreeuwt hij tegen me, maar ik vertik het. Dus schreeuwt hij het nog eens, en daarna schreeuwt hij tegen de soldaten dat ze naar binnen moeten om me uit te schakelen, maar daar voelen ze niks voor, ze kunnen zien dat ik door het dolle heen ben en er niet voor terugschrik om ze allemaal wat aan te doen, en mezelf desnoods ook.

Dus gooide Harding het over de andere boeg. Hij trok zijn gezicht in de plooi en zette een vriendelijke stem op. 'Luister nou, Deefus. Zo kun je mijn mannen toch niet behandelen? Laat hem gaan en we trekken ons terug, oké?'

'Dat lieg je!'

'Nee, ik geef je mijn woord als officier dat er geen represailles volgen als je hem nu laat gaan. Dus…'

'Ik weet niks en ik heb niks gedaan!'

'Goed, oké, ik begrijp je. Maar luister, jouw ondervragers staan niet onder mijn bevel. Die zijn van een heel ander onderdeel. Maar de man die je daar vasthoudt is er wel een van mij. Dus laat hem los en dan beloof ik je dat je hem nooit meer terugziet. Denk goed na, je hebt mijn woord als officier in het leger van de Verenigde Staten van Amerika. Je weet toch dat je daarop vertrouwen kunt? Laat hem gaan en ik zorg ervoor dat je nooit meer last van hem hebt, oké?'

'En geen straf.'

'En geen straf.'

'En geen bandrecorders en computers meer.'

'Geen bandrecorders en computers meer.'

'En een tv.'

'En een… wat?'

'Ik wil een tv in mijn cel. Ik kijk graag tv.'

'Oké, een tv. Je laat hem nu gaan en dan vergeten we dat dit gebeurd is, en we regelen een tv voor je. Zo goed?'

'En warm water en zeep en een schone overall. Want deze stinkt!'

'Je mag douchen en we zorgen voor schone kleding. Verder nog iets?'

'En een nieuwe maaltijd, want de vorige heb ik uitgekotst.'

'Een maaltijd, geen probleem.'

'En je geeft me je woord van officier.'

'Dat heb ik al gedaan. En laten we nu geen tijd meer verspillen, want mijn soldaat heeft het erg benauwd.'

'Goed dan. Op je woord van officier.'

'Heel verstandig, Deefus.'

'Hebben jullie hier kabel-tv?'

'We krijgen hier alle kanalen die je thuis ook kunt ontvangen.'

Ik liet Fogler los en hij zakte meteen weer door zijn knieën, hoestend en hijgend als een os. Het klonk me als muziek in mijn oren. Hij kroop van me weg, naar de celdeur toe. Toen hij de gang inkroop, verwachtte ik dat ze me zouden bestormen, maar dat gebeurde niet. Ze hielpen Fogler overeind en twee van hen liepen met hem weg. De anderen deden de deur dicht en bleven staan waar ze stonden. 'De knuppel,' zegt Harding.

Ik nam de gok en liep naar hem toe en gaf door de tralies heen de knuppel aan. 'Dank je,' zegt hij, en ze vertrokken.

Ik wachtte. Ze hadden de celdeur niet op slot gedraaid, dus het leek erop dat ze inderdaad terug zouden komen met een tv, zoals Harding had beloofd. Maar het kon natuurlijk ook betekenen dat ze met iets anders terug zouden komen. Hij had me zijn woord van officier gegeven, maar dat stelde geen ruk voor. Iedereen hier is een leugenaar en een rat. Ik had Fogler alleen maar laten gaan omdat ze anders wel met traangas waren gekomen of zo, dus dan kun je hem beter laten gaan en afwachten of ze zich echt aan hun woord houden. Maar hoe langer ik daarover nadacht, hoe onwaarschijnlijker ik het vond.

Na een poosje kwamen ze de gang weer in, een stel soldaten plus Harding. Ze bleven voor mijn tralies staan en hadden geen pistool meer in hun hand, wat een goed teken was. Een van hen heeft een draagbaar tv'tje in zijn handen, ook een goed teken, dus misschien had ik toch ongelijk met mijn negatieve verwachting. Ze zetten het tv'tje op de tafel waar eerst de laptop en de bandrecorder hadden gestaan. Het zal er wel een op batterijen zijn, want ik zie geen snoer. Geen stopcontact ook, trouwens. Een van hen steekt zijn hand door de tralies met iets erin, iets wat op zo'n ouderwets elektrisch scheerapparaat lijkt, alsof hij het me aanbiedt, maar dan drukt hij op een knopje en er schiet iets uit wat me in mijn zij raakt als twee scherpe stekels. Het waren twee ijzeren staafjes die in mijn ribben prikten en ik vraag me af wat dat voor iets is en... iemand draait mijn knop om. Zo voelde het. Ik viel stuipend en kronkelend op de grond en had nergens meer controle over, wat mijn lichaamsdelen betreft. En ze deden het nog eens, gaven me nog zo'n schok, en nu weet ik wat het is, namelijk een stroompistool, zoals de politie die ook gebruikt als ze een dronken iemand arresteren die weerstand pleegt. Deze tweede schok maakte een eind aan mijn gekronkel en ik lag nu zo stil als een dode.

Daar lig ik dus weer eens, machteloos op de vloer en niets doet het meer, behalve mijn hersens. Ze kwamen de cel in en bogen zich over me heen. Ik keek naar ze omhoog en wist dat ze nu alles konden doen wat ze wilden, zelfs iets wat dodelijk voor me is. Ik zag geen knuppels of bokshandschoenen, maar laarzen hadden ze natuurlijk wel.

Harding hurkte bij me neer en zegt: 'Dit gebeurt er nu als je ons niet geeft wat we verlangen. Het is van groot belang dat je meewerkt, maar tot dusver toon je geen enkele bereidwilligheid.' Hij trok de ijzertjes uit mijn zij en stond op. 'Geef hem zijn douche maar,' zegt hij tegen de soldaten, wat ik een raadselachtige opmerking vond, maar de verklaring kwam toen iedereen zijn pik uit zijn gulp haalde en over me heen begon te pissen. Alle drie de soldaten, maar Harding niet, want voor een officier is zoiets ongepast. Het ergste was de ene soldaat die precies op mijn gezicht mikte. Voor die belediging had ik hem graag afgemaakt. Toen ze geen pis meer over hadden, zei Harding dat ze konden gaan, wat ze ook deden.

Terwijl hij op me neerkijkt, zegt hij: 'Je vindt dit waarschijnlijk schandalig, maar je moet één ding wel voor ogen houden. Jij bent geen mens. Je ziet er wel uit als een mens, maar je bent een terrorist, en terroristen zijn niet menselijk. Jullie denken niet zoals wij denken. Daarom begaan jullie de vreselijkste wandaden, en daar moet een eind aan komen. Ik zie het als mijn taak om jou te stoppen, en zo denken wij er allemaal over. Dus er is geen enkele kans, echt geen enkele kans, dat jij je doel nog bereikt. Jij wilt Amerika op zijn knieën zien liggen, maar dat zal nooit gebeuren. Het is waanzin, volslagen waanzin, om te denken dat dat ooit gebeurt. Amerika is het geweldigste en machtigste land dat ooit heeft bestaan. Niets kan Amerika deren. Jullie zijn als mieren die een vuist ballen tegen een olifant. Als ik je niet zo verachtte, zou ik medelijden met je hebben. En het ergste is nog dat jij als Amerikaan geboren bent. Als je een Arabische sloeber was, kon ik nog énig begrip voor je hebben, omdat je uit een waardeloos, ellendig deel van de wereld kwam. Maar daar kom je niet vandaan. Jij komt uit Wyoming. Wat zullen ze daar de pest aan je hebben, Deefus. Je zult nooit meer naar huis kunnen. Als we je straks gebroken hebben, zul je nog jarenlang voor je eigen veiligheid in een federale gevangenis moeten zitten. In eenzame opsluiting, omdat je medegevangenen Amerikanen zijn, echte Amerikanen, die jou het liefst zouden vermoorden omdat je bent wie je bent. Als het aan mij lag, werd je gewoon tussen hen in gezet en sneden ze je binnen een etmaal je strot af. Je zou niet beter verdienen, vind ik, maar Amerika is een zachtmoedig land, dus zul je blijven leven. Als je dat leven kunt noemen. Vertel ons wat we van je willen horen, Deefus. Dan kun je hier weg, naar een gevangenis op het Amerikaanse vasteland, waar het klimaat zachter is en het regime milder. Het beste wat je kunt doen is meewerken, geloof me.' Hij draaide zich om en stapte de cel uit. 'Ik ben een man van mijn woord, dus je krijgt je tv.'

Zo liet hij me liggen, doordrenkt van pis en totaal verlamd. Ik hoorde hem de celdeur op slot draaien. Hij zette het tv'tje aan dat in de gang op de tafel stond, en weg was hij. Ik hoorde een stem praten, maar het drong niet tot me door waarover. Dit was zonder twijfel het ergste moment van mijn leven, liggend in de pis van drie mannen en naar het plafond starend. Geen douche, geen schone overall, geen maaltijd. Maar die dingen had ik ook maar half verwacht. Wat ik niet had verwacht was dat ze over me heen zouden pissen. De schaamte hierom was erg genoeg om te huilen, maar daar was ik te kapot voor. Na alles wat me was aangedaan, kon ik niet meer huilen, alleen nog maar liggen met het gevoel dat het allemaal een nachtmerrie moest zijn en dat ik in werkelijkheid sliep. Maar dat deed ik niet.

Na een tijdje kon ik me weer bewegen en werkte ik me in een zittende houding, en een tijdje daarna kon ik opstaan. Ik trok de stinkende oranje overall uit en gooide hem in een hoek, waarna ik in mijn blootje vanaf mijn brits naar een comedyserie ging kijken, met mijn ogen maar zonder mijn hersens, als je begrijpt wat ik bedoel. Na de comedy kwam het late nieuws, en na een onderwerp of drie kwam er iets over mij, met foto's van het interview dat Sharon Ziegler met me gemaakt had voor Channel 12, alleen bleek het niet zozeer over mij te gaan maar over Feenie Myers. Bij die namaakvlucht was de FBI blijkbaar niet alleen mij gevolgd naar Kansas City, maar ook de Honda naar Denver, waar ze Wendell Aymes in zijn nek hadden gegrepen en hij hun verteld had dat hij de auto bij Feenie moest afleveren. Met als gevolg dat Feenie nu geïnterviewd werd, en ze zegt dat ze zich mij nog van Kit Carson High herinnert maar dat we nooit vrienden zijn geweest, en: 'Odell Deefus een terrorist? Hij kan het woord niet eens spellen. Echt belachelijk, dat idee.' Erg aardig van haar om dat te zeggen, dus dank je wel, Feenie. Ze zag er heel anders uit dan hoe ik me haar van school herinnerde, met wild haar en een ring door haar neus, een echt studententype. De nieuwslezer vertelde dat de FBI me momenteel verhoort, wat niet waar is, want de FBI ligt eruit sinds ik met Puttenkop in dat vliegtuigje stapte, maar ik neem aan dat dit de nieuwsmensen niet verteld is.

Hierna volgt een grote schok omdat ik opeens mijn vader met een noodvaart voor de camera's zie weglopen, met verslaggevers achter zich aan die hem om commentaar vragen over zijn terroristische zoon, maar daar heeft hij geen trek in en hij zegt alleen maar: 'Ik weet niks van hem, ik weet niks van hem,' wat natuurlijk wel waar is, en het zou jaren geleden ook al waar zijn geweest. En daarmee was het onderwerp over mij voorbij. Het had nog geen twee minuten geduurd en het meeste was flauwekul.

Bij de rest van het nieuws dwaalde ik weer weg, maar mijn aandacht richtte zich op toen de vrijdagavondshow van Preacher Bob begon. Hij was behoorlijk over zijn toeren, friemelde de hele tijd met zijn bril en op een gegeven moment schopte hij zelfs per ongeluk tegen het tafeltje met de bijbel, zo opgefokt liep hij over zijn podium heen en weer, en de reden werd al snel duidelijk. 'Vrienden,' zegt hij, 'zij die vorige week naar dit programma hebben gekeken, zullen zich herinneren dat ik lovende woorden sprak over senator Leighton Ketchum. Woorden waarmee de meesten van jullie het eens zullen zijn geweest. Ik ben van mening dat de man bij uitstek geschikt is voor het ambt van president, en die mening wens ik te ventileren. Dat is namelijk het vrije woord, weten jullie wel, waarop de burgers van dit land recht hebben. Het vrije woord, verankerd in onze grondwet. Maar weten jullie wat ik in de afgelopen week heb moeten vaststellen? Ik heb vastgesteld, vrienden, dat er binnen onze samenleving krachten aan het werk zijn die dit recht willen inperken. Jazeker, inperken! Ik neem aan dat jullie bekend zijn met dat merkwaardige begrip van de "scheiding Kerk en Staat". Maar jullie zullen net zo min als ik vermoed hebben dat dit begrip mij belet om hier, in mijn eigen godshuis, mijn eigen mening te verkondigen. En toch is dat precies de gedachte die door deze boosaardige krachten kenbaar is gemaakt aan mijn raadsman. Jawel, vrienden, ik heb een raadsman. Ik word weliswaar elke minuut van elke dag en elke nacht terzijde gestaan door die grote raadsman Jezus Christus, maar bij sommige aangelegenheden is het toch ook wel verstandig om er een advocaat op na te houden.'

Dit leverde hem een gulle lach op van zijn gemeenteleden. Hij rukte zijn bril af, liet hem aan zijn kettinkje op zijn borst vallen en legde zijn hand met een klap op zijn bijbel. 'In dit boek vinden we elke wet die het waard is gehoord en gehoorzaamd te worden! De wetten van God zelf, zoals die aan ons doorgegeven zijn door Mozes! Zeker, er zijn nog andere wetten die we ook in acht hebben te nemen. Wetten door mensenhand geschreven. Goede wetten, verstandige wetten doorgaans. Maar vrienden, al die door de mens geschreven wetten staan open voor… *interpretatie*. Jazeker, vrienden, en de een zal ze anders interpreteren dan de ander. En daarmee zijn de kiemen van de tweedracht gezaaid.'

Hij liep een peinzend rondje. Dat doet Preacher Bob heel overtuigend, met zo'n diepe plooi in zijn voorhoofd. Je ziet de gedachten gewoon door zijn hoofd gaan, als het ware. En opeens kijkt hij op en zegt: 'De seculiere wet zegt dat ik niet lovend over senator Ketchum mag spreken. Dan bedrijf ik namelijk politiek, en politiek zou niet thuishoren in een kerk. Maar weten jullie, vrienden, ik ben het niet eens met die interpretatie. In het geheel niet. Ik ben het er ten enenmale mee oneens, want diep in mijn hart, dit hart dat onze Heer toebehoort, leeft de overtuiging dat sommige maatschappelijke opvattingen het niveau van de politiek ontstijgen, verre ontstijgen, omdat ze in wezen *Gods werk* zijn. Wij worden omringd door vijanden van de staat, lieve vrienden, vijanden tegen wie wij machteloos staan wanneer zij zonder enige voorafgaande waarschuwing hun bommen tot ontploffing brengen. Zo'n bom wordt door henzelf gezien als een *politieke* uiting, maar de boosaardigheid waarmee ze hun aanslagen plegen is *godsdienstig* van aard, geïnspireerd als ze worden door de godsdienst die ze belijden. De naam van die godsdienst mag ik hier niet noemen, vrienden. Vorige week heb ik dat wel gedaan, en ook dat is me op een terechtwijzing door de autoriteiten komen te staan. Dus zal ik vanavond *diplomatiek* zijn en deze godsdienst niet bij name noemen. Doe ik dat wel, dan geef ik volgens de autoriteiten aanleiding tot bloedvergieten, massaal bloedvergieten. Maar jullie weten zeer wel waar ik het over heb. Natuurlijk weten jullie dat. Iedereen weet het. Maar we mogen er niet over *spreken*. Raadselachtig, nietwaar? We weten dat er iets mis is, wereldwijd, maar we mogen het niet ter sprake brengen. Want het noemen van de naam leidt tot rellen en wraakoefeningen en het vergieten van onschuldig bloed. Het kwaad wil namelijk niet op een toon van verachting ter sprake worden gebracht. Dan voelt het kwaad zich beledigd. Het *kwaad*, zo willen de belijders van die andere religie het doen voorkomen, is *gevoelig*. Het kwaad wenst niet gekwetst te worden door mensen die eerlijk en onomwonden de *waarheid* willen zeggen!'

Iedereen was het hiermee eens en Preacher Bob kreeg een daverend applaus. Hij wachtte tot het uitgestorven was en zei: 'En zo leven we dus in een tijd waarin de staatsmacht ons het zwijgen wil opleggen. We moeten onze mond houden, vrienden, omdat ons spreken weleens tot gewelddadige reacties zou kunnen leiden. Maar nu vraag ik jullie, is er dan nog verschil tussen de buitenlandse regimes die hun burgers monddood maken en onze eigen overheid? Zien jullie nog verschil?' Nee, de zaal zag totaal geen verschil, en Bob ging verder. 'We zijn op het punt gekomen dat onze dierbare vrijheid van meningsuiting, dat *geheiligde* artikel in onze grondwet, gereduceerd is tot een hersenschim, of in het beste geval tot een recht dat nog maar af en toe geldig is, naargelang het de politiek uitkomt. Vandaag nog, vrienden, is mij door enkele Congresleden voorgehouden dat ik vorige week met mijn rede de wet heb overtreden. Dat het mij niet is toegestaan om openlijk een presidentskandidaat te steunen, althans niet op televisie. Dat dit in zou gaan tegen de scheiding van Kerk en Staat. Ik kreeg vandaag de waarschuwing dat ik na een nieuwe steunbetuiging in aanvaring kon komen met de belastingdienst! Dan zou de belastingvrijstelling van mijn stichting, van het werk dat ik in naam van de *Almachtige* verricht, worden opgeheven. *Opgeheven!* Zo denken zij dus als volksvertegenwoordigers, als bekleders van een ambt dat hun door het volk is toebedeeld, een man te ringeloren die slechts eerlijk en principieel wenst te zijn. Welnu, ik heb nieuws voor hen, vrienden. Het volk van Amerika ziet zijn kerken niet graag ten prooi vallen aan de belastingdienst. Onze belastingvrijstelling opheffen? Laat ze het maar proberen, ik wens ze veel succes!'

De zaal ontplofte zowat. Preacher Bob beende heen en weer over zijn podium, liet het applaus over zich heen komen en ging weer verder. 'Amerikanen laten zich niet intimideren. Niet door dreigementen en zelfs niet door explosies zoals die in Kansas, vier dagen geleden. Die bom ging per ongeluk af, dat lijkt me duidelijk, en naar het beoogde doelwit kunnen we slechts raden. Maar één ding kan ik jullie zeggen, vrienden. Als die bom volgens plan was afgegaan, waren er honderden, zo niet duizenden Amerikanen omgekomen. Ze hebben het nog steeds op ons gemunt, die terroristen, dat wordt wel bewezen door die bom in Kansas. Laten we hopen dat de explosie onze volksvertegenwoordigers in Washington heeft wakker geschud, maar laten we vooral zelf tot inzicht komen. Als wij onderling verdeeld blijven, zullen we deze geduchte vijand nooit verslaan. Onze belagers komen van over de grens én uit ons midden, en we kunnen hen alleen weerstaan door als kiezers de voorkeur te geven aan mannen van stavast! Blijven we praten en sussen en knievallen maken voor onze vijanden, dan gaan we ten onder. Laat Amerika nu inzien, voor eens en altijd, wie wij zijn en waar wij voor staan!'

De zaal smulde ervan, en ik eigenlijk ook wel. Maar meer kreeg ik niet te horen, want er komt een soldaat de gang in, die het tv'tje uitzet en onder zijn arm neemt. 'Ik mocht van de luitenant tv kijken,' zeg ik tegen hem. 'De luitenant vindt dat je nu wel genoeg hebt gekeken,' zegt hij terug. En weg is hij. Dus dat was alle tv die ik gekregen had. Nog geen uur. Bij het luisteren naar Preacher Bob had ik weer zin gekregen om bij het leger te gaan en Amerika te verdedigen tegen de mensen die ons willen afmaken en in islamieten willen veranderen, maar nu de tv weer weg was, bedacht ik me hoe klote het zou zijn om onder iemand als luitenant Harding te dienen. De droom was voorbij en ik was weer gewoon een gevangene.

Ik wist niet hoe laat het was, maar de show van Preacher Bob komt altijd heel laat, dus het zou wel tegen middernacht lopen. Ik was hier bij zonsopgang aangekomen, maar daarna had ik alleen nog kunstlicht gezien dus ik wist niet hoe lang ik er al was, alleen maar dat ik intussen een ontzettende hoop ellende had meegemaakt. En ik had niets gedaan waar ik die ellende aan verdiende, behalve dat ik nogal dom was geweest, maar dat leek geen mens te geloven. Gestraft worden omdat je dom bent is niet eerlijk, maar goed, het gebeurde toch, dus ik moest het maar gewoon zien uit te houden tot iemand Chet en Preacher Bob op de hoogte stelde. Die twee zullen hun best doen om me hier weg te krijgen. Als ik het biddende type was geweest, had ik gebeden dat ze voortmaakten en me kwamen helpen voor ik door alle klappen in een vetvlek op de muur veranderde. Preacher Bob zou me nu waarschijnlijk gezegd hebben dat ik het geloof moest vasthouden, en dat deed ik ook, ik had geloof in Chet en Bob. Zij weten wat ik voor iemand ben en ze zijn altijd goed voor me geweest. Een gebed naar God zelf sturen had geen zin, want als hij al bestaat, heeft hij het veel te druk met het grote werk, voorkomen dat de sterren en planeten tegen elkaar botsen en zo. Dus ik heb alleen die twee aan mijn kant, maar dat idee is genoeg om me naakt en stinkend op mijn brits uit te strekken en mijn gezicht weg te houden van het licht en eindelijk in slaap te glijden.

ACHTTIEN

Luitenant Harding maakte me wakker, dus het was waarschijnlijk ochtend. Hij zei: 'Voor vandaag hebben we wat dingen in de buitenlucht op het programma, Deefus. Even een frisse neus halen.'

'Lekker,' zei ik.

'Nou, loop nu maar niet op de zaken vooruit,' zegt hij, maar hij zegt het met een glimlach, dus misschien valt het mee, al weet je het nooit met iemand die denkt dat je de Vijand bent.

Hij gaf me een schone overall aan, die ik aantrok, waarna ik handboeien omkreeg en een zak over mijn hoofd en door de gang werd geleid door twee soldaten die me ieder bij een arm vasthielden. Ik hoorde een deur opengaan en een paar stappen later sloeg de hitte als een oven op me neer. Ik had nog geen ontbijt gekregen, maar het kon allang niet meer vroeg in de ochtend zijn, zo heet was het. Wat we ook gingen doen, bij deze temperatuur werd het sowieso een marteling. En dat op een lege maag. Maar ik had al rekening gehouden met een tegenvaller, dus het was minder erg dan als ik Hardings glimlach had geloofd.

Mijn slippers hadden zooltjes van niks en ik voelde dat we over ruw terrein liepen. Toen de soldaten me een eindje voort hadden getrokken, zeiden ze dat ik moest neerknielen, wat ik deed, en ik voelde steenslag door de stof van de overall in mijn knieën prikken. Mijn handen waren op mijn rug geboeid en ik zag niets dan zwartheid vanwege die zak, maar het was me duidelijk dat de grond rotsig was en dat de zon zowat recht boven me stond. In de tropen is de zon ontzettend krachtig, echt een verschil met de zon thuis. Dit was een soort van slopershamer die roodgloeiend verhit was en nu keihard op mijn rug en schouders bonkte, en op mijn hoofd, waar ik niet eens een hoed op had, maar gelukkig wel die zwarte zak, dus het kon erger. Mijn tenen begonnen al te krampen door mijn knielende houding, en mijn knieën smeken me om van die scherpe steentjes af te gaan.

'We beginnen met een rustpauze,' hoor ik een van de soldaten tegen me zeggen, 'dus neem er maar even je gemak van. Niet bewegen, want dan rust je niet en dat is tegen de regels, dus dan snap je wel wat er gebeurt.'

'Oké,' zeg ik.

Hij gaf me een schop. 'Bek dicht. Je praat alleen als je wat gevraagd wordt.'

'Oké.'

Hij gaf me nog een schop, en de ander zegt: 'Traag van begrip, hè, die klootzak.'

'Oerstom is-ie. Hé, stommeling, waar staat het in de Koran dat het goed is om vrouwen en kinderen op te blazen? Geef antwoord.'

'Ik heb de Koran nooit gelezen.'

'Zo, dus je kunt niet eens lezen.'

'Wel waar, ik heb *The Yearling* zestien keer gelezen.'

Hij gaf me een schop. 'Ik vroeg je niks!'

'Ik heb een vraag,' zegt de andere soldaat. 'Hoe komt een Amerikaan ertoe om moslim te worden? Wat bezielt jullie, jou en Lowry?'

'Ik ben geen moslim geworden, en Dean ook niet. Niet echt tenminste. Hij deed maar alsof om zijn tante te pesten.'

'Moeten we dat geloven? Denk je nou echt dat je hier terecht kunt komen als je geen terrorist bent? En hoe zit het dan met Lowry, waarom denkt de hele pers dat hij Ketchum wil vermoorden als hij geen moslim is?'

'Geen idee.'

'Geen idee? Jezus, jij bent de stomste terreurmongool die we hier hebben, zeg.'

'Hoeveel hebben jullie er dan?'

Zijn maat gaf me een schop. 'We vroegen je niks!'

Ik hield mijn lippen op elkaar en bleef stilletjes zitten, met spijt dat ik niet eerst een paar flinke slokken water uit de kraan van mijn wasbak had genomen, want nu zat ik hier in die kokende zon, maar dat had ik van tevoren niet geweten, dus het was niet eerlijk om mezelf verwijten te maken. Zij hadden me moeten waarschuwen. Maar het kan ze gewoon niet schelen, want in hun ogen ben ik toch maar een terreurmongool die vrouwen en kinderen op wil blazen.

'Zeg, Deefus, die meid die gisteren geïnterviewd werd op het nieuws, die had geen hoge dunk van jou.'

Ik zei niks.

'Hé, ben je doof?'

'Nee, maar je stelde geen vraag.'

'En ik vraag net of je doof bent, stomme klootzak. Hoorde je dat soms niet?'

'Nee, daarvoor stelde je geen vraag.'

'Gaat-ie nog bijdehand doen ook... Kom op, klootzak, vertel eens waarom die meid zo op je neerkijkt. Ze zei dat je het woord terrorist niet eens kunt spellen. Waarom vindt ze jou zo'n zakkenwasser?'

En de tweede vraagt: 'Heb je haar geneukt toen jullie klasgenoten waren? Zo ziet ze er wel uit, namelijk. Als een slet die het zelfs met zo'n klootzak als jij zou doen.'

Het beviel me niet dat ze zo lelijk over Feenie spraken. Feenie had de hele wereld verteld dat ik volgens haar geen terrorist was, dus ik vond het niet gepast hoe ze haar afspiegelden.

De eerste schreeuwt in mijn oor: 'Hé, Deefus, ben je nou doof of niet?'

'Nee.'

'Nou vertel dan wat over die slet. Hield ze net zo van telefoonseks als die "verloofde" van je? Heeft ze je weleens klaargeluld, Deefus? En trouwens, waarom doet je "verloofde" het met andere kerels? Komt ze te kort bij jou? Nou? Geef antwoord, domme klootzak!'

'Rot op.'

Tja, dat was niet het goede antwoord. Ze trapten me opzij en bleven tegen me aan trappen, maar het voelde niet alsof ze er hun hele hebben en houden in stopten. Misschien begon ik al gewend te raken aan martelingen, of misschien was het gewoon veel te warm voor ze. Na een stuk of tien schoppen de man hielden ze op.

'Geef eens wat te roken,' zegt de een tegen de ander.

'Met of zonder filter?' zegt de ander, en ze lachen hun kop er zowat af, en de een zegt: 'Doe maar mijn gewone merk.'

Ik hoorde hen allebei opsteken en rook uitblazen, en ik vond het ondertussen prima dat ik op mijn zij lag en geen last meer van mijn tenen en knieën had. Die twee sukkels hebben me een grote dienst bewezen, en ze hebben het niet eens in de gaten.

'Jezus, wat haat ik het toch hier.'

'Nou, ze mogen mij ook wel overplaatsen.'

'We zouden ze allemaal af moeten maken. Dan konden we naar huis.'

'Lijkt me een uitstekend idee.'

Ze rookten nog even, en de ene zei: 'Oké, Deefus, opstaan.'

Ik werkte me overeind, en de andere zei: 'De pauze is voorbij. Wij willen graag een liedje en een dansje van je. Kun je zingen, Deefus? En dansen?'

'Nee.'

'Nou, dan zou ik het maar pijlsnel leren, goede vriend. Het kan ons niet schelen welk liedje en wat voor dansje, maar doen zul je het, en wel nu.'

'Doe het,' zegt de andere, 'of we laten je de rest van de dag met je knieën op gloeiend heet asfalt zitten, terwijl wij in de schaduw een biertje drinken.'

'Begin maar,' zegt de ene.

Ik voel er niets voor om met mijn knieën op smeltend asfalt te zitten, en zeker niet de hele dag, dus begon ik een beetje rond te hupsen en te zingen, of iets wat op zingen moest lijken, en wat ik zong was: '*I'm a little teapot short and stout, Here is my handle, here is my spout…*' Omdat ik geboeid was, kon ik mijn armen niet als een handvat en een tuit houden, dus zong ik alleen de woorden maar en hupste erbij. Ze stikten van het lachen en zeiden dat ik een geweldig talent was en dat ik door moest blijven gaan want anders, dus bleef ik doorgaan, en doorgaan, tot ik over mijn eigen voeten struikelde en een smak maakte. Ook daar moesten ze heel erg om lachen en ze staken nog maar iets te roken op, terwijl ik daar bleef liggen, wat ik allang best vond, want het was beter dan dansen en zingen.

Maar opeens zei een van hen: 'Shit, daar heb je die droogkloot.'

Ik hoorde voetstappen dichterbij komen, en de stem van luitenant Harding: 'Deze man hoort te knielen, niet op zijn zij te liggen.'

'Hij is net omgevallen, sir.'

'Deefus, sta op. Telefoon voor je.'

Ja ja, denk ik bij mezelf, dat is alleen maar weer een bandopname met vieze praatjes van Lorraine.

'Sta op, zeg ik. Telefoon.'

Ik klauterde weer overeind en hij zegt dat ze mijn boeien moeten losmaken, en toen ze dat gedaan hadden, voelde ik dat hij een opengeklapt mobieltje in mijn hand duwde. Dus er belt echt iemand, denk ik, wie zou het zijn? Ik stak het mobieltje onder de zak door en hield het tegen mijn oor.

'Hallo?'

'Odell, dit is agent Kraus. Hoe gaat het met je?'

'Gaat wel. Het is hier heet.'

'Dat zal wel, ja. Maar ik heb een verfrissend nieuwtje. We hebben het lijk van Dean Lowry gevonden.'

'Waar ik zei dat hij lag?'

'Nee, in Hays City.'

'In Hays City? Hoe is hij dáár terechtgekomen?'

'Naar nu blijkt, werd je thuis bespied, Odell. Toen je het lijk die middag opgroef en bij dat bosje populieren verstopte, werd je met verrekijkers gadegeslagen door Donnie D. en zijn zakenpartner Markus Andrew Markham, alias Marky Mark. Weleens van gehoord?'

'Nee.'

'Ze vonden het hoogst interessant wat ze je zagen doen, dus kwam Donnie diezelfde avond naar je toe om onverwacht geld te eisen, zodat hij je weg kon lokken. Toen hij jou en Lorraine naar die geldautomaat reed, had Markham alle tijd om het lijk op te graven en mee te nemen. Ze wilden de beloning voor het vinden van Dean opstrijken en jou als de moordenaar aanwijzen. Ze gingen ervan uit dat ze zelf buiten iedere verdenking zouden blijven, zowel van drugshandel als van terrorisme, maar toen we Donnie de foto's lieten zien van jullie drieën bij die geldautomaat, sloeg hij door. Je wordt weer opgehaald om verhoord te worden over de moord op Dean Lowry. Blijf je bij je bewering dat je hem vermoord en vervolgens begraven hebt?'

'Ja, maar per ongeluk!'

'De lijkschouwing heeft uitgewezen dat hij gestorven is aan de gevolgen van een klap op zijn hoofd, maar hij had een abnormaal dunne schedel.'

'Zie je nou wel, dat zei ik toch? Heeft die Marky trouwens ook gezien wie de pick-up op de oprit heeft gezet? Dat moet rond dezelfde tijd gebeurd zijn dat hij Dean opgroef.'

'Nee. Hij is naar het huis gereden, is achterom naar de droge bedding gelopen om het lijk te halen en kon weer ongehinderd wegrijden, dus de truck kan toen nog niet op de oprit hebben gestaan. Misschien is hij er een paar minuten later neergezet, wie weet, maar Markham heeft niets gezien. Maar nu iets anders. De telefoontjes die je gehad zegt te hebben van ene agent Jim Ricker, blijf je ook bij die bewering?'

'Natuurlijk, hij heeft me meerdere keren gebeld.'

'We hebben namelijk nog eens grondig onze taps van je mobiele gesprekken geanalyseerd, en daarbij zijn we toch op enkele onregelmatigheden gestuit.'

'Ik had het abonnement vooruitbetaald, vraag maar na in die winkel. Ik betaal geen cent meer!'

'Nee, ik bedoel afwijkingen in het geluidsmateriaal. Kleine, onverklaarbare storingen. Het lijkt er toch op dat iemand een scrambler heeft gebruikt die wij nog niet kennen. Daar moeten we het ook nog maar eens over hebben. Hoe word je daar behandeld?'

'Gaat wel.'

'Mooi. Enfin, ik wilde je dus laten weten dat we jouw lezing alsnog op hoofdpunten aanvaarden. De aanklacht wordt van terrorisme omgezet in moord. Gefeliciteerd.'

'Dank u wel.'

'Geef me nu die officier maar weer.'

'Agent Kraus? Zijn de klachten tegen Lorraine nu opgeheven omdat ze heeft meegespeeld in die namaakontsnapping? Daar zou ik het wel mee eens zijn, namelijk, want ik heb geen wrok tegen haar. En is het waar dat Chief Webb dingen met haar gedaan heeft toen ze nog, eh, te jong was? Dat vertelde ze toen ze me zogenaamd hielp ontsnappen, dat ze het daarom deed, om hem terug te pakken. Ze zei het misschien alleen maar om het echter te laten lijken, maar het kan ook gewoon waar zijn. Het gaat me wel niet aan, eigenlijk, maar ik ben nieuwsgierig.'

'Het onderzoek is nog niet afgerond, dus daar doe ik verder geen mededelingen over. Geef me die officier maar weer even.'

'Tegen Donnie D. heb ik ook geen wrok. Hij was bezorgd voor Dean, denk ik.'

'Odell, geef het toestel aan die officier.'

'Oké, dag.' Ik haalde het mobieltje onder de zak vandaan en hield het omhoog. 'Voor u, luitenant.'

Hij pakte het aan en het bleef even stil, dus hij luisterde waarschijnlijk, en toen zei hij: 'Begrepen.'

Ik hoorde het mobieltje dichtklappen en Harding zegt: 'Breng hem naar binnen.'

En dat deden ze, en binnen werden de boeien en de zak weggehaald en ik kreeg te horen dat ik een douche mocht gaan nemen, wat ook echt gebeurde en heerlijk was. Ze gaven me mijn kleren terug en mijn sneakers, en zelfs het geld. En daarna kwamen ze me in mijn cel een ontbijt brengen van eieren met spek en krentenbrood en wafels plus koffie. Van een waardeloze terreurmongool ben ik opeens een soort van vip geworden, en het leek me duidelijk dat ik dit aan agent Kraus te danken had.

Een uurtje later kwam kapelaan Turner de bijbel brengen die hij beloofd had. Hij keek heel verrast toen hij me in mijn gewone kleren zag zitten, en zonder de oranje overall. Hij zegt: 'De luitenant zei dat je deze bijbel niet echt meer nodig zou hebben, maar hij zei niet waarom. Is er iets veranderd in jouw situatie?'

'Ik ga naar huis.'

'Werkelijk? En wat mag daar wel de reden voor zijn?'

'Mijn beschuldiging is geen terrorisme meer maar moord.'

'O.'

'En ik denk dat ze dat nog wel verder zullen verlagen in doodslag, want het was geen opzet. Dat zal ik ze nog eens goed uitleggen en dan komt het wel voor elkaar.'

'Ik begrijp het... Dus deze hier heb je echt niet meer nodig?' Hij hield de bijbel omhoog. Hij zag er gloednieuw uit, de bijbel bedoel ik.

'Nee. Nu ze me geen terrorist meer vinden, geloven ze vast ook niet meer dat ik een moslim ben.'

'Maar was dat dan je enige reden om de bijbel te vragen? Dat je dan minder op een moslim zou lijken?'

'Ja.'

Hij keek een beetje teleurgesteld. 'Maar je vertelde me dat je een afvallige christen was.'

'Welke soort is dat? Ik hoor geloof ik een piskopaal te zijn. Dat was mijn moeder tenminste toen ze nog jong was, maar mijn vader heeft het toen uit haar hoofd gepraat.'

'Het is nooit te laat,' zegt hij, en hij steekt de bijbel door mijn tralies heen, dus ik wilde niet onbeleefd zijn en pakte hem aan. Ik wierp er even een blik in om te zien of er plaatjes in stonden. Als kind herinner ik me een bijbel met plaatjes van Jezus met lang geel haar en hemelsblauwe ogen. Hij zag eruit als een Viking met een badhanddoek om. Maar deze had geen plaatjes.

'Dank u wel,' zei ik tegen hem. Ik zie hem naar mijn opgezwollen gezicht kijken en voel dat hij daar iets over vragen wil, maar hij houdt zijn mond. Ik zeg: 'Heeft u al met Preacher Bob gebeld?'

'Preacher Bob? Nee, ik dacht eerlijk gezegd dat dat een grapje van je was.'

'O, nou, het maakt niet uit want ik ga nu toch naar huis. Ik kan nog steeds naar die grote gebeurtenis in Topeka, die hij georganiseerd heeft voor de vierde juli.'

'Daar heb ik over gehoord, ja. Het belooft een groots spektakel te worden. Welnu, ik wens je het allerbeste. En verdiep je in dit boek. Het zal je leven ingrijpend veranderen.'

Dat leek me inderdaad waarschijnlijk. Deans koran had ook een grote verandering in mijn leven gebracht, terwijl ik er niet één woord van gelezen had. Die godsdienstige boeken zijn niet voor de poes. Hij gaf me heel vriendelijk een hand en ik zei: 'Kunt u de luitenant even vragen of ik deze cel uit mag nu ik geen terrorist meer ben? Ze hebben niet gezegd wanneer ik terugga.'

'Ik zal het vragen,' zegt hij, en weg is hij.

Tien minuten later kwam Harding voor mijn tralies staan. Hij zegt: 'Je mag vanavond pas je cel uit, als je wordt opgehaald voor je vlucht naar de States. Tot die tijd moet je blijven waar je bent. Dit is een militair complex, dus burgers mogen hier niet rondlopen.'

'Een paar weken geleden was ik nog van plan om militair te worden.'

'Je meent het. Tja, dat idee zou ik laten varen, Deefus. Ben je niet geschikt voor.'

'Eh, waarom niet?'

Hij keek me een poosje aan en zei: 'Je bent gewoon te raar. We krijgen hier wel vaker rare gasten en die hebben we dan snel genoeg in het gareel, maar jij... ik weet niet. Zet het leger nou maar uit je hoofd. Neem lekker een gemeentebaantje ergens, als vuilnisman of zo. Een beter advies kan ik je niet geven.'

'Nou, dank u wel dan, ik zal erover nadenken.'

'En als ik jou was, zou ik me niet meer met moslims inlaten. Je hebt gemerkt dat je daar een hoop gelazer door kunt krijgen.'

'Ja, bij moslims blijf ik uit de buurt.'

'Wil je het tv'tje weer? Dan gaat de tijd misschien wat sneller.'

'Oké.'

Hij liep weg. Na het telefoontje van agent Kraus was hij een stuk aardiger. Dat was net zo'n telefoontje geweest als wanneer je gebeld wordt dat je de loterij hebt gewonnen of zo. Het had alles veranderd, en ik nam me voor om Kraus heel hartelijk te bedanken als ik hem terugzag. Ja, zo'n overgang van terrorist naar gewone crimineel was inderdaad net alsof je de loterij had gewonnen.

Het tv'tje werd gebracht door Fogler, die een grote rode striem op zijn keel had van de knuppel. Hij draaide de deur van het slot en duwde het toestel in mijn handen en zei: 'Je bent hier nog niet weg, mannetje. Vanavond pas.'

'Weet ik.'

'Dus er is nog tijd genoeg,' zegt hij.

'Voor wat?'

'Daar kom je wel achter,' zegt hij.

Het was duidelijk dat hij me ergens bang voor wilde maken, ook door het dreigende gezicht dat hij trok. Dat pik ik niet van een sukkel als Fogler, dus ik zeg: 'Oké,' en ik kijk hem vuil aan. Hij keek net zo vuil naar me terug en liep weg.

Ik zette het tv'tje aan, maar op dit uur van de dag zijn er alleen maar soaps en dat soort rommel, dus zette ik het maar weer uit en bedacht me dat dit misschien een moment was om toch de bijbel maar eens in te kijken, wat volgens veel mensen goed is voor je ziel. Ik sloeg hem zomaar ergens open en begon te lezen. Maar ik kwam niet ver. Het moet een boek voor hoogbeschaafde mensen zijn, want ik kon er om de paar woorden geen touw meer aan vastknopen en moest dan weer helemaal overnieuw beginnen. Op een gegeven moment kwam ik bij een stukje waar ik wel tien minuten mijn hersens op brak en ik snapte er steeds minder en minder van en gaf het uiteindelijk maar op. Dit gaf me het gevoel dat het klopte wat er vaak gezegd wordt en dat ik inderdaad achterlijk was, wat me nogal treurig maakte, terwijl het niet eens mijn schuld is want zo ben ik nu eenmaal en daar heb ik niet zelf voor gekozen.

Ik verlegde mijn gedachten naar het leeggooien van vuilnisbakken, maar dat maakte mijn treurigheid alleen nog maar erger. Dan kon ik misschien nog beter teruggaan naar de graansilo als dit allemaal achter de rug is en ik vrijkom. Of misschien kom ik niet vrij en wordt mijn volgende vak het naaien van postzakken in de gevangenis, of nummerborden maken, want dat soort werk doen ze daar. Dit maakte me helemáál treurig. Maar kom op, ik kon altijd nog een baantje als bordenwasser krijgen, want daar heb je alleen maar twee handen voor nodig. Maar niet in Callisto, o nee, in die ongeluksplaats had ik niks meer te zoeken. Vooral niet omdat ik Lorraine nooit meer tegen het lijf wilde lopen. Niet na wat ik aan de weet was gekomen over haar en Cole Connors, en over haar en Andy Webb, als dat waar was. Maar vooral haar en Cole. Voor Lorraine zat mijn hart nu potdicht op slot. Niet dat het haar ook maar iets interesseerde wat ik voelde. Allemaal schone schijn, die vrouw.

Voor mijn lunch kreeg ik kip in het mandje. Bijzonder smakelijk en meer dan genoeg. Toen ik mijn buik ervan vol had, voelde ik me een heel stuk opgebeurd en vroeg ik me af of ik hier ook nog avondeten zou krijgen of in het vliegtuig. Ik wilde het liefst weer in Amerika zijn. Hier vond ik het niks, kip of geen kip. Ze hadden me hier veel te vaak geslagen om het nog naar mijn zin te hebben. Ik besloot een dutje te gaan doen om mijn gemiste slaap van gisteren in te halen, toen slapen er nauwelijks van gekomen was met al die martelingen. Want het waren echt martelingen geweest, niets meer en niets minder. Ik had altijd gedacht dat marteling een kerel in een zwart gewaad met een puntmuts was, die puntige ijzers in het vuur hield tot ze gloeiden en er dan je ogen mee uitstak, of dat je tussen twee paarden uit elkaar werd getrokken of zo. Maar dat was waarschijnlijk de ouderwetse vorm. Tegenwoordig vonden ze het te veel werk om ijzers te verhitten, zeker in een klimaat als dit. En het liet bovendien littekens achter. Iemand in elkaar slaan met bokshandschoenen was veel beter, want het doet ontzettend pijn en geeft enorme zwellingen, maar na een paar dagen is alles weggetrokken en kraait er geen haan meer naar. Heel slim.

Het werd me het dutje wel, want toen ik wakker werd, kreeg ik gelijk avondeten. Een steak! Ik vroeg me af of dit speciaal voor mij was, een manier om 'sorry voor het martelen' te zeggen, of dat de soldaten altijd zo verwend werden. Hoe dan ook, ik liet hem goed smaken en keek daarna naar het nieuws op tv, maar er was niks over mij of over de ontdekking van Deans lijk. Wel veel over de verkiezingen, en de partijen maakten elkaar weer ouderwets voor rotte vis uit. Ik heb zelf nog nooit gestemd, maar als Preacher Bob zegt dat senator Ketchum de beste keus is, dan moest ik maar op hem gaan stemmen. Ten eerste omdat het wel het minste zou zijn wat ik voor Bob terug kon doen na al zijn vriendschap, en ten tweede omdat Bob volgens mij meer verstand van politiek had dan ik, wat zelfs wel zeker was, want volgens mij heeft iedereen er meer verstand van dan ik. Soms moet je gewoon van het oordeel uitgaan van iemand die slimmer is dan jij, en dat leek me hier duidelijk het geval, dus zag het ernaar uit dat ik voor het eerst van mijn leven aan politiek zou meedoen, wat eigenlijk iedereen zou moeten doen die stemrecht heeft. Er zijn landen waar je niet eens mág stemmen en daar zit je dan je hele leven met dezelfde criminele klootzakken op je dak, dus onze manier is veel beter.

Om een uur of half negen kwam luitenant Harding met twee soldaten naar mijn cel om me uit te leiden. Harding zegt: 'Deefus, niemand is ooit zo kort onze gast geweest als jij. Om de zaak netjes af te ronden wil ik graag dat je dit tekent.' Hij geeft me een papier aan met de tekst dat ik hierbij verklaar goed te zijn behandeld gedurende mijn hechtenis.

'Goed behandeld? Jullie hebben me verrot geslagen,' zei ik.

'Dat was een misverstand als gevolg van een communicatiestoornis. Wij wisten niet beter of je was een terrorist. En je zult met me eens zijn dat terroristen nog wel erger verdienen dan een paar tikken, toch?

Als Amerikaan wil jij toch ook dat de strijdkrachten kordaat optreden om de bevolking tegen terreur te beschermen?'

'Eh, ja.'

'Nou dan, dat is precies wat wij hier doen. Het was gewoon een misverstand, dus teken dit maar even.'

Hij stak me een pen toe. Ik keek ernaar, en toen naar het papier, en toen naar Harding.

'Maar ik ben geen terrorist. Ik ben een onopzettelijke moordenaar.'

'Precies, en daarom hebben we jou lang niet zo hard aangepakt als vele anderen hier, en daarom mag je nu ook alweer weg. Wees nou maar blij dat je bij ons te gast bent geweest en niet bij een buitenlands leger. Die zijn meedogenloos bij dit soort misverstanden. In het buitenland blijven ze je net zolang mishandelen tot je alles bekent wat ze je in je schoenen schuiven. Gelukkig voor jou ben je bij ons terechtgekomen. Dus teken hier nou even, en dan ben je vrij man.'

Ik nam de pen aan maar tekende nog steeds niet. Het leek me ergens toch niet juist.

'Er staat een vliegtuig op je te wachten, Deefus. Een vliegtuig dat hier speciaal voor jou naartoe is gestuurd. Heb je enig idee wat dat kost, een vlucht van Miami naar ons en weer terug? Duizenden dollars, Deefus, opgebracht door de Amerikaanse belastingbetaler. En dan zwijg ik nog van de tijd en de inspanning die wij aan jou hebben besteed terwijl we ons met echte terroristen hadden kunnen bezighouden. Dus verspil niet nóg meer kostbare tijd, Deefus. Teken.'

Dus tekende ik. Maar heel krabbelig en nauwelijks leesbaar. En ik schreef Odouell Derfuse, zodat het niet legaal was. Harding keek er heel snel naar en was tevreden.

'Blinddoek,' zegt hij.

Een van de soldaten blinddoekte me en ik werd naar buiten geleid en achter in een Humvee naast een andere soldaat gezet, en toen reden we weg, tot mijn grote blijheid, al zag ik geen steek voor ogen. De rit duurde langer dan toen ik hier gekomen was, dus we namen waarschijnlijk een andere weg, maar uiteindelijk rook ik die typische vliegveldlucht van kerosine en hoorde ik helikopterlawaai. De Humvee stopte.

Ze haalden me eruit en voerden me mee over glad asfalt tot een soldaat zei dat we er waren en mijn voet de rand van iets hards raakte, dus dat zou de vliegtuigtrap wel zijn. De andere soldaat zegt in mijn oor: 'Tot kijk, Doofus,' en hij stompt me zo hard in mijn maag dat ik dubbelvouw. Ik herkende die stem. Het was Fogler.

'Wat is daar aan de hand?' roept iemand anders.

'De gevangene struikelde, sir.'

'Breng hem boven.'

Ze voerden me mee een metalen helling op, dus geen treden zoals je verwacht bij een vliegtuigtrap. Het zal wel een laadklep zijn. Ik word in een stoel neergeplant, met mijn blinddoek nog om, en ze doen leren banden om mijn polsen en enkels. 'Voorzorgsmaatregel,' zegt een nieuwe stem. 'We willen je heelhuids afleveren, dus we zetten je liever even vast. Die blinddoek gaat af als we straks zijn opgestegen.'

'Oké.'

Ik hoorde nog ander gepraat en opeens is er het geluid van hydraulische kabels als de laadklep omhooggaat en de vliegveldgeluiden worden afgesneden. Dus ik neem aan dat ik in zo'n groot c-130 transporttoestel zit, die ik van de tv ken. De enige geluiden die ik nu nog hoorde kwamen van binnen en klonken hol, alsof er een hoop lege ruimte om me heen was. De motoren gingen aan, en wat maakten ze een herrie! Het geluid zwol op tot een soort van brullend gefluit en we kwamen in beweging. Ik kon nog steeds stemmen horen, maar nu nog maar nauwelijks omdat er zoveel herrie was. We reden steeds sneller, stopten en draaiden met een zwiep om, waarna de motoren nog veel harder begonnen te gillen en we vooruitzoefden met trillingen die ik dwars door mijn stoel voel komen. Het was een totaal verschillende ervaring van mijn vliegtocht hiernaartoe, toen we in een piepklein toestelletje zaten, maar net zo leuk en opwindend. We kwamen los en gingen een minuut of tien omhoog, en vervolgens rechtuit met de motoren in een lagere versnelling.

Er kwam iemand naar me toe die de blinddoek afdeed. Het is een man in een vliegeniersoverall met een helm op. Hij roept boven de motoren uit: 'Geen film! Geen maaltijd! Geen drankjes!'

'Oké!'

'Geniet ervan!'

'Kunt u deze losmaken?' vroeg ik met een knik naar de leren banden.

'Mag helaas niet! Voorschriften!'

En weg was hij weer, en ik blijk als enige in een groot laadruim met gebogen wanden te zitten, met hier en daar een heel zwak lampje, dus het lijkt wel alsof ik in een grote metalen grot zit, maar dan met een hoop brullende herrie om me heen. Er zijn geen ramen om door naar buiten te kijken, dus ik kan niks anders doen dan zitten en voelen hoe alles schudt en schokt. Ik kan vaag de stemmen van de twee piloten horen, dus ze zitten niet achter een dichte deur zoals in een passagiersvliegtuig. Ik ga naar Miami, heeft Harding gezegd. Nou, daar ben ik nog nooit geweest, dus dat is wel leuk.

Ik weet haast wel zeker dat Kraus en Deedle me daar opwachten om me vast te nemen, want ik heb natuurlijk nog steeds het probleem dat ik Dean heb doodgeslagen, wat geen goed nieuws is, al weten ze gelukkig wél dat Dean maar een schedeltje als een eierschaal had, dat dus heel makkelijk brak. Dit heet een verlichtende omstandigheid, wat een dure naam is voor iets wat per ongeluk gebeurd is en niet met opzet is gedaan. Hopelijk betekent het dat ze me niet te zwaar veroordelen. Misschien kan ik Feenie Myers bellen, of ze mijn karaktergetuige wil zijn, wat ze ook al op het nieuws is geweest toen ze zei dat ik geen terrorist kon zijn. Als ze die neusring uitdoet en haar haar een beetje kamt, zal de rechtbank haar waarschijnlijk wel geloven. Iemand anders om te helpen kon ik niet bedenken. Het is soms knap lastig om geen vrienden te hebben.

Ik heb geen idee hoe lang we al in de lucht waren toen die man in de overall weer naar me toekwam, met een koptelefoon plus snoer in zijn hand.

'Telefoon voor je,' zei hij. Hij stak de aansluitplug van het snoer ergens achter me in de wand en zette de koptelefoon op mijn hoofd, waarna hij een stangetje met een microfoon voor mijn mond draaide en weer wegliep. Ik hoorde alleen maar ruis.

'Hallo?' probeer ik.

Ik neem aan dat het agent Kraus is om te vragen hoe het gaat, en misschien heeft hij nieuwe berichten over de vooruitgang van het onderzoek zoals dat heet.

'Hallo?'

De ruis trok weg en er komt opeens heel duidelijk een stem door. Maar niet die van Kraus.

'Odell?'

'Ja?'

'Jim Ricker hier. Versta je me?'

'Ja…'

'Ze hebben je daar flink door de mangel gehaald, heb ik gehoord. Heb je nog een verklaring moeten ondertekenen dat je correct behandeld bent?'

'Ja.'

'Tja, zo doen ze dat. Zit er maar niet over in, je bent ervanaf en dat is wat telt.'

'Eh, ja.'

'Dit is een privégesprek, Odell. Zelfs de mannen in de cockpit kunnen dit niet horen, oké? Dit is puur tussen jou, mij en mijn kleine vogeltje. Ik kan je melden dat alle aanklachten tegen jou zijn vervallen. Niet alleen die van terrorisme en samenzwering tot het plegen van een aanslag, maar ook die van drugshandel en die van moord dan wel doodslag. Alles is van de baan. Dat heb ik net hoogstpersoonlijk vernomen.'

'Maar… hoe kan dat?'

'Ik zal je even bijpraten. Laat ik beginnen met de brief die je aan Condoleezza Rice schreef, weet je nog wel? Die werd de FBI toegespeeld door de man die Deans pick-uptruck had gestolen. Hij zag je brief op het dashboard staan en werd nieuwsgierig toen hij zag wie de geadresseerde was. Deze man, zijn naam hoef je niet te weten, is een professionele autodief, iemand die auto's steelt op bestelling. Hij leverde de truck af aan de mensen die hem daarvoor betaald hadden, maar de brief drukte hij achterover. Toen hij hem gelezen had, bood hij hem de FBI aan om in aanmerking te komen voor de beloning die voor het vinden van Dean was uitgeloofd. Dat zette de machinerie in gang. Kun je het volgen, Odell?'

'Jawel.'

'Toen Deans lichaam niet op de plek bleek te liggen die jij in je brief beschreef, waren de federale jongens hevig in je teleurgesteld. Alles wat je daarna nog zei, werd gewantrouwd. Ze zetten een ontsnapping voor je in scène, maar dat had je door en je stuurde de vluchtwagen een andere kant op. Wat je niet doorhad was dat ze daar rekening mee hadden gehouden en je doodleuk bleven volgen. Maar ze merkten al snel dat je als een kip zonder kop in het rond rende. Als je al terroristen-vriendjes had, dan had je geen idee waar je ze bereiken kon. Dus pakten ze je weer op en leverden je uit aan mensen die je dan maar op de pijnbank moesten leggen om de waarheid er bij je uit te krijgen. Wat dus pure tijdverspilling bleek, en dat had ik ze ook wel kunnen vertellen. Kun je me nog steeds volgen?'

'Ja.'

'In de tussentijd werd de autodief ook opgepakt, ik laat in het midden door wie, en stevig aan de tand gevoeld. Hij sloeg door en gaf de naam prijs van zijn opdrachtgever, de man die hem de truck had laten stelen. En wie denk je dat dat was?'

'Ik, eh… geen idee.'

'Stel jezelf dan eens de volgende vraag, Odell. Waarom zei Chet Marchand dat je je mobieltje in de truck moest laten liggen toen je naar die begrafenis van tante Bree ging?'

'Nou, eh, dan kon het niet afgaan tijdens de plechtigheid.'

'Odell, als je niet wilt dat zo'n rotding overgaat, zet je het gewoon uit. Hij wilde dat je het in de truck liet liggen zodat ze het als ontsteker konden gebruiken voor de bom die hun mensen hadden geplant. Het was hun bedoeling om een aanslag met die truck te plegen. En na die aanslag zouden de forensische onderzoekers fragmenten van dat mobieltje vinden. En dat leidde dan naar jou, de vriend van Dean Lowry, moslimterrorist. Want op dat moment dacht iedereen nog dat hij dat was. Nu denkt niemand het meer, althans niemand bij de politie of de FBI of welke dienst dan ook. Nu weet iedereen dat Dean Lowry gewoon een halve gare was die op kleine schaal in drugs handelde.'

'Maar… waarom zou Chet mij op willen blazen?'

'Chet had de taak een zondebok te vinden, iemand die ze de schuld in de schoenen konden schuiven voor een terreuraanslag. Daarom kwam hij naar Callisto om met Dean te praten. Deans tante had namelijk een brief aan Preacher Bob geschreven, waarin ze klaagde dat hij met de islam koketteerde, en dat maakte hem een ideale kandidaat. Chet moest met hem aanpappen, zodat ze zijn truck konden gebruiken voor een aanslag. Nu wilde het toeval dat jij hem net naar de eeuwige jachtvelden had geholpen, maar dat wist Chet natuurlijk niet en hij papte met jou aan in de veronderstelling dat jij Dean was. En toen hij vervolgens tot de ontdekking kwam dat Dean spoorloos verdwenen was, vergaf hij je graag je leugentje en ging met jou verder. Hij vond jou namelijk nog beter geschikt. Een onbenul die niemand kende en met wie hij dus vrijelijk zijn gang kon gaan.'

'Chet...?'

'Jazeker, Chet Marchand, de sympathieke, diepvrome assistent van Preacher Bob. Tel één en één maar bij elkaar op, Odell. Bob Jerome wil Leighton Ketchum in het Witte Huis, maar de puinhoop in Irak heeft het land diep verdeeld en de meeste mensen twijfelen of we daar nog iets te zoeken hebben. Dus wat heeft Bob nodig om de kansen voor de senator op te schroeven? Een tweede 11 september, om de mensen weer goed boos te maken. Om ze op de senator te laten stemmen die de harde lijn voorstaat. Waarom denk je dat je werd uitgenodigd voor die 4 juli-manifestatie in Topeka? Daar moest de bom afgaan, Odell. Maar helaas, je kwam op het lumineuze idee om je eigen mobieltje te bellen zodat je het terug kon vinden en *boem*... Bobs terreurplan lag aan gruzelementen. Het zal de opzet zijn geweest dat er tot de vierde juli niet meer naar dat mobieltje gebeld werd. Maar jij deed dat dus zelf. Een daarmee heb je honderden, misschien wel duizenden slachtoffers voorkomen.'

'Echt waar?'

'Echt waar. Je bent een held, Odell. Een anonieme held, maar niettemin een held. Jerome en Marchand ontkennen elke betrokkenheid, en een aanklacht is bij voorbaat kansloos omdat er alleen maar indirect bewijs is. Ketchum zal ook buiten schot blijven, hoewel zijn telefoonverkeer met Topeka de indruk wekt dat hij weet had van het complot. Maar hij zal zijn campagne zonder die aanslag moeten voeren, wat me niet bevorderlijk lijkt voor zijn kansen. En hij weet bovendien dat wij hem doorhebben, wat me niet bevorderlijk lijkt voor zijn gemoedsrust. En dat allemaal dankzij jou, Odell. Je hebt een slachting voorkomen waarbij Oklahoma City in het niet zou zijn gevallen. Proficiat.'

'Ik...'

'Maar luister nu even goed. Alles wat ik je verteld heb is strikt vertrouwelijk. Het moet dus allemaal geheim blijven, snap je? Ik had het jóú niet eens mogen vertellen, maar je bent een goeie knul en ik wil niet dat je in het duister blijft tasten. Hoe dan ook, dit gesprek heeft nooit plaatsgevonden. In zekere zin vindt het ook echt niet plaats, want geen mens ter wereld kan het onderscheppen en registreren. Maar je moet me evengoed geheimhouding beloven. Vertel niemand ooit over Chet Marchand of Preacher Bob of Leighton Ketchum. Nooit. Beloof me dat, Odell. Beloof het me nu.'

'Ik… beloof het.'

'Je moet ook goed beseffen dat je het lelijk voor jezelf zou verpesten als je loslippig werd. Net nu je niet langer van moord kan worden beschuldigd. Dean Lowry is officieel vermist verklaard, Odell. Officieel leeft hij nog en wordt hij nog steeds gezocht, terwijl we zijn lijk allang vernietigd hebben. Er is Donnie D. en Marky Mark wat geld toegestopt en ze hebben te verstaan gekregen dat ze Kansas onmiddellijk en voor altijd moeten verlaten. Vertellen ze ooit wat ze weten, en ze weten nog geen fractie van wat jij nu weet, dan worden ze geëlimineerd, en daar zijn ze heel goed van doordrongen. Jouw ondeugende vriendin en haar minnaar-en-collega zijn van alle verdenkingen vrijgesteld, onder de uitdrukkelijke voorwaarde dat ze hun mond houden. Zoek geen van beiden ooit nog op, Odell. Dit is het compromis dat mijn bazen hebben uitgewerkt. Zij hadden Ketchum ook graag in het Witte Huis gezien, maar die zal het nu zonder Preacher Bob moeten rooien, want neem van mij aan dat Bob zich de komende maanden gedeisd houdt. Zolang het publiek blijft geloven dat Dean een voortvluchtige Amerikaanse moslimboeman is, heeft Ketchum misschien nog een kansje, maar ik denk zelf van niet. Volgens mij kan de senator het wel schudden. Sneu voor hem, maar zo gaan die dingen. En jij, jij bent zo vrij als een vogeltje. Zolang je blijft onthouden dat niets van dit alles is gebeurd. Wat jij nu moet doen is heel ergens anders heen gaan en daar in alle stilte een rustig leventje opbouwen. Zoek een leuk klein stadje en neem er een simpel baantje en houd je kiezen op elkaar. Waar je ook heen gaat, wij zullen weten waar je bent. Er waren hier mensen die je wilden elimineren, maar dat heb ik tegengehouden. Laat me daar geen spijt van krijgen, Odell.'

'Ik, eh… dat beloof ik.'

'Mooi zo. Heel verstandig. Verder nog vragen?'

'Eh, nee…'

'Je krijgt nog één laatste boodschap van de overheid en dan is alles voorbij.'

'Een boodschap?'

'Het ga je goed, Odell. Je bent een held. Jammer dat niemand dat ooit zal weten.'

'Eh… Jim?'

'Ja?'

'Voor, eh… voor wie werk jij nu eigenlijk? Agent Deedle zei dat er bij Homeland Security geen Jim Ricker werkte. Loog hij dat?'

'Ken je de uitdrukking "een raderwerk binnen het raderwerk"?'

'Nee.'

'Nou, misschien bestaat die uitdrukking ook wel niet, maar onthoud de woorden toch maar. Op een dag zul je ze misschien begrijpen.'

'Maar… voor wie werk je nou?'

'Voor de goeien,' zegt hij.

En toen een klik en mijn oren zijn weer vol ruis. Een minuutje later kwam de man met de helm de koptelefoon weghalen. 'Is dat gesprek nu doorgekomen?' vroeg hij. 'Wij konden voorin geen moer horen.'

'Nee, het… Ik hoorde zelf ook alleen maar ruis.'

'Pech. Misschien proberen ze het opnieuw.'

En weg was hij, en ik zat weer naar de wand tegenover me te kijken, en aan alles te denken wat Jim Ricker me verteld had. Ik deed vurig mijn best om het allemaal te geloven, want als het waar was, dan verklaarde het een hoop dingen, min of meer. Dan was ik per ongeluk in een Boze Opzet terechtgekomen terwijl ik zelf niks in de gaten had. Ik heb ooit een stomme film gezien waarin iemand door een dorp liep dat helemaal in de vernieling werd geblazen door een wervelstorm. En wat er ook omviel of naar beneden kwam, hij kreeg het steeds net niet op zijn hoofd, puur door stom geluk. Hartstikke grappig. En nu was ik zelf de ster van die film, een stomme geluksvogel. Maar toch, het was me nogal wat, wat Jim Ricker me allemaal verteld had, en ik kon het maar met moeite door mijn keel krijgen. En wat zou die laatste boodschap van de overheid worden? Er werd me geen koptelefoon meer gebracht, dus ik kreeg het waarschijnlijk in Miami te horen.

Ik zat nog steeds te denken toen de man met de helm en de overall weer naar me toekwam, samen met een andere man in dezelfde kleding. Ze hadden moersleutels bij zich en begonnen de bouten los te draaien waarmee mijn stoel aan de wand vastzat. Ze zeiden niks, stonden alleen maar te sleutelen, dus vroeg ik het ten slotte zelf maar. 'Wat doen jullie?'

'Een bevel uitvoeren,' zei een van hen.

Ze tilden mijn stoel op en droegen me helemaal naar de achterkant van het vliegtuig, waar de laadklep was, en zetten me daar weer neer en begonnen aan de achterkant van mijn stoel te prutsen, zonder dat ik kon zien wat ze deden. Ik kreeg van achteraf een hele brede riem om mijn middel, die ze stevig vastmaakten, waarna ze de banden om mijn polsen en enkels controleerden. 'Wat doen jullie?' vroeg ik nog maar eens, maar nu kreeg ik helemaal geen antwoord meer.

Ze gingen aan weerskanten van de laadklep staan en deden tuigjes om die met lijnen aan het plafond vastzaten, zoals je weleens op tv ziet als er wordt parachutegesprongen. Daarna ging een van hen op de knopjes van een controlepaneel staan drukken, en ondanks de motoren hoorde ik het geluid van de hydraulische kabels en zag ik de laadklep opengaan. Ik wist al dat dit in volle vlucht kon, omdat ik het gezien had in een documentaire over mariniers die voor een geheime missie uit een c-130 sprongen.

Het duurde lang voor hij helemaal omlaag was, en de wind die naar binnen kwam werd steeds sterker en lawaaiiger, waar de herrie van de motoren nog bij kwam, dus horen en zien vergingen me. Zoals ik al eerder heb gezegd, is mijn haar heel kort, maar ik voelde het toch om mijn hoofd heen wapperen terwijl ik naar de nachthemel keek, die vol met sterren en het licht van de maan was, heel erg mooi.

De twee mannen kwamen bij me staan en pakten mijn stoel beet, die als een gek stond te wiebelen in de huilende wind. Een van hen duwt zijn mond tegen mijn oor en schreeuwt: 'Dit is ons opgedragen! Het is niks persoonlijks, oké?'

Ik had geen idee wat hij bedoelde. Ze begonnen aan mijn stoel te trekken, wat vast heel zwaar was met al die wind, en schoven me naar de rand van de opening, zodat ik nog meer van het uitzicht kreeg te zien, wat echt prachtig was, maar ook wel een beetje eng, en eerlijk gezegd steeds enger, want op een gegeven moment stonden we op de laadklep zelf, met niets dan lucht boven en opzij van ons, en het lawaai was nu echt vreselijk. Een achtbaan was er niks bij en aan het bonken van mijn hart kon ik voelen dat ik doodsbang werd, want als ze mijn stoel zouden loslaten, vloog ik zomaar van die laadklep af! Het was beter geweest als ze mij ook een veiligheidslijn hadden gegeven.

'Oké!' schreeuwde ik. 'Schuif me nu maar terug!'

Maar ze schoven me juist de andere kant op, naar het einde van de laadklep! Helemaal naar het randje! Beneden ons lijkt de zee op rimpelig zilverpapier en nu bonkt mijn hart als een kudde olifanten die op hol zijn geslagen. Dit moest het gevoel zijn wat gevangenen van piraten vroeger kregen als ze met een sabel in hun rug over de loopplank werden gedwongen, al hoefde ik dus niet te lopen omdat ik werd geschoven, maar het drong tot me door dat er verder geen verschil was, want dit was geen pretparkbehandeling, ze gingen me echt... overboord zetten. Als piraten dit doen, liggen er onder water altijd haaien op de loer, maar voor mij zijn haaien geen probleem want ik ga zo diep vallen, een kilometer wel, dat ik als een tomaat uit elkaar spat als ik het water raak.

Dus dit is de boodschap van de overheid: pech gehad, sukkel, je weet te veel!

En toen duwden ze me over de rand...

De motoren gilden het uit en begonnen meteen te vervagen terwijl ik wegviel van het vliegtuig, een zwarte vlek tegen de sterrenhemel. Ik buitelde om en om en zag nu weer de zee en dan weer de lucht en in mijn hoofd had ik nog maar één gedachte. Nu ga ik dood.

Ik ga dood.

Een keiharde klap rukte me bijna dwars door de riemen heen de stoel uit. Ik draaide rond maar viel niet meer. Bij elke rondgang zie ik iets kronkelen tussen mij en het vliegtuig, dat nu heel ver weg is, en ik krijg langzaam door wat het is. Een kabel. Een kabel waarmee ik aan het vliegtuig vastzit. Ze willen me niet dood laten vallen. Ze willen me laten doodgaan van angst. Of misschien willen ze me valse hoop geven en laten ze toch nog los en val ik toch nog te pletter. Ik was nog nooit zo bang geweest. Mijn mond ging open en er spoot braaksel uit. Alles ging open en ik poepte en pieste mijn broek vol. Ik gilde als een meisje. Ik gilde dat ze me naar boven moesten trekken, red me alsjeblieft ik zal niemand iets vertellen echt niet heus niet red me red red me red me...

Geen idee hoe lang ik zo hing te bungelen en te zwiepen en te draaien, maar het vliegtuig begon opeens weer groter te worden. Ik was nu zo duizelig dat mijn ogen vanzelf dicht gingen om de hemel en de zee af te sluiten, maar met dichte ogen was het gebrul in mijn oren ondraaglijk, dus duwde ik ze steeds weer open en zag elke keer het vliegtuig dichterbij komen, een zwart kruis dat rond en rond draaide met een dansende halvemaan eromheen. Toen ik er dicht genoeg bij was om de laadklep te zien uitsteken, werd ik zo dankbaar dat ik huilde als een kind dat zijn mammie kwijt was, maar daar is ze weer, groot en warm, en ze redt me van het grote boze donker.

Ik kwam in de zuiging van het vliegtuig terecht en het draaien ging over in tollen en toen trokken ze me over de rand en grepen de armleuningen beet en het tollen hield op. Toen de stoel rechtop op de klep werd gezet, was dat het heerlijkste gevoel dat ik ooit had gehad. Ze trokken me naar binnen, de laadklep ging omhoog, de hemel verdween langzaam uit beeld. Ik werd weer opgetild en teruggedragen naar mijn oude plekje, waar ze de stoel weer aan de wand sleutelden. Zonder een woord tegen me te zeggen. Gewoon twee mannen die hun werk deden. Ik wilde ze haten, maar dat lukte niet. Ik zat daar alleen maar in mijn eigen stront en was eeuwig dankbaar dat ik nog leefde.

Ik had de boodschap van mijn overheid luid en duidelijk gehoord. Ik zou nooit, echt *nooit*, een klacht indienen over een slechte behandeling. Ik was geen gevangene geweest. Ik had gratis in een luxe kamer gezeten met alle gemakken voorzien. Dank u wel. Ik was niet gemarteld. Er waren me alleen maar wat vragen gesteld. Dank u. Ik was geen verdachte geweest. Ze hadden alleen maar belangstelling voor me gehad. Nogmaals hartelijke dank. Mijn overheid had me een geheel verzorgde reis naar een tropisch paradijs gegeven, met veel amusement en een onvergetelijke attractie op de vlucht terug naar huis. Dank u, dank u, *dank* u.

Ik zat als een zombie in mijn speciale stoel, mijn luchtstoel, en deed precies wat luitenant Harding gezegd had dat ik moest doen: mijn zegeningen tellen. En toen ik klaar was, telde ik ze nog eens, en weer eens, steeds opnieuw tot de motoren van geluid veranderden en het vliegtuig opzij helde om de afdaling te beginnen naar een vliegveld. Mijn neus zat vol met mijn eigen stank en mijn geest was gevuld met dankbaarheid en angst. Het spijt me heel, heel erg en ik zal het nooit meer doen. Ik wil alleen maar dat het nu voorbij is. Klaar. Over.

De wielen raakten de landingsbaan en we temperden vaart. Ik was weer terug in de Verenigde Staten van Amerika en nu zou alles weer goed met me gaan, als ik maar gewoon een nette jongen bleef. Ik kon niet wachten tot we stilstonden, zodat ik uit kon stappen, en nu op de normale manier graag, gewoon opstaan en een trapje af en dan met mijn voeten op de vaste grond. Maar terwijl we nog uitrolden, kwam er een man naar me toe, zonder helm ditmaal, en geen overall maar een legeruniform, en hij rolt mijn mouw op. Hij heeft een medicijnendoos bij zich en veegt over mijn arm met een watje en geeft me vervolgens een prik.

'Waar is dit voor?' vraag ik.

'Inenting tegen tropische ziekten,' zegt hij.

Maar dat jokt hij natuurlijk, want zo'n prik hoor je voor je vertrek te krijgen en niet erna, als je weer terugkomt bedoel ik. En terwijl ik dit zit te denken is het net alsof er weer een zwarte zak over mijn hoofd wordt getrokken.

NEGENTIEN

Ik werd wakker door kerkklokken, en lag me af te vragen of ik in de hemel ben, zo rustig voel ik me. Na een poosje sloeg ik mijn ogen open en ging rechtop zitten om te zien hoe de hemel eruitzag. Hij zag eruit als een motelkamer. Ik keek omlaag en zie dat ik naakt ben. En iemand heeft me schoongewassen, want er zitten geen poepvlekken in de lakens. Naast het nachtkastje stond een gloednieuwe koffer die ik nog nooit gezien had.

Ik stapte het bed uit. De klokken gingen door met luiden, erg vreedzaam en prettig om te horen. Toen ik bij het raam ging staan en door de gesloten gordijnen gluurde, zag ik een betonnen parkeerplaats. Dit is niet de hemel. Het is ergens in Amerika. Maar waar, en wie had me hier gebracht? Ik liep naar de koffer, deed hem open en hij zat vol met nieuwe kleren. Ik pakte de broek die bovenop lag en trok hem aan. De zakken voelden propperig, dus voelde ik wat erin zat, en in allebei, links en rechts, zat een dikke bundel opgevouwen papiergeld. Ik telde alles na en kwam aan tienduizend dollar, in knisperige verse honderdjes. Mijn zwijggeld. Ik trok een hemd aan en sokken en pakte de gloednieuwe sneakers die naast het bed stonden. Alles paste alsof het gegoten zat.

Er werd op de deur geklopt en een vrouwenstem zegt: 'Blijft u tot na twaalven? Dan moet u zich opnieuw inschrijven. Hallo?'

'Nee!'

Ik hoorde haar weglopen, pakte de koffer op en liep ermee naar de deur, die ik heel voorzichtig op een kier deed, met een soort van voorgevoel alsof er een verrassingsfeestje of zoiets klaarstond om me te overvallen. Maar er is niks, alleen maar een lege gang die roze is geschilderd. De kerkklokken zijn gestopt. Ik stapte naar buiten en trok de deur achter me dicht. Ik voelde me schuldig, geen idee waarom, alsof ik wegsloop zonder te betalen.

Het zonlicht was verblindend. Ik liep de parkeerplaats over naar het kantoortje, waar een vrouw van een jaar of vijftig naar me opkeek. Ze had paars haar in grote stijve krullen.

'Van gedachten veranderd?' vraagt ze.

'Nee. Waar ben ik, als ik vragen mag?'

'In mijn kantoortje, lieverd.'

'Nee, ik bedoel in welke stad.'

'Allemachtig, je vrienden hebben je gisteren flink volgegoten, hè? Kun je je niks meer herinneren?'

'Nee.'

'Nou, je bent hier in Vero Beach.'

'Is dat in Florida?'

'En of ze je hebben volgegoten! Ja, schat, dit is Florida.'

'Is er hier ergens een busstation in de buurt?'

'Linksaf de straat in, helemaal aan het eind. Komen je vrienden je niet ophalen?'

'Ik hoop het niet.'

'Nou, kom vooral nog eens langs en vertel je vrienden hoe prettig het hier is. Andere vrienden, bedoel ik. Niet die van gisteravond, oké?'

'Oké.'

Ik liep de kant op die ze me gewezen had, met mijn nieuwe koffer en mijn ogen in spleetjes tegen de zon. Nu als eerste een buskaartje, dacht ik, en dan met het wisselgeld een zonnebril kopen. Ik keek voortdurend achterom, of ik misschien gevolgd werd, maar dat werd ik niet. Daar had je het busstation. Niet zo groot, maar dat is logisch in zo'n plaatsje als dit. Ik ging naar binnen en kocht een kaartje voor Atlanta. De man zei dat de bus over een halfuur kwam.

Aan de overkant van de straat stond een pompstation met een winkeltje. Daar kocht ik een grote beker Coke met ijsblokjes en een lekkere warme reuzenpretzel plus een zonnebril en een baseballpetje om mijn gezicht te verbergen. En ik kocht er een stapel schoolschriften met tekenfilmfiguurtjes op de kaft, en een stuk of wat pennen. Er stond een rek met de plaatselijke krant, en de kop daarvan schreeuwde: SENATOR KETCHUM TREKT ZICH TERUG. Ik las wat eronder stond en het kwam erop neer dat de senator meer tijd aan zijn gezin wilde geven, om persoonlijke redenen die puur in de privésfeer lagen, dus het had niks te maken met de terroristische dreiging van Dean Lowry, naar wie de autoriteiten nog steeds op zoek zijn. Sjonge.

Ik stak de straat weer over en ging op een bankje op de bus zitten wachten. Ik was nog nooit in Atlanta geweest, maar wist nu al dat ik er niet zou stoppen voor de toeristische bezienswaardigheden. Met tienduizend dollar kon ik een hoop buskaartjes kopen, net zo lang tot ik ergens kwam waar ik me veilig voelde, waar dat ook mocht zijn. Ik at mijn pretzel en dronk mijn Coke en voelde me beter dan ik lang had gedaan.

Maar er spookt nog wel een vraag in mijn hoofd, die niet van ophouden wil weten, en die vraag is: heeft Jim Rickers me nu wel of niet de echte waarheid verteld? Ik kon het toch niet echt geloven van Chet en Preacher Bob, niet alles tenminste. Dat zouden ze toch nooit doen, een heleboel van hun eigen aanhangers opblazen op die bijeenkomst in Topeka? Zoiets gebeurt gewoon niet in Amerika, of het moet een gek zijn, zoals de vent van die bomaanslag in Oklahoma toen ik nog een jochie was. Ik wist nog goed hoe erg dat geweest was en dat geen mens had kunnen geloven dat een Amerikaan zoiets zou doen. Maar achteraf was toen gebleken dat hij zwaar gefrustreerd was en niet helemaal tof, dus ja, dan kan het gebeuren. Maar Preacher Bob was niet zo, dus ik kreeg toch het idee dat Jim Ricker opdracht van iemand had, misschien de president wel, om mij leugens te vertellen. Ik zal het alleen nooit weten. Ik probeerde er een vast idee over te krijgen, maar dat spook bleef maar spoken tot ik er hoofdpijn van kreeg, dus gaf ik het op en dacht helemaal niet meer na, wat uitstekend beviel omdat ik me meteen een heel stuk beter voelde. Als je ergens niet uit komt, moet je er gewoon omheen gaan.

En toen kwam de bus eraan.

Als je tot hier hebt gelezen, begrijp je waarschijnlijk wel dat ik dit hele verhaal niet in één busrit heb geschreven. Dan had het een busrit naar de maan en terug moeten zijn. Ik begon tijdens de rit door Florida, ging door terwijl ik door Georgia reed, en dwars door Mississippi, en toen Illinois. Van die staat ging ik linksaf naar het westen tot ik in Oregon kwam, en toen had ik evengoed nog maar drie hoofdstukken af. Het reizen hing me de keel uit en ik nam een kamertje in een pension in een dorpje waar ik de naam niet van zeg vanwege de privacy die ik voor mezelf wil, je begrijpt wel waarom.

En ik bleef schrijven. Maar toen ik alles op papier had, dacht ik: tja, en wat nu? Voor de *New York Times* is het ondertussen te lang, dus misschien moet ik het naar een uitgever van boeken sturen, of anders bewaar ik het een tijdje en denk nog eens goed na óf ik er wel wat mee wil, want geen mens zal het geloven en Jim Ricker zei dat ik niks mocht vertellen, anders zwaait er wat voor me wat niet mals is, en dat is iets wat ik wél van hem geloof. Dus misschien is al dat geschrijf wel voor niks geweest en blijft alles voor altijd in de kast liggen, of op zijn minst totdat ik dood ben. Maar goed, ik heb inmiddels wel andere dingen in mijn leven dan alleen het verleden.

Want wat er gebeurde is dit. Op een dag liep ik hier in het dorp een kapperszaak binnen voor een opknapbeurt, en terwijl die kapper met me bezig was, klaagde hij dat hij niemand kon vinden die zijn zaak wilde overnemen, want al die jonge gasten trekken weg naar de Grote Stad. Maar het haar van de plaatselijke bevolking blijft ondertussen wel doorgroeien, dus hij heeft het gevoel dat hij er niet mee kan ophouden, want wat moeten de mensen zonder hem? Ik vroeg hem of het een moeilijk vak was wat hij deed, en hij zegt dat hij het iemand in twee weken kan leren, drie hooguit. Dus ik zeg oké, leer het mij dan maar. En hij vraagt of ik het meen en ik zeg ja en daarmee was de zaak bekonkeld.

Ik leerde snel en volgens Guido, want zo heette hij, was ik een natuurtalent, ondanks mijn grote vingers. Ik was alleen wel bang dat het een probleem ging worden dat je als kapper de hele dag met je klanten moet babbelen, want ik ben niet zo'n prater, maar Guido zegt maak je daar nou maar niet druk om, je laat gewoon je klant aan het woord en geeft hem overal gelijk in, meer willen ze toch niet dus dan is iedereen blij. En toen ik dit probeerde, bleek het echt te werken! En zo begon ik dus als grasmaaier en ben ik nu haarknipper, en haar groeit net als gras altijd maar door, dus ik heb werk voor het leven. Misschien sterf ik wel met een schaar in mijn hand.

En bovendien is er het meisje van het Morning Glory Café, verderop in de straat. Ik drink daar elke ochtend mijn koffie en zij maakt dan altijd een praatje met me, en ik moet me wel heel sterk vergissen als zij niet net zo'n oogje op mij heeft als ik op haar. Duim maar voor me, zoals dat heet.

Eigenlijk is er nog maar één ding dat me dwarszit. Na het avondeten maak ik vaak een ommetje voor de vertering, waarbij ik in een kwartiertje het hele dorp door ben, zo klein is het. En soms, als ik langs de enige telefoonautomaat loop die we hier hebben, aan de buitenmuur van het postkantoor, dan begint opeens die telefoon te rinkelen. Ik weet dat het niet voor mij kan zijn, maar het gebeurt steeds net als ik voorbij kom. Het is nu al een keer of tien gebeurd, dus het kan haast geen toeval meer zijn. Ik weet niet wie de beller is, maar ik weet wel iemand van wie ik liever niet heb dat hij het is, en ik ben dus bang dat hij het juist wél is. Misschien is dit zijn manier om me te laten merken dat ik nog steeds niet zo verborgen leef als ik zou willen, en dat ze me nog steeds in de gaten houden. Maar zeker weten doe ik het niet. En ik ben niet van plan om op te nemen en duidelijkheid te krijgen. Ik heb zo'n idee dat het maar het beste is om niet op te nemen. Waarom ik dat idee heb, weet ik niet, maar ik heb het wel.

Vanavond gebeurde het weer, terwijl ik op weg was naar het huis van Donna, het meisje van het café. Ik bleef stilstaan en liet hem rinkelen, en toen liep ik verder. Ik heb nu wel wat anders aan mijn hoofd dan geheimzinnig telefoongerinkel. Ik ben verliefd.